YSGRIFAU AR THEATR A PHERFFORMIO

YSGRIFAU AR THEATR A PHERFFORMIO

Golygwyd gan

Anwen Jones a Lisa Lewis

GWASG PRIFYSGOL CYMRU
mewn cydweithrediad â'r
COLEG CYMRAEG CENEDLAETHOL
2013

www.gwasgprifysgolcymru.org

Mae cofnod catalogio'r gyfrol hon ar gael gan y Llyfrgell Brydeinig.

ISBN 978-0-7083-2651-0
e-ISBN 978-0-7083-2657-2

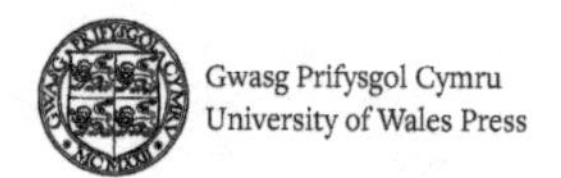

Ariennir y cyhoeddiad hwn gan y Coleg Cymraeg Cenedlaethol

Cysodwyd yng Nghymru gan Wasg Dinefwr, Llandybïe
Argraffwyd gan CPI Antony Rowe, Chippenham, Wiltshire

CYNNWYS

RHESTR O DDARLUNIADAU/FFIGYRAU

NODYN AR GYFRANWYR

Mae **Margaret Ames** wedi gweithio gyda'r Prosiect Dawns Cymunedol, Dawns Dyfed am ugain mlynedd. Mae hi wedi perfformio gyda Brith Gof yn enwedig, yn ogystal â chreu gwaith ei hunan. Mae hi'n Uwch Therapydd Dawns Symud ac yn Ddarlithydd a Thiwtor Hŷn ym Mhrifysgol Aberystwyth.

Cwblhaodd **Dr Gareth Evans** ei radd israddedig ym Mhrifysgol Bangor ac aeth yn ei flaen i astudio ar lefel uwchraddedig yn yr Adran Astudiaethau Theatr, Ffilm a Theledu, Prifysgol Aberystwyth. Dyfarnwyd doethuriaeth iddo yn 2012 am brosiect oedd yn archwilio'r berthynas rhwng syniadaeth Hans Thies-Lehmann am theatr ôl-ddramataidd a'r theatr gyfoes yng Nghymru, gyda chyfeiriadaeth at waith Aled Jones Williams yn benodol. Mae Gareth bellach wedi ei benodi i ddarlithyddiaeth mewn Astudiaethau Theatr a Pherfformio yn Adran Astudiaethau Theatr, Ffilm a Theledu, Prifysgol Aberystwyth.

Mae **Dr Anwen Jones** yn ddarlithydd Astudiaethau Theatr ac yn Gyfarwyddwr Dysgu ac Addysgu yn yr Adran Astudiaethau Theatr, Ffilm a Theledu ym Mhrifysgol Aberystwyth. Hi yw awdur *National Theatres in Context: France, Germany, England and Wales* (Gwasg Prifysgol Cymru, 2007) a chyd-olygydd *Wil Sam: Dyn y Theatr* (Gwasg Carreg Gwalch, 2009). Mae hi hefyd yn cyhoeddi ym maes drama a theatr Ffrainc yn yr ugeinfed ganrif.

Mae **Dr Lisa Lewis** yn Ddarllenydd ac yn Bennaeth yr Adran Theatr a Drama yn yr Atrium, Prifysgol De Cymru Mae hi'n awdur nifer o erthyglau a phenodau ar theatr a pherfformio, ac yn cwblhau llyfr ar hyn o bryd ar y berthynas rhwng lle, hanes a pherfformiad yng Nghymru, *Performing Wales: History and Site* (Gwasg Prifysgol Cymru).

Mae'r **Athro Mike Pearson** yn awdurdod ym maes Astudiaethau Perfformio ac yn gyfrifol am sefydlu'r radd gyntaf yn y maes yng ngwledydd Prydain, ym Mhrifysgol Aberystwyth. Mae'n awdur nifer o erthyglau a llyfrau gan gynnwys *In Comes I: Performance, Memory and Landscape* (Prifysgol Exeter, 2006), *Site-Specific Performance* (Palgrave Macmillan, 2010), ac yn gyd-awdur *Theatre/Archaelology* (Routledge, 1999). Roedd yn gyfarwyddwr artistig Cardiff Laboratory Theatre (1973–80) a Brith Gof (1981–97). Mae'n parhau i greu perfformiadau gyda Pearson/ Brookes (1997–heddiw).

Mae ymarfer ac ymchwil **Dr Rowan O'Neill** yn cynrychioli archwiliad parhaol o iaith, hunaniaeth, lle a pherthyn sydd wedi ei ysbrydoli gan ei chefndir academaidd mewn astudiaethau crefyddol yn ogystal â'r gwrthgyferbyniad rhwng cymdeithas fodern ddinesig a'i magwraeth amaethyddol yng Ngheredigion. Mae hi newydd gwblhau doethuriaeth yn yr Adran Astudiaethau Theatr, Ffilm a Theledu ym Mhrifysgol Aberystwyth. Mae ei gwaith doethur wedi ei seilio ar archif yr artist a'r cyfarwyddwr theatr Cliff McLucas, un o gyn-gyfarwyddwyr cwmni theatr Brith Gof. Perthyn y gwaith hwn i faes Astudiaethau Perfformio ac mae'n agwedd allweddol ar yr ymgais i ddatblygu ffiniau traddodiadol y pwnc mewn modd a fydd yn sicrhau ehangder deallusol Astudiaethau Theatr a Pherfformio yng Nghymru ac yn y Gymraeg.

Mae **Dr Roger Owen** yn ddarlithydd yn yr Adran Astudiaethau Theatr, Ffilm a Theledu ym Mhrifysgol Aberystwyth. Ef yw awdur *Ar Wasgar: Cymru a Chenedligrwydd yn y Gymru Gymraeg, 1979–1997* (Gwasg Prifysgol Cymru, 2003). Mae Roger yn cyfarwyddo prosiectau ymarferol oddi mewn ac oddi allan i'r adran ac mae'n sylwebydd cyson ar y ddrama a'r theatr yng ngholofnau amrywiol gyfnodolion Cymraeg cyfredol.

Mae **Siân Summers** yn gweithio fel Rheolwr Llenyddol yn Sherman Cymru. Mae hi hefyd yn awdur/dramodydd, cyfarwyddwraig a pherfformwraig sydd wedi gweithio gyda mwyafrif cwmnïau theatr Cymru dros yr ugain mlynedd diwethaf.

Mae'r **Athro Ioan Williams** yn awdurdod ar y ddrama yng Nghymru ac Ewrop ac wedi cyhoeddi yn helaeth dros gyfnod hir ei yrfa fel Pennaeth yr Adran Astudiaethau Theatr, Ffilm a Theledu ym Mhrifysgol Aberystwyth. Mae bellach yn Athro Emeritws yn y brifysgol honno ac yn gadeirydd Theatr Genedlaethol Cymru. Mae ei gyhoeddiadau yn cynnwys *A Straitened Stage: Saunders Lewis* (Seren Books, 1995), *Dramâu Saunders Lewis*, Cyfrol 1 a 2 (Gwasg Prifysgol Cymru, 1996 a 2001) ac *Y Mudiad Drama yng Nghymru 1880–1940* (Gwasg Prifysgol Cymru, 2006).

Mae **Sêra Moore Williams** yn ddramodydd a chyfarwyddwraig ac erbyn hyn yn Uwch Ddarlithydd Drama ym Mhrifysgol De Cymru. Mae dramâu Sêra yn cynnwys *Crash*, *Mwnci ar Dân*, *Riff* a *Conffeti* i gynulleidfaoedd ifanc, *Mab* (drama gomisiwn Eisteddfod Genedlaethol Cymru 2001), a *Byth Rhy Hwyr*, *Trais Tyner*, *Mefus* a *Morforwyn* i gwmni Y Gymraes. Mae ei gwaith ffilm yn cynnwys *Awel Amour* a *Mefus* (Opus).

NODYN AR DDYFYNIADAU

Gwnaethpwyd penderfyniad golygyddol i ddefnyddio dyfyniadau yn yr iaith wreiddiol os mai yn y Gymraeg neu'r Saesneg y'i hysgrifennwyd yn y lle cyntaf. Lle roedd cyfieithiadau o ddarnau mewn unrhyw iaith arall yn bodoli yn y Gymraeg fe ddefnyddiwyd y cyfieithiad hwnnw. Mewn ambell achos penderfynwyd cyfieithu darnau bychan o ddyfyniadau o'r iaith wreiddiol i'r Gymraeg, lle roedd y dyfyniad yn ddigon hawdd i ganiatáu cyfieithu di-drafferth. Mewn sawl achos mae'r dyfyniadau yn y Saesneg gan mai dyna'r cyfieithiad syn bodoli o waith a allai fod yn arbennig o astrus i'w gyfieithu, er enghraifft cyfieithwyd *Postdramatisches Theater* Hans-Thies Lehmann (1999) i'r Saesneg saith mlynedd yn dilyn y cyhoeddiad gwreiddiol. Dyma waith anodd a dyrys y byddai ei gyfeithu i'r Gymraeg yn brosiect ynddo'i hun a phenderfynwyd cadw gweithiau o'r fath yn y cyfieithiad Saesneg.

CYFLWYNIAD

Amcan y gyfrol arloesol hon yw cynnig casgliad o erthyglau ym maes Astudiaethau Theatr ac Astudiaethau Perfformio sy'n archwilio rhychwant o bynciau sylfaenol i'r ddisgyblaeth. Fe fydd yr erthyglau yn gwbl greiddiol i fyfyrwyr sydd a'u bryd ar ddehongli ac archwilio yr amryfal agweddau ar y maes hwn. Er mwyn i Astudiaethau Theatr ac Astudiaethau Perfformio ddatblygu yn feysydd trafodaeth aeddfed yn y Gymraeg, rhaid darparu deunydd arbenigol, cyfrwng Cymraeg, ar gyfer myfyrwyr y presennol a'r dyfodol; deunydd a fydd yn eu harfogi hwythau, yn eu tro, i gyfrannu at gyfoethogi a datblygu'r disgwrs yn y maes.

Mae'r gyfrol yn tynnu ynghyd bersbectifau amrywiol ar gymhlethdod y profiad theatraidd yng Nghymru a thu hwnt. Mae'r cyfranwyr yn arbenigwyr ac mae'r gyfrol at ei gilydd yn glytwaith gelfydd o wahanol agweddau ar Ddrama, Theatr a Pherfformio yn gyffredinol. Ceir sawl math o ysgrifennu yn y gyfrol, er mwyn cynrychioli'r cyfoeth o arddulliau amrywiol sy'n gyfredol yn y maes. Ceir yma hefyd ystod o erthyglau sy'n cwmpasu gwahanol agweddau ar Astudiaethau Theatr ac Astudiaethau Perfformio. Mae erthyglau ar theatr ac agweddau ar actio neu ysgrifennu ar gyfer perfformiad yn perthyn yn amlwg i fyd Astudiaethau Theatr, tra bod yr erthygl ar yr archif a chreadigrwydd perfformiadol yn perthyn i Astudiaethau Perfformio. Rhyngddynt ceir erthyglau ar waith safle-benodol, y corff a chymuned, ac ar y theatr ôl-ddramataidd, agweddau sy'n pontio'r ddau faes.

Tra bod Astudiaethau Theatr wedi ennill ei phlwyf fel maes astudiaeth benodol sy'n archwilio theatr fel strwythur cymdeithasol a diwylliannol (yn ogystal â holl briodoleddau'r gelfyddyd theatr – o ysgrifennu, i actio, dylunio, cyfarwyddo a dramatwrgiaeth), mae Astudiaethau Perfformio yn faes sydd ond wedi datblygu yng Nghymru yn gymharol ddiweddar. Mewn Astudiaethau Perfformio astudir ystod o agweddau ar berfformio mewn cymdeithas, ac yn ddamcaniaethol mae'n faes cwbl agored sy'n defnyddio dulliau amrywiol ddisgyblaethau – anthropoleg, ethnograffi, llên gwerin ac ieitheg – yn ogystal â dulliau dadansoddol a ddefnyddir gan Astudiaethau Theatr. Y mae hefyd yn cwmpasu defod, chwaraeon, a theatr yn ogystal ag enghreifftiau mwy amwys o berfformio diwylliannol megis hunaniaeth bersonol a chenedligol a'r cysyniad o 'chwarae' yn gyffredinol.

Trafod y cysyniad o ofod theatraidd mae erthygl agoriadol yr Athro Ioan Williams, gan gynnig mewnwelediad i hanes cysyniadol ac ymarferol yr agwedd hon ar y theatr. Mae pennod Dr Anwen Jones yn dehongli'r theatr fodern yn Ewrop yng nghyd-destun agweddau ar syniadaeth theori drama. Ceir ganddi hefyd gyfraniad arall sy'n archwilio'r cysyniad o genedligrwydd yng nghyd-destun y theatr genedlaethol yng Nghymru. Canola gyfraniad Dr Roger Owen ar rôl a dylanwad y Cyfarwyddwr yn y Gorllewin, tra bod pennod Dr Lisa Lewis yn cynnig persbectif unigryw ar gysyniadau yn ymwneud ag actio yn yr un cyfnod. Ceir ym mhennod Dr Gareth Evans driniaeth o'r theatr ôl-ddramataidd yng Nghymru ac Ewrop yng nghyd-destun datblygiad y cysyniad mewn theori drama yn fwy eang. Gwneir cyfraniad allweddol ar berfformio safle-benodol gan yr Athro Mike Pearson sy'n olrhain rhai o'r cysyniadau sylfaenol sydd wrth wraidd y disgwrs ar berfformio yn y cyd-destun hwn. Trafoda Dr Rowan O'Neill botensial yr archif fel maes archwilio hunaniaeth yng nghyd-destun creadigrwydd perfformiadol. Mae'r cyfraniad hwn yn arloesol o safbwynt cynnwys a methodoleg ond mae hefyd yn gwbl gydnaws â thueddiadau cyfoes ym maes Astudiaethau Theatr a Pherfformio lle cydnabyddir y cyswllt byw rhwng methodoleg hewristig, sy'n hwyluso archwiliad ôl-fyfyriol ar y broses greadigol a dadansoddiad beirniadol, treiddgar o gysyniadau theoretig sy'n gydnaws ag astudiaeth ysgolheigaidd. Wrth reswm, mae'r ffaith fod y cyfraniad hwn yn sicrhau mewnwelediad beirniadol i archif Cliff McLucas, un o aelodau allweddol y cwmni theatr Brith Gof, yn cynnig cyfle breintiedig i fyfyrwyr ac yn gosod y cyfraniad ar flaen y gad o safbwynt darpariaeth gwybodaeth newydd yn y maes. Cynhelir y pwyslais ar ganfyddiad eang ac allblyg o'r maes yn y bennod nesaf, sef cyfraniad Margaret Ames i drafodaeth o'r berthynas ryngweithiol rhwng corff a chymuned. Cloir y gyfrol gyda deialog rhwng dwy ddramodwraig,

Sêra Moore Williams a Siân Summers, sy'n trafod eu profiad personol o ysgrifennu ar gyfer y theatr.

Ein gobaith yw y bydd y gyfrol hon yn ganllaw ac yn ysbrydoliaeth i genhedlaeth o fyfyrwyr sy'n barod i ymgymryd â'r her o ddatblygu a chyfoethogi'r drafodaeth ysgolheigaidd ar Ddrama, Theatr a Pherfformio yng Nghymru. Yn gydnaws â'r weledigaeth hon, ariennir y gyfrol gan gronfa prosiectau y Coleg Cymraeg Cenedlaethol.

Anwen Jones a Lisa Lewis

1

GOFOD THEATR

Ioan Williams

Fel unrhyw weithgarwch cymdeithasol, mae theatr yn gofyn am ofod, lle mae'r grwpiau gwahanol sydd ynghlwm wrtho yn medru chwarae eu rhannau priodol mewn perthynas â'i gilydd. Nid oes yn rhaid i'r gofod hwnnw fod yn adeilad arbennig. Y cwbl sydd ei angen yn y bôn yw lleoliad lle mae'r rheiny sy'n cyflwyno'r weithred (actorion) a'r rheiny sy'n tystio iddi (y gynulleidfa) yn rhydd i chwarae eu rhannau neilltuol. A dyna sy'n gwneud theatr yn wahanol yn ei hanfod i unrhyw weithred gymdeithasol arall, hynny yw, mai cyfleu gweithred yn hytrach na gwireddu gweithred mae'r actorion yn ei wneud. Yn wahanol i'r rhai sy'n gweithredu mewn llys barn, eglwys neu faes chwarae, mae actorion theatr yn cyflwyno gweithred nad yw'n digwydd. Y gwir yw, nid ydynt yn cyfleu dim heblaw nifer o ystumiau a dderbynnir gan y gynulleidfa fel arwyddion sy'n cyfeirio at ddigwyddiad ffuglennol. Oherwydd hynny mae elfen o amwysedd ynghlwm wrth theatr yn ei hanfod. Nid oes ots pa mor drylwyr bo'r 'willing suspension of disbelief' y soniodd y bardd Samuel Taylor Coleridge amdano, rhaid i bob aelod o gynulleidfa theatr fod yn ymwybodol mai gosodiad yw'r hyn sydd yn digwydd o'i flaen, yn hytrach na gweithred go iawn.[1]

Yn hyn o beth mae theatr yn wahanol i gyfryngau celfyddydol eraill sydd yn cyflwyno gweithredoedd ffuglennol. Fel theatr, mae'r nofel yn gofyn am ymdrech rithiol oddi wrth y darllenydd, sydd yn creu yn ei m/feddwl ei hun leoliad dychmygus y digwyddiadau. Ond o ddau safbwynt mae profiad aelod o gynulleidfa theatr yn wahanol i eiddo darllenydd nofel. Yn gyntaf, mae ef/hi yn gorfod ymgynnull gydag eraill mewn lleoliad neilltuol. Yn ail, mae'r arwyddion sy'n creu'r lleoliad dychmygus yn weithredoedd go iawn, sy'n digwydd ym mhresenoldeb y gynulleidfa – hynny yw, geiriau llafaredig ac ystumiau gan actorion, lliwiau, synau a symudiadau.

Oherwydd y cymhlethdod arbennig hwn mae'r cysyniad o'r gofod theatraidd yn ganolog i Astudiaethau Theatr ac Astudiaethau Perfformio. Ac er mwyn dod i delerau â'r cymhlethdod hwnnw, y duedd ymhlith ysgolheigion yw rhannu'r cysyniad o ofod theatraidd i sawl is-ddosbarth. Awgrymaf yma fod tair elfen wahanol y gellir eu hastudio ar wahân i'w gilydd – a hynny nid oherwydd ei bod yn y pen draw yn bosibl i'w gwahanu'n gyfan gwbl, ond am eu bod yn elfennau y gellir eu gweld mewn cyfuniadau gwahanol ym mhob ffurf ar theatr fel a ddatblygwyd yn y byd gorllewinol ar hyd yr oesoedd.

Mae'r termau a ddefnyddir yn llenyddiaeth y pwnc yn amrywio, ond y rhai rwyf am eu cyflwyno yma fel y rhai mwyaf sylfaenol a'r mwyaf defnyddiol yw: y safle theatraidd (gall fod naill ai'n adeilad neu'n ofod gwag); gofod y chwarae (boed yn sgaffald, yn stryd neu'n sgwâr cyhoeddus); a'r gofod dramataidd (y lle dychmygus, lle mae'r gweithgarwch yn digwydd). Rhaid wrth bob un o'r elfennau a gynrychiolir gan y termau hyn er mwyn i theatr fodoli, er y byddant mewn cyfuniadau gwahanol ym mhob amlygiad gwahanol o gelfyddyd theatraidd. Ac oherwydd hynny mae cydnabod y berthynas rhyngddynt yn cynnig techneg sy'n caniatáu i ni nid yn unig ddeall y swyddogaeth a gyflawnir gan theatr mewn diwylliannau gwahanol ond hefyd i ddadansoddi perfformiadau theatraidd unigol.

THEATR GLASUROL GROEG A RHUFAIN

Lle ystyrir theatrau'r gorffennol, ni cheir y posibiliad o ddadansoddi perfformiadau a gyflwynid ynddynt, ac felly nid yw dealltwriaeth drylwyr yn bosibl. Ond er gwaethaf hynny, oherwydd gwaith manwl yr archeolegwyr, cawn ganfod presenoldeb pob un o'r elfennau hanfodol mewn perthynas â'i gilydd. Oherwydd gwaith trylwyr yr archeolegwyr a'r beirniaid testunol, mae gennym gryn dystiolaeth o natur theatr fwyaf hynafol Ewrop a ffynnai yn Athen a dinasoedd eraill Groeg rhwng y bumed a'r drydedd ganrif cyn Crist. Rhaid cyfaddef bod ein dealltwriaeth o'r theatr hon yn ddiffygiol, oherwydd ni cheir yn y testunau sydd wedi goroesi unrhyw gyfeiriad at yr elfennau perfformiadol a oedd, yn wreiddiol o leiaf, yn bwysicach na'r rheiny sydd gennym yn y testunau ysgrifenedig – hynny, yw, y dawnsiau a'r canu corawl. Ond er gwaethaf hynny, cawn ddysgu llawer am theatr hynafol Groeg wrth ystyried y berthynas rhwng y safle theatraidd, gofod y chwarae a'r gofod dramataidd.

Er gwaethaf cymhlethdod y darlun mae gwaith yr archeolegwyr yn ei awgrymu, mae cytundeb cyffredinol am gynllun enghreifftiol y safle theatraidd Groegaidd. Cawn yr esiampl enwocaf ohono yn adfeilion Epidawros (tua 350 CC: gweler Ffigwr 1). Gwyddwn o'r cynllun hwn fod theatr i ddinasyddion Groeg yn y cyfnod hwnnw'n weithred grefyddol, gymdeithasol, yn addoliad o'r duw Dionysiws ac yn ddathliad o fywyd a chyfansoddiad y dinasoedd unigol. Gwelwn fod yr adeiladau theatraidd hyn wedi eu lleoli mewn perthynas agos â theml y duw, a'i gerflun, fod allor iddo wedi ei lleoli yn y gofod chwarae a bod seddau i'w offeiriaid i'w cael yn rhes flaen seddau'r gynulleidfa. Gwyddwn ar sail maint y theatrau a threfn y seddau (y *cavea*) fod presenoldeb holl boblogaeth gwrywaidd y ddinas yn ddisgwyliedig a bod trefn y seddau'n adlewyrchu'r drefn gymdeithasol.

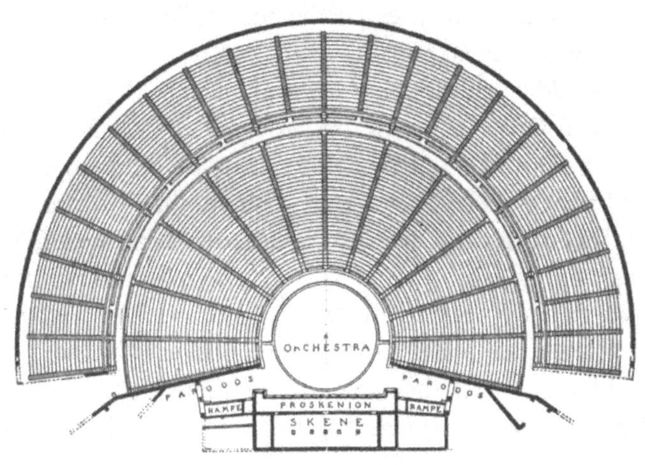

Ffigwr 1: Theatr Epidawros. Llun wedi ei atgynhyrchu o M. Bieber, *The History of the Greek and Roman Theater*, Gwasg Prifysgol Princeton (1939, gol. 1961). Gweler yno'r *orchestra*, y *cavea*, *scena* a'r *proscenia* yn eu ffurfiau mwyaf datblygiedig.

Gwelwn ar sail trefn yr elfennau eraill, yn ôl tystiolaeth y dramâu a'r archeoleg, mai dawns a cherddoriaeth oedd elfennau amlycaf y digwyddiad theatraidd a bod y digwyddiad dramataidd yr ydym ni'n ei gymryd fel yr elfen fwyaf sylfaenol mewn theatr yn datblygu'n raddol yn nghyd-destun yr elfennau hynny. O safbwynt gofod y chwarae yn y cyfryw theatr, cawn yr *orchestra*, cylch cyflawn rhwng ugain a deg metr ar hugain ar draws a'r tu ôl iddo y *scena*, adeilad o un neu ddau lawr a oedd yn cynnig llwyfannau perfformio i'r actorion ar sawl lefel, a chyfle i gyflwyno *scenographia*, sef golygfeydd peintiedig a pheiriannau, yn cynnwys llwyfan symudol a pheiriant hedfan, neu graen.

Anodd canfod, erbyn hyn, sut y bu i elfennau gwahanol y gofod chwarae yn y theatrau hyn ddod at ei gilydd i ganiatáu i'r miloedd o ddinasyddion ac ymwelwyr ddychmygu'r gofod dramataidd perthnasol i'r dramâu gwahanol. Yr allwedd i hynny, efallai, yw hollgynwysoldeb y theatr, a'r ffaith ei bod mewn perthynas mor agos â theml y duw. Rhaid cofio hefyd, wrth gwrs, yr anrhydedd a gysylltid â phob agwedd ar y perfformiadau, gan y rheiny a gyfrannodd i'r gost, gan y dawnswyr a'r cerddorion o'r tylwythau gwahanol a chan yr awduron a gystadlai yn erbyn ei gilydd am y wobr. Tra pharhâi'r perfformiadau hyn deuai rhannau gwahanol gofod y chwarae i gynrychioli'r ddinas ei hun, ond nid y ddinas y byddai'r trigolion yn dychwelyd iddi ar ôl gorffen yr ŵyl, ond y ddinas estynedig honno, lle symudai nid dynion yn unig, ond y duwiau eu hunain.

Erbyn diwedd y bedwaredd ganrif cyn Crist roedd cyfnod creadigol theatr glasurol Groeg drosodd, ond parhâi'r diwylliant Groegaidd i ffynnu yn y gwledydd o gwmpas Môr y Canoldir am bum canrif arall. Gwelir ar hyd y cyfnod hwnnw barhad traddodiad theatraidd di-dor rydym yn medru astudio ei ddatblygiad wrth ddadansoddi'r cyfuniadau gwahanol o ofod y chwarae. Wrth ddadansoddi'r dramâu a gynhyrchid ar hyd y cyfnod rhwng 400 a 100 CC yng nghyd-destun ffurfiau pensaernïol theatrau Rhufain, deuwn i ddeall ystyr ac arwyddocâd ymarferion theatr yng Ngweriniaeth Rhufain, o'u cymharu â Groeg yn y cyfnod clasurol. Prif gyrhaeddiad theatr Rhufain oedd y ffurf ar gomedi a ddatblygwyd gan Plautus a Terens yn y cyfnod rhwng 190 a 160 CC ar sail gwaith y Groegwr, Menander (343–292 CC).[2] Bu'r gomedi hon, yn wahanol iawn i Hen Gomedi Groeg yn

Ffigwr 2: Theatr Rufeinig Orange, Ffrainc. Llun wedi ei atgynhyrchu o M. Bieber, *The History of the Greek and Roman Theater*, Gwasg Prifysgol Princeton (1939, gol. 1961).

y cyfnod clasurol, yn troi o gwmpas sefyllfaoedd domestig, er bod y gweithgarwch i gyd yn digwydd ar y llwyfan agored o flaen y *scena* – sef y *proscena*, llwyfan uchel, cul, a gynrychiolai ofod cyhoeddus y stryd y byddai actorion yn cael mynediad iddo drwy ddrysau yn y *scena* a gysylltid gan y gynulleidfa â lleoedd gwahanol yn y gofod dramataidd.

Yr agwedd fwyaf trawiadol ar safleoedd theatraidd Rhufeinig o'u cymharu â rhai Groeg yw datblygiad y *proscena* mewn perthynas â chyfyngiad yr *orchestra* (gweler Ffigwr 3). I raddau, gellir esbonio'r ffordd y datblygodd y safle theatraidd yn Rhufain trwy gyfeirio at ddatblygiadau yn nhechneg adeiladwaith. Felly gwelir bod y defnydd o friciau a choncrid, gyda datblygiad y bwa, yn caniatáu i'r Rhufeinwyr godi theatrau ar safleoedd gwastad, lle bu'n rhaid i'r Groegwyr fanteisio ar fryniau er mwyn cynnal y *cavea*, sef y rhesi o seddau yn codi uwchlaw ei gilydd. Mae'n rhaid mai'r un datblygiad technegol hefyd oedd gwreiddyn y duedd i godi'r *scena* mor uchel ag y'i gwelir yn adfeilion theatr Orange yn Ffrainc (gweler Ffigwr 2). Ond ar yr un pryd gwelir arwyddocâd diwylliannol go amlwg mewn *scena* fel eiddo theatr Orange. Roedd yn amlygiad o allu ac awdurdod y sefydliad gwleidyddol mae'r theatr yn rhan ohono.

Mae newidiadau eraill ar y patrwm clasurol Groegaidd hefyd yn mynegi newidiadau yn y ffordd yr ystyrid swyddogaeth ddiwylliannol celfyddyd theatraidd. Cyfyngwyd yr *orchestra* i hanner cylch, gan ddangos dirywiad ym mhwysigrwydd dawns a chanu corawl a newidiwyd cynllun y *cavea* er mwyn caniatáu system seddau lai democrataidd o lawer nag a welwyd yn theatrau dinasoedd rhyddion Groeg.

Gan ystyried yr holl newidiadau hyn, synhwyrwn gysyniad newydd o gelfyddyd theatraidd, sydd yn nes at yr hyn y byddem ninnau'n medru ei harddel, a hynny i'r graddau ei bod yn ymwneud â bywyd domestig, ond sydd yn ddieithr iawn i ni o ran ei gwaharddiad o brofiad mewnol neu dyndra ysbrydol. Mae theatrau Rhufeinig yn dal yn agored i'r awyr, ond ar yr un pryd maent wedi eu cynllunio fel adeiladau caeëdig, lle mae trefn y gynulleidfa'n adlewyrchu trefn gymdeithasol hierarchaidd wrth iddynt wynebu a thystio i ofod chwarae mae profiad unigol go iawn wedi ei alltudio ohono'n gyfan gwbl. Ar wahân i gyfyngiad yr *orchestra*, mae elfennau gwahanol y gofod hwnnw'n debyg i'r rheiny a geir yn y model Groegaidd, ond maent mewn cyfuniad llawer yn agosach. Yn nramâu Rhufeinig Terens, er enghraifft,

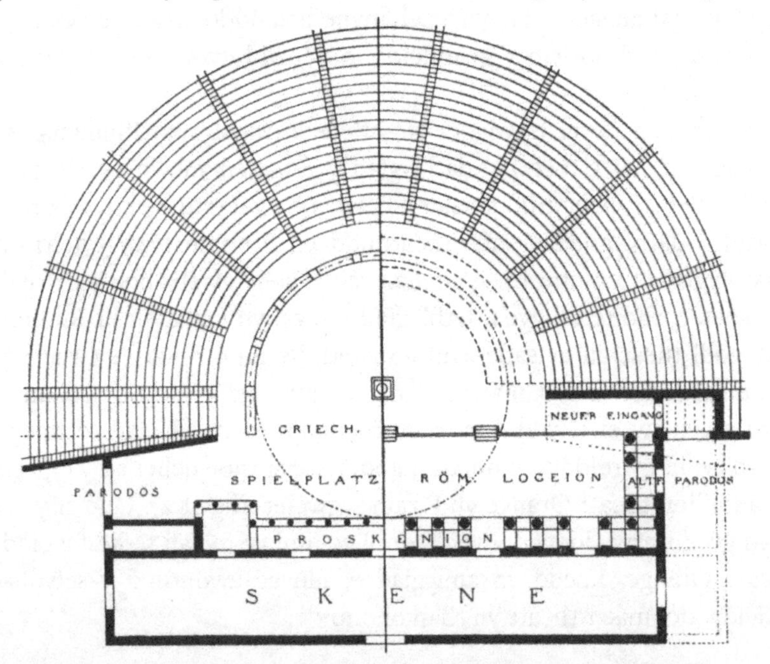

Ffigwr 3: Cynllun sy'n dangos y gwahaniaethau rhwng safleoedd theatraidd Groeg (ar y chwith) a Rhufain (ar y dde). Llun wedi ei atgynhyrchu gyda chaniatâd Gwasg Prifysgol Princeton.

ceir gofod dramataidd llawer yn llai estynedig nag a gafwyd yng Ngroeg. Yng ngwaith Terens, cyflwynir gofod cyhoeddus rhwng y gynulleidfa ar y naill law, a'r gofodau preifat sydd wedi eu cuddio y tu mewn i'r *scena* ar y llall. Datrysir ym mhresenoldeb y gynulleidfa anhrefn y sefyllfaoedd comedïol, sy'n codi o anfodlonrwydd neu anallu'r cymeriadau i gydymffurfio â moesau cydnabyddedig cymdeithas.

THEATR EWROP Y CANOL OESOEDD

Fel yng ngwlad Groeg yn y cyfnod clasurol, cysylltwyd y ffurf ar theatr a ffynnai ar draws gorllewin Ewrop rhwng y bedwaredd ganrif ar ddeg a chanol yr unfed ganrif ar bymtheg (OC) yn agos iawn â bywyd trefol. Ond er hynny, ni welwyd yn nhrefi Ffrainc, Lloegr a Sbaen yn y cyfnod hwnnw unrhyw adeiladau theatraidd tebyg i'r rheiny ar fodelau Groeg a Rhufain y gwelir eu hadfeilion hyd heddiw ar draws Groeg, yr Affrig a gwledydd y Dwyrain Canol. Ni fu hynny oherwydd bod rhan theatr ym mywyd trigolion y trefi'n llai pwysig, ond yn hytrach oherwydd y ffordd y meddylient amdani. Yng Ngroeg a Rhufain roedd gofod y chwarae wedi datblygu y tu mewn i safle theatraidd a oedd yn ymgorfforiad o'r ddinas, ac ni ystyrid y gofod dramataidd ond fel rhan annatod o'r ddinas honno. Ni feddyliai trigolion y trefi Ewropeaidd lle cyflwynwyd y cylchoedd o ddramâu cysylltiedig â gŵyl *Corpus Christi* yn y Canol Oesoedd am eu trefi fel unedau ynysig ond yn hytrach fel rhan o'r bydysawd fel y'i disgrifiwyd yn llyfrau cysegredig yr Hen Destament a'r Newydd.[3] O ran safle theatraidd, ni fu arnynt angen adeiladau parhaol. Cyflwynasant holl hanes creadigaeth y byd a pherthynas dyn â Duw ar drolïau a sgaffaldiau yn yr awyr agored ar strydoedd yr union drefi lle roeddent yn byw eu bywydau eu hunain.

Ni wyddys ryw lawer am fanylion perfformio'r theatr hon, heblaw am y ffaith fod cryn bwyslais ar wisgo'r cymeriadau a bod cryn amrywiaeth o le i le yn y dull o lwyfannu'r dramâu gwahanol a gynhwysid yn y cylch. Ond gwelwn yn glir, o'r ychydig dystiolaeth ddarluniol ac o'r testunau eu hunain, bod y ffordd y meddylient am y gofod dramataidd wrth wreiddyn y ffordd roedd y safle theatraidd a gofod y chwarae wedi'u cynllunio. Ni fu angen safle theatraidd parhaol oherwydd ni ystyrid y safle lle chwaraewyd digwyddiadau'r Beibl fel lle ar wahân. Hanes eu byd nhw oedd hanes y Beibl, ac roedd amser a gofod eu byd nhw yn rhan o amser a gofod y bydysawd a oedd wedi ei greu a'i reoli gan y Duw tragwyddol.

Gwelir canlyniad hyn yn y ffordd y cynlluniwyd gofod chwarae'r dramâu *Corpus Christi*. Mewn trefi fel Cofentri, Caer a Chaerlwytgoed, lle perfformiwyd y cylchoedd, yr urddau a gynrychiolai'r gwahanol grefftau a oedd yn gyfrifol am y dramâu unigol. Fe'u cyflwynwyd yn yr awyr agored, naill ai ar droliau a symudwyd rhwng safleoedd gwahanol, neu ar sgaffaldiau mewn safleoedd ar hyd y dref. Mae'n amlwg fod y llwyfannau hyn yn gyfyng, fel llwyfannau'r anterliwtiau a gyflwynwyd ar hyd gogledd Cymru yn y ddeunawfed ganrif, ond nis profwyd yn gyfyng naill ai gan yr actorion neu gan y gynulleidfa, oherwydd fe'u gwelwyd yn rhan annatod o'r bydysawd ei hun. Ar y llwyfan hwn cyflëid y syniad o safleoedd neilltuol drwy sefydlu 'tai' neu leoliadau a ddynodai leoedd arbennig. Gwelir hyn yn glir mewn darlun (gweler Ffigwr 4), sy'n cyfeirio at berfformiad o ddrama Feiblaidd yn Valenciennes yn 1547, tua diwedd oes y traddodiad. Ni ellir cymryd y cynhyrchiad hwn fel enghraifft o'r dull cyflwyno cyffredin am sawl rheswm: mae'r set yn fwy drudfawr ac yn fwy cyfannol na'r cyffredin ac oherwydd nifer y tai gwahanol roeddent wedi eu trefnu mewn dwy res. Ond mae'r darlun yn dangos dau beth hanfodol i'r traddodiad: gwelir y tai gwahanol yn glir iawn – gyda Pharadwys ar y chwith a Chastell Uffern ar y dde, a gwelir y gofod rhyngddynt y rhoddwyd ystyr neilltuol iddo gan y tai. Felly gall Duw siarad o Baradwys, neu Joseff o Nasareth a thra eu bod yn siarad byddai'r holl lwyfan yn perthyn i'r lle hwnnw. Gallai cymeriad deithio ar hyd y llwyfan rhwng y tai gwahanol a hyd ei daith o ran pellter daearyddol ac amser yn dibynnu'n gyfan gwbl ar ddealltwriaeth y gynulleidfa o ran y daith honno yn yr hanes Feiblaidd. Cawn yno, felly, enghraifft glir o ofod chwarae cymharol gyfyng yn cynrychioli gofod dramataidd sy'n gymesur â'r bydysawd ei hun.

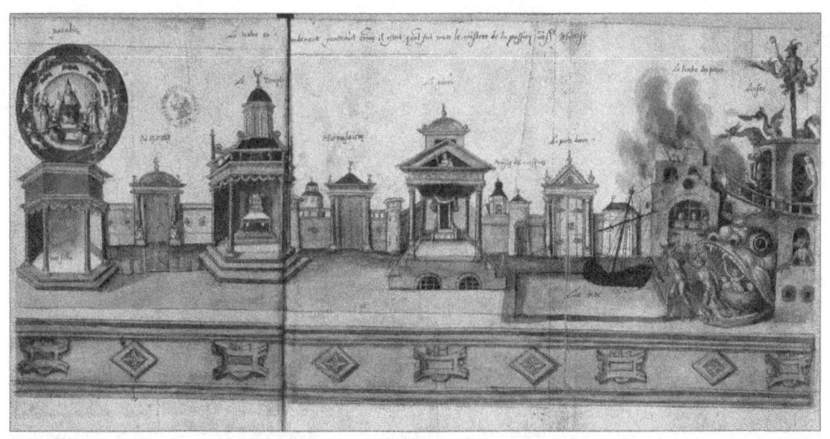

Ffigwr 4: Llwyfan Drama y Dioddefaint, Valenciennes, 1547, ar ôl print gan H. Cailleau. Llun wedi ei atgynhyrchu gyda chaniatâd Llyfrgell Genedlaethol Ffrainc, Paris.

O GYFNOD Y DADENI

Parhaodd theatr grefyddol y Canol Oesoedd tan ail hanner yr unfed ganrif ar bymtheg. Daeth i ben yn Lloegr yn sydyn, oherwydd penderfyniad Brenin Harri VIII i wahardd ymarferion cysylltiedig â Phabyddiaeth, ond ymddengys ei bod wedi darfod yn y gwledydd Catholig hefyd tua'r un cyfnod, o ganlyniad i gyfnewidiad graddol a chymhleth yn y ffordd y meddyliai pobl am y byd. Un arwydd o'r cyfnewidiad hwn oedd ymestyniad y syniadau a gysylltir ag enwau Copernicws (1473–1543), a Galileo (1564–1642), a chwalodd y weledigaeth anhanesyddol a ymgorfforid yn y dramâu Beiblaidd.[4] Un arall oedd diddordeb cynyddol mewn ymchwil gwyddonol ym mhob maes, yn cynnwys astudiaeth fwy manwl o hanes diwylliant clasurol Groeg a Rhufain – a chyda hynny ddealltwriaeth newydd o'r traddodiad theatraidd. Arweiniodd hyn at syniadau newydd am bensaernïaeth theatraidd ac arbrofion soffistigedig iawn, yn arbennig yn yr Eidal. Gwelir enghraifft o'r arbrofion hynny yn y Teatro Olimpico, a adeiladwyd yn Vincenza gan y pensaer Palladio yn 1585 (gweler Ffigwr 5).[5]

Yr hyn a welir yn y Teatro Olimpico yw efelychiad o nodweddion amlwg y traddodiad Rhufeinig mewn cyfuniad â'r technegau adeiladu a darlunio mwyaf diweddar. Cawn felly safle theatraidd sy'n adeilad

Ffigwr 5: Frons Scaena Theatr Olimpico, Vincenza, 1585. Llun wedi ei atgynhyrchu o R. Tavenor, *Palladio and Palladianism* (Efrog Newydd: Thames and Hudson, 1991).

caeëdig yn hytrach nag un agored i'r awyr, gyda gofod y chwarae wedi ei ddiffinio gan *scena* addurnedig yn y dull clasurol a'r un llwyfan *proscena* cul a welid yn y theatrau Rhufeinig, gyda'r drysau a ganiatâi i actorion fynediad i'r llwyfan o leoliadau gwahanol. Y cwbl a gyfrannwyd gan y defnydd o'r golygfeydd persbectif y tu mewn i'r drysau hyn oedd awgrym gweledol o ofod y ddinas y tu hwnt i'r llwyfan – modd, felly o ehangu'r gofod dramataidd yn gysyniadol na gynigiai ddim o ran estyniad o ofod y chwarae. Canlyniad uchelgais cyfoethogion y trefi Eidalaidd i hawlio etifeddiaeth o'r traddodiad clasurol oedd yr adeiladau hyn, yn hytrach nag arwyddion o adnewyddiad go iawn o'r traddodiad theatraidd.

Tua diwedd yr unfed ganrif ar bymtheg a dechrau'r ail ganrif ar bymtheg gwelwyd adnewyddiad theatraidd go iawn mewn sawl gwlad Ewropeaidd, yn cynnwys yr Eidal ei hun, yn tarddu o wreiddiau diwylliant y werin bobl. Dyma theatr y ffeiriau dinesig yn Ffrainc, y *Commedia dell'arte* yn yr Eidal, yr *autos* a gyflwynid yn *corrales* y tafarndai trefol yn Sbaen, ac yn Lloegr yr adeiladau newydd a ymddangosodd y tu allan i gyffiniau Llundain a'r dramâu a ysgrifennwyd er mwyn eu llenwi.[6] O ran y defnydd a wnaethpwyd o botensial gofod yn y gwahanol ffurfiau ar y theatr hon mae'n amlwg mai'r theatrau yr ysgrifennodd Shakespeare (1564–1616) yn Lloegr a Chalderón (1600–1681) yn Sbaen ar eu cyfer yw'r rhai mwyaf diddorol.[7] Ni chaniateid datblygiad o botensial gofod y chwarae yn nramâu byrfyfyr y *Commedia*, a gyflwynid ar y stryd, nac ar lwyfannau ffeiriau Paris, lle cyflwynwyd y ffarsiau ystrydebol a ddatblygid o draddodiad gwerinol, trefol y Canol Oesoedd. Ond yn Sbaen ac yn arbennig yn Lloegr, gwelid datblygiad pellach, a symbylodd ffurfiau newydd ar ddrama ac adeiladau parhaol, newydd a gynigiodd ffurf newydd o ofod y chwarae.

Mae'n amhosibl rhoi bys ar yr union ffactor, neu gyfuniad o ffactorau, sydd yn gyfrifol am i gymdeithas neilltuol deimlo'r awydd i greu theatr newydd. Y cwbl y gellid dweud am yr hyn a ddigwyddodd tua diwedd yr unfed ganrif ar bymtheg yn Lloegr yw bod pobl a oedd yn byw ymhlith gweddillion hen fyd crefyddol y Canol Oesoedd mewn bwrlwm economaidd, gwleidyddol a chymdeithasol, yn teimlo angen i afael yn y byd hwnnw yn yr union eiliad ag yr hedfanodd o'u gafael. Oherwydd dyna mae theatr yn ei gynnig, o'i hystyried fel celfyddyd greadigol yn ei ffurf fwyaf cyflawn – cyfle i feistroli elfennau'n bywyd ni, gofod ac amser, a hynny yma, nawr ac yng nghwmni'n gilydd.

Wrth gwrs, wrth sôn am theatr oes Shakespeare, rydym yn cyffredinoli. Mae defnydd y gair 'theatr' yn y cyd-destun hwnnw'n fodd cyfleus o gyfeirio at nifer o agweddau, rhai yn perthyn i gonfensiynau actio, eraill at nodweddion yr adeiladau ac eraill at briodoleddau dramâu. Dyma i raddau sy'n gwneud y cysyniad o ofod theatraidd yn offeryn mor ddefnyddiol, oherwydd mae sylwi ar y ffordd y mae elfennau gwahanol o'r cysyniad hwnnw'n perthyn i'w gilydd yn ei gwneud yn bosibl i ni ddadansoddi gwahanol ffurfiau theatraidd gyda rhywfaint o fanylder a neilltuolrwydd.

Rhywbeth arall mae'n rhaid i ni ei ystyried o hyd yw mai hanfod celfyddyd yw esblygiad parhaol. A lle yr ystyrir theatr mae'r ffactorau sy'n symbylu'r esblygiad hwnnw'n codi o bob agwedd ar y broses – o'r actorion unigol, o'r rhai sy'n cynhyrchu'r lle chwarae, o'r cyfarwyddwyr, heb sôn am y dramodwyr. Cawn gipolwg ar gymhlethdod y broses honno wrth astudio datblygiad gyrfa Shakespeare ei hun, gan sylwi sut mae ffactorau cymdeithasol (awydd yr awdurdodau i reoli'r perfformiadau) a sosio-seicolegol (diddordeb cynyddol ym mhrofiad mewnol yr unigolyn wrth i hwnnw wrthdaro â chymdeithas) a dylanwad pensaernïaeth (wedi ei amlygu yn y symudiad i adeiladau caeëdig), i gyd wedi cyfrannu at naws a chyfeiriad y dramâu a gyfansoddodd o ddiwedd yr unfed ganrif ar bymtheg ymlaen.

Eto i gyd, gan ystyried yr adeiladau a godwyd yn Llundain i fodloni gofynion y theatr newydd rhwng 1576 – pan gododd Burbage ei 'Theatre' yn Finsbury – a 1614, pan agorwyd y Globe newydd, gwelwn batrwm clir yn ymffurfio o ran yr adnoddau gofod a gynigid yn y safleoedd theatraidd newydd hyn. Gwelwn elfennau a ddeilliai o theatrau Rhufain ac o theatr grefyddol y Canol Oesoedd mewn theatrau fel y Swan a'r Globe (gweler Ffigwr 6).[8]

Maent yn dilyn patrwm Rhufain i'r graddau eu bod yn adeiladau caeëdig ond yn agored i'r awyr a'u bod yn cadw rhywbeth tebyg i'r *frons scaena* yn yr adeilad a gaeai gefn y llwyfan, gan gynnig mynedfeydd gwahanol i'r llwyfan, a gofod mewnol y tu ôl i'r drysau canol a balconi uwchben. Gwelwn y dylanwad canoloesol, efallai, yn siâp y llwyfan, wedi ei wthio tua'r gynulleidfa a safai yn y buarth, a ganiatâi berthynas agos rhwng y gynulleidfa a'r llwyfan. Mae hefyd rhywfaint o dystiolaeth sy'n awgrymu y defnyddid o bryd i'w gilydd ddyfeisiadau tebyg i 'dai' y llwyfan canoloesol. Gwelwn hefyd fod yr adeiladau wedi eu dylunio i fod yn gynhwysol iawn, gan gynnig mynediad i gynulleidfa niferus a oedd yn cynrychioli pob agwedd ar y gymdeithas gyfoes.

O ran y ffordd y trefnwyd gofod y chwarae yn oes Shakespeare, gwyddwn fod yr adeiladau'n cynnig adnoddau eithaf soffistigedig i ddylunio golygfeydd a chreu effeithiau trawiadol. Eto i gyd mae siâp a maint gofod y chwarae a'r ffaith ei fod yn agored i'r awyr yn awgrymu'n gryf mai rhyddid i awgrymu symudiadau disymwth o ran gofod ac amser oedd y ffactor bwysicaf yn y theatr hon. A dyna, wrth gwrs, a welwn wrth astudio'r gofod dramataidd a ddatgelir yn y dramâu eu hunain. Ar hyd y cyfnod gwelwn gyfnewidiad graddol sy'n adlewyrchu dylanwad datblygiadau cymdeithasol a diwylliannol pwysig.

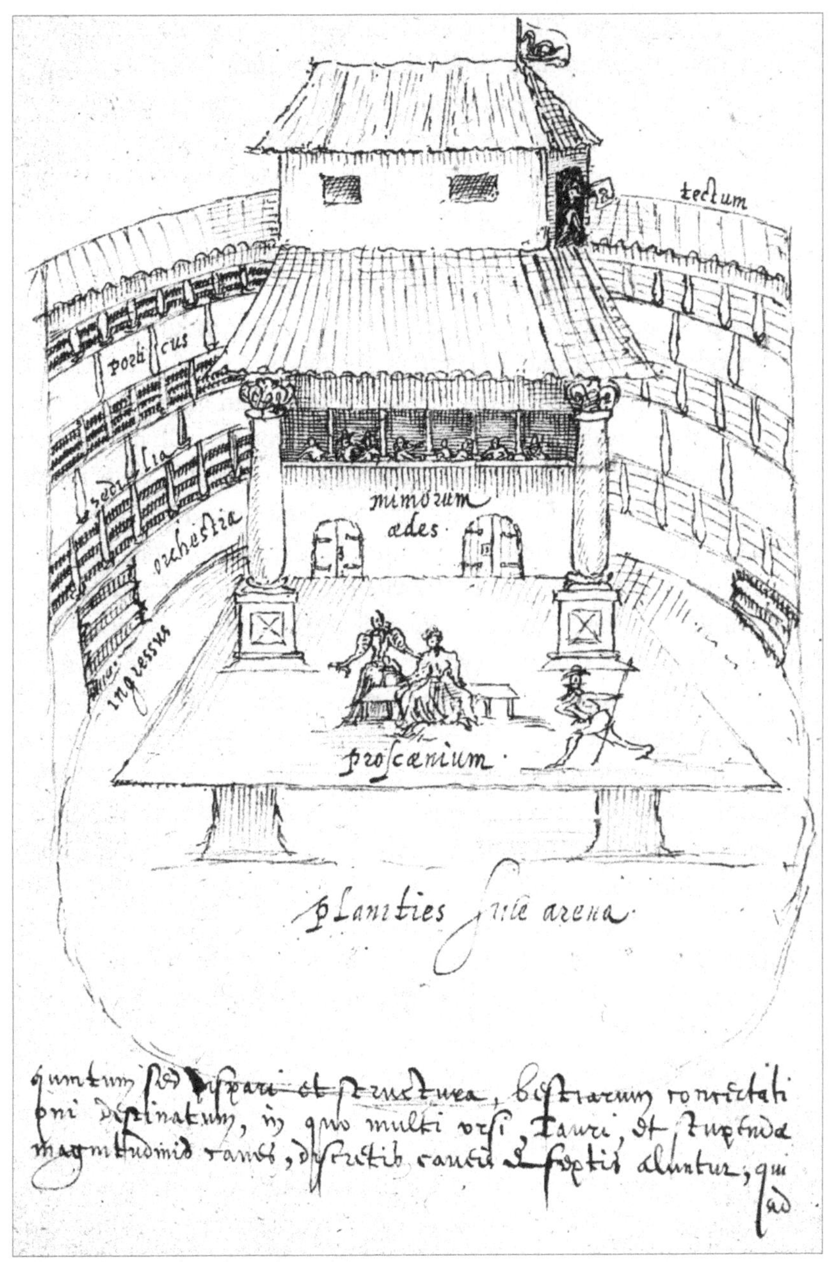

Ffigwr 6: Braslun o theatr y Swan, a wnaethpwyd gan Arnoldus Buchelius (1565–1641) o fraslun gan ei gyfaill, Johannes de Witt. Llun wedi ei atgynhyrchu gyda chaniatâd Llyfrgell Prifysgol Utrecht, Llawysgrif 842.132r.

Fel y deuai cyfnod y Tuduriaid i ben, gwelwn bwyslais cynyddol ar brofiad unigol, mewnol, a thuedd i dynnu'r theatr dan reolaeth y diwylliant 'swyddogol' a ganolwyd ar y Llys Brenhinol. Erbyn 1616, pan fu farw Shakespeare, ychydig a welwn mewn diwylliant cyfoes o gydbwysedd gogoneddus y weledigaeth y seiliwyd ei weithiau ef arni. Gellid dadlau, wrth gwrs, mai meddiant bersonol oedd y weledigaeth honno – ac yn sicr rhywbeth personol iddo ef oedd y gallu i'w mynegi mewn barddoniaeth sydd wedi sicrhau bod ei ddramâu ymhlith prif gampau celfyddyd dramataidd y byd. Ond ar yr un pryd, wrth ddadansoddi'r ffordd mae'r elfennau gwahanol o'r gofod theatraidd yn cyfuno ar hyd y cyfnod rhwng 1567 a 1642, pan gaewyd theatrau Llundain, cawn weld arwyddion o'r ffordd roedd holl ddiwylliant Lloegr yn datblygu. Mae hyder – rhyfyg hyd yn oed – yn y ffordd mae'r gofod dramataidd yn datblygu yn theatr oes Elisabeth I, yn gyfuniad o ehangder gofod, ystod amser a dyfnder profiad mewnol. Yr angen am y gofod hwnnw a symbylodd adeiladu theatraidd newydd yr oes, a ganiatâi berthynas hynod agos â gofod chwarae mor drawiadol hyblyg. Ac fel y newidiwyd naws a chyfeiriad yr oes, newidiodd natur y gofod dramataidd a chyda hwnnw, natur y safle theatraidd a gofod y chwarae hefyd. Nid yw'n anodd gweld y cysylltiad rhwng datblygiadau gwleidyddol y cyfnod rhwng 1610 a 1640, gyda thyndra cynyddol rhwng y llys a'r grwpiau a gynrychiolwyd gan awdurdod dinas Llundain a'r cyfnewidiad trawiadol yn y gofod dramataidd a grëir yn nramâu John Webster (1580–1684), Cyril Tourneur (1575–1626), a John Ford (1586–1640).[9] Go amlwg hefyd, yw'r cysylltiad rhwng y cyfnewidiad hwnnw a'r symudiad o'r hen safleoedd theatraidd at ofodau chwarae newydd dan ddylanwad technegau llwyfannau Ffrainc a'r Eidal.

Cyfeiriwyd uchod at y ffaith fod yr adnewyddiad theatraidd a ddigwyddodd yn Lloegr tua diwedd yr unfed ganrif ar bymtheg yn gyffredin i sawl gwlad Ewropeaidd – a phe baem yn ysgrifennu hanes datblygiad y gofod Ewropeaidd byddai'n rhaid i ni drin pob un o'r datblygiadau hyn ar wahân. Yn sicr, byddai'n rhaid rhoi cyfrif llawnach nag sydd yn bosibl yma i hanes datblygiadau yn theatr Ffrainc rhwng 1580 a 1640, yn bennaf oherwydd iddynt arwain at osodiad damcaniaethol a ddylanwadodd yn drwm ar theatr yn gyffredinol ar hyd yr ail ganrif ar bymtheg a'r ddeunawfed ganrif. Dyma gyfnod tri awdur mae eu dramâu'n dal o bwys yn *repertoire* Ewrop – Jean Racine (1639–99), Pierre Corneille (1606–84), a Jean-Baptiste Poquelin, neu Molière (1622–73). Yn ei ffurf fwyaf eithafol bu'r ddamcaniaeth a ffurfiwyd o gwmpas dramâu'r awduron hyn yn ymwneud ag undod lle ac amser – y syniad canolog oedd na ddylai gofod y chwarae gynrychioli mwy nag un lleoliad ac y dylai gweithgarwch y ddrama ddigwydd mewn dilyniant amserol. Adlewyrchai'r syniad hwn – a phrin iawn yw'r dramâu sydd yn cydymffurfio ag ef – effaith astudiaeth academaidd o ddramâu clasurol Groeg, ond ar lefel ddyfnach, tarddai'r syniad o wreiddiau drama ddynol y cyfnod. Diddorol yw sylwi nad arweiniodd yr adfywiad theatraidd hwn at unrhyw ddatblygiadau pensaernïol. Er ei bod wedi codi o'r diwylliant gwerinol ac yn ddatblygiad go gyson o'r theatr ganoloesol, tynnwyd y theatr newydd dan awdurdod diwylliant y llys a ymffurfiodd o gwmpas ffigwr canolog y Brenin Haul, Louis XIV (1638–1715).[10] Nid theatr boblogaidd oedd hon, ond un a gafodd ei chreu gan y brenin ac er ei fwyn. Yn y cyrtiau tenis a'r neuaddau brenhinol lle cyflwynid y dramâu, cedwid sedd ganolog i'r brenin a ganiatâi iddo olwg freintiedig ar y setiau persbectif a beintiwyd dan ddylanwad theatr y llys yn yr Eidal.

Prif swyddogaeth brenhinoedd Ffrainc yn yr ail ganrif ar bymtheg ac yn hanner cyntaf y ddeunawfed ganrif oedd creu Ffrainc yn wladwriaeth integredig. Cyflawnasant y dasg hon trwy ddinistrio yn ddidrugaredd unrhyw sefydliad, unrhyw dalaith ac unrhyw enwad neu ddosbarth o bobl yr ystyriwyd eu bod yn rhwystr, a chan fynnu iddynt i gyd un iaith ac un diwylliant. Arweiniodd y broses hon at dyndra cymdeithasol a seicolegol dybryd, tebyg i'r hyn a bortreadwyd hanner canrif ynghynt yn nramâu hanesyddol Shakespeare. Ond nid oedd modd sylwebu ar fodolaeth y tyndra hwn yn niwylliant swyddogol y Brenin Haul – ni fu unrhyw fodd o ddatblygu gofod chwarae agored, cyhoeddus. Gofod mewnol, felly, a greodd dramodwyr neoglasurol Ffrainc yn eu trasiedïau, gan daflunio'r tyndra a godai rhwng profiad mewnol a chyfundrefn bywyd cyhoeddus ar gynfas clasurol. Ac ar gyfer comedi, lle nad oedd modd dianc rhag y byd go iawn, cafwyd plotiau fel *Tartuffe* Molière, lle cyflwynwyd cynrychiolydd y brenin i ddod â'r gweithgarwch i ben, heb ddatrys y problemau sylfaenol a gyfyd yn ystod y ddrama, a *Le Misanthrope*, sy'n cynnig datrysiad dramataidd sy'n tanlinellu anallu'r drefn ddiwylliannol i gynnig unrhyw ateb i'r problemau personol a grëir ganddi.[11]

Er bod theatr yn cynyddu'n barhaol o ran poblogrwydd ac o ran y pwysigrwydd a roddwyd iddi mewn trafodaethau diwylliannol drwy gydol y ddeunawfed ganrif a'r bedwaredd ganrif ar bymtheg, braidd y gellid dadlau ei bod yn gyfrwng i ddatblygiadau diwylliannol canolog yng ngwledydd Ewrop yn y cyfnod hwnnw. Ac oherwydd hynny, er i nifer o ddatblygiadau go bwysig ddigwydd o ran pensaernïaeth theatrau a thechnegau llwyfannu a sawl arbrawf creadigol o ran y ffordd y meddyliwyd am y gofod dramataidd, ni welwyd unrhyw ddatblygiad radical o safbwynt y ffordd y cyfunwyd yr elfennau hyn i gyd.

Yn safleoedd theatraidd y ddeunawfed ganrif a hanner cyntaf yr ail ganrif ar bymtheg gwelir proses barhaol o ymestyn a datblygu. Dyma oes y theatr broseniwm, lle cedwir y gynulleidfa a'r gofod chwarae mewn perthynas ffurfiol â'i gilydd, y ddau wedi eu goleuo, yn gyntaf â chanhwyllau, wedyn gyda nwy. A dyma oes y ddrama sy'n troi o gwmpas tyndra rhwng profiad yr unigolyn a'i amgylchfyd cymdeithasol. Gwelir arbrofion creadigol drwy gydol y cyfnod – ymdrechai sawl dramodydd i lacio'r hualau confensiynol a thorri tir newydd – George Lillo (1691–1739), yn Lloegr, er enghraifft, yn ei drasiedi fwrgeisiol, *The London Merchant* (1731), Gotthold Ephraim Lessing (1729–81), yn yr Almaen, gyda *Minna von Barnhelm* (1767), a Pierre-Augustin Caron de Beaumarchais (1732–99), yn Ffrainc, a ddaeth yn agos at dorri mowld y gomedi gymdeithasol yn gyfan gwbl yn *Le Mariage de Figaro* (1784).[12]

Tua diwedd y ddeunawfed ganrif a dechrau'r bedwaredd ganrif ar bymtheg, o ganlyniad i'r mudiad rhamantaidd, bu datblygiadau a effeithiai'n sylweddol ar y ffordd y meddylid am y gofod theatraidd ar draws Ewrop. Un canlyniad pwysig i ramantiaeth oedd dychwelyd i ffurfiau cynharach ar theatr a arweiniodd at ymestyn a llacio'r gofod dramataidd mewn gweithiau fel *Hernani* Victor Hugo (1830) a *Woyzeck* Georg Büchner (1837).[13] Canlyniad arall oedd yr uchelgais i greu o ofod y chwarae rhywbeth mwy naturiol – yn y pen draw mwy realistig

– nag yr oedd y golygfeydd peintiedig traddodiadol yn ei ganiatáu. Erbyn degawdau diweddaraf y ganrif roedd y ddwy duedd wedi dod at ei gilydd i gyfrannu at ddatblygiad naturiolaeth yn y theatr, a wnaeth, yn nwylo cyfarwyddwyr fel André Antoine (1858–1943), yn ei Théâtre Libre, a Stanislafsci (1863–1938), yn Theatr Gelfyddyd Mosgo, draws-ffurfio'r gofod chwarae bron yn gyfan gwbl.[14]

Ffigwr 7: Set drama Ibsen, *Yr Hwyaden Wyllt*, yn Théâtre Libre Antoine, 1906, o gasgliad Llyfrgell yr Arfdy, Paris. Llun wedi ei atgynhyrchu gyda chaniatâd Llyfrgell Genedlaethol Ffrainc, Paris.

Ffigwr 8: Set A. Simov ar gyfer cynhyrchiad Stanislafsci o *Dair Chwaer* Tsiecoff, yn Theatr Gelfyddyd Mosgo, 1901. Llun wedi ei atgynhyrchu gyda chaniatâd Canolfan Cydweithio Astudiaethau Rwsaidd a Sofietaidd, Llundain.

Er hynny, mae'n hawdd gorliwio pwysigrwydd naturiolaeth yn hanes y theatr fel y cyfryw, a hynny am dri rheswm - yn gyntaf oherwydd fe'i gwelid yn chwyldroadol ar y pryd; yn ail oherwydd yn nwylo ymarferwyr fel Antoine a Stanislafsci ei bod mor llwyddiannus; yn drydydd am ei bod bron o'r eiliad y cafodd ei sefydlu wedi ei thrin fel cocyn hitio gan bawb a gredai fod ganddynt rywbeth newydd i'w ddweud. Y gwir yw na fu naturiolaeth ond yn un agwedd ar fudiad llawer pwysicach, a arweiniodd at drawsffurfio'r ffordd y meddyliwyd am y digwyddiad theatraidd yn gyfan gwbl. I gyfarwyddwyr fel Antoine, ni fu'r arddull naturiolaidd ond yn un posibiliad o blith nifer. Pan ddiffoddodd ef oleuadau'r theatr am y tro cyntaf yn 1886 nid amcanodd at gynyddu goddefolrwydd y gynulleidfa, ond at bwysleisio gwerth ac arwyddocâd y digwyddiad theatraidd. Fel Stanislafsci yntau, ymddiddorai Antoine ym mhob ffurf ar theatr gyfoes y gallai ef ei defnyddio fel deunydd crai cyflwyniad y medrai ei gynulleidfa ei ganfod a'i ddehongli fel unrhyw gelfyddyd arall.

Yr un syniad sylfaenol sydd y tu ôl i holl ddatblygiadau degawdau cyntaf yr ugeinfed ganrif, yn ddamcaniaethol ac yn ymarferol, sef bod theatr yn gyfrwng i gyrraedd gwirionedd y dychymyg a'i ymgorffori - a bod i'r gwirionedd hwnnw ddilysrwydd cyfartal ag unrhyw ffordd fwy uniongyrchol o sefydlu gwybodaeth am y byd. Dyma pam y bu angen cyfarwyddwr - sef cyfarwyddwr o artist yn hytrach na'r actor/reolwr traddodiadol. A dyna pham roedd yn rhaid alltudio rhith o'r theatr a chyda hynny, goddefolrwydd y gynulleidfa - oherwydd nid efelychu rhyw realiti arall oedd amcan celfyddyd ond cyflwyno ei realiti ei hun.

Un canlyniad amlwg i'r chwyldro hwn oedd disodli'r testun fel ffynhonnell ystyr ynddo ef ei hun; un arall yw'r syniad bod pob agwedd ar y digwyddiad theatraidd yn gyfwerth o ran ffynhonnell ystyr - geiriau, synau, lliwiau a golau a symudiadau cyrff actorion mewn perthynas â'i gilydd ac â'r gynulleidfa - dyma'r ddolen gyswllt rhwng Theatr Creulondeb Antonin Artaud (1896–1948), er enghraifft, Theatr Dlawd Jerzy Grotowski (1933–99), a pherfformiadau y Wooster Group yn yr Unol Daleithiau.[15] Dyna hefyd y symbyliad sylfaenol y tu ôl i ddatblygiad yr hyn yr hoffai Josef Svoboda (1920–2002), ei alw'n 'senograffi', y gelfyddyd ddyluniadol a greai ofod chwarae ar gyfer perfformiad oedd â'r un berthynas â'r perfformiad hwnnw ag sydd rhwng eglwys gadeiriol Gothig a'r offeren a gyflwynir ynddi.

Yr hyn a welir yn hanes datblygiad senograffi yn ystod yr ugeinfed ganrif, rhwng gwaith arbrofol, damcaniaethol ac ymarferol Adolphe Appia (1862–1928), a Georg Fuchs (1868–1949), yn nau ddegawd cyntaf y ganrif, a chyflawniad eu gweledigaeth gan Josef Svoboda yn ail hanner y ganrif, yw datblygiad chwyldroadol o ofod y chwarae mewn perthynas â'r gofod dramataidd.[16] Ceir enghreifftiau o'r un broses gyda champau rhyfeddol cyfarwyddwyr unigol o bryd i'w gilydd. Un enghraifft go amlwg yw cynhyrchiad Vsevolod Meierhold (1874–1940), o ddrama Gogol, *Yr Arolygydd*, yn 1926; ac un arall yw cynhyrchiad Peter Brook (1925–) o *A Midsummer Night's Dream* yn 1970. Yr hyn a gafwyd yn y ddau gynhyrchiad hyn – a channoedd o enghreifftiau llai trawiadol a chofiadwy o'r dau ddegau ymlaen – yw blaenoriaethu'r gofod chwarae ar draul y gofod dramataidd.[17]

Yn ddiau, mae'r chwyldro hwn wedi arwain at adnewyddiad trylwyr o'r traddodiad theatraidd, ond mae hefyd wedi dod ag un broblem sylfaenol yn ei sgil. Mae trawsffurfio'r berthynas rhwng gofod chwarae a gofod dramataidd wedi problemateiddio trydedd elfen theatr, y safle theatraidd, ac y tu ôl i hwnnw, yr hyn a rydd iddo ei bwysigrwydd – sef cyfraniad y gynulleidfa. O ddegawdau cynharaf yr ugeinfed ganrif ymlaen daethpwyd i feddwl bod y safle theatraidd ar ei wedd draddodiadol yn cyfyngu potensial y profiad theatraidd. Gwelir arwyddion cyntaf y teimlad hwn yn ymdrechion Jacques Copeau (1879–1949), a Louis Jouvet (1887–1951) i greu yn Theatr y Vieux-Colombier ym Mharis ofod chwarae a allai ymateb i ofynion unrhyw fath ar ofod dramataidd (gweler Ffigwr 9).[18]

O ddau ddegau'r ugeinfed ganrif ymlaen, prin iawn yw'r ymarferwyr neu'r damcaniaethwyr a gredent fod ganddynt rhywbeth o werth i'w ddweud am theatr a oedd heb eu beirniadaeth o'r safle theatraidd traddodiadol a'u hawgrymiadau radical ynglŷn â'r fath ar safle newydd a fyddai'n caniatáu i theatr ffynnu. Un o'r enghreifftiau mwyaf diddorol oedd eiddo'r pensaer Walter Gropius (1883–1969), a ddatblygodd, mewn cydweithrediad gydag Erwin Piscator (1893–1966), gynllun newydd gogyfer â safle theatraidd hyblyg, a ganiatâi amrywio siâp

Ffigwr 9: Llwyfan y *Vieux-Colombier* yn 1919 o gasgliad Louis Jouvet, Llyfrgell yr Arfdy. Llun wedi ei atgynhyrchu gyda chaniatâd Llyfrgell Genedlaethol Ffrainc, Paris.

gofod y chwarae a'i berthynas â'r gynulleidfa yn ôl gofynion cyflwyniadau gwahanol (gweler Ffigwr 10). Yn y safle theatraidd hyblyg hwn gobeithiai Gropius a Piscator greu 'Theatr Gyfan' a fyddai'n cynnwys y gynulleidfa yn rhan o'r digwyddiad. Gyda gofod y chwarae o'i blaen, byddai'r gynulleidfa'n cael ei hamgylchynu gan 'cyclorama' cylchol, sef sgrinau taflunio tryloyw wedi eu trefnu o gwmpas gofod mewnol yr adeilad.

O ddau safbwynt pwysig bu'r cynllun hwn yn nodweddiadol o'r hyn a oedd yn digwydd ym myd y theatr ymhob man ar hyd y cyfnod. Yn gyntaf, roedd yn cymryd yn ganiataol bod y berthynas rhwng y gynulleidfa a gofod y chwarae yn newid yn ôl gofynion gofodau dramataidd gwahanol. Golygai hynny fod rôl wahanol i'r gynulleidfa. Yn hytrach na bod yn sicr o'i lle a'i swyddogaeth, fel yr arferai fod yn y theatrau traddodiadol, byddai'n rhaid i'r gynulleidfa fynd i mewn i'r safle theatraidd newydd er mwyn darganfod y rhan a gynigiwyd iddi. Ac ar yr un pryd disgwylid i'r gynulleidfa dderbyn rhywfaint o

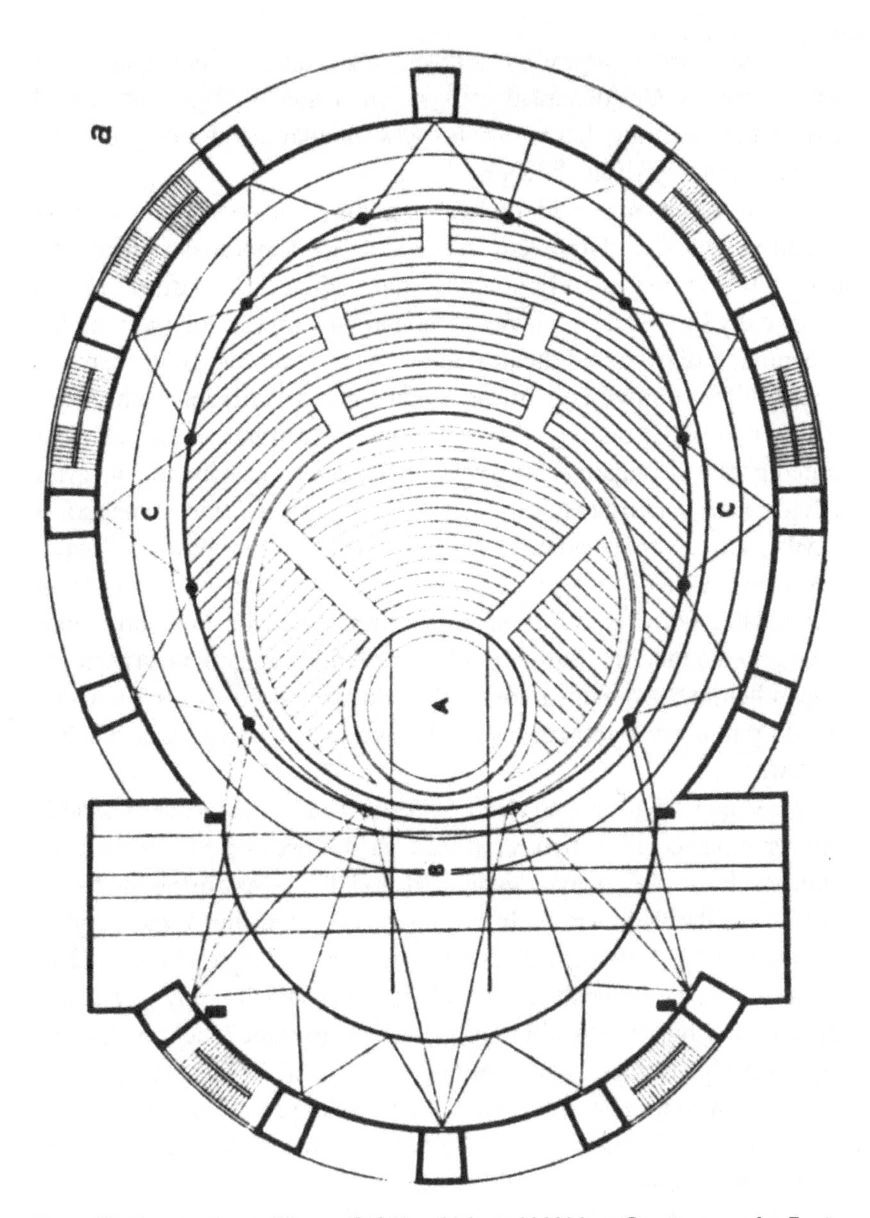

Ffigwr 10: Llawrgynllun y 'Theatr Gyfan' a ddyluniodd Walter Gropius ar gyfer Erwin Piscator (inc du a lliw, 83 x 108.2 cm, hawlfraint Llywydd a Chymrodorion Coleg Harvard, yr Unol Daleithiau). Llun wedi ei atgynhyrchu gyda chaniatâd Amgueddfa Busch-Reisiger, Prifysgol Harvard. Gellid cynnwys y cylch A naill fel rhan o'r awditoriwm, neu fel gofod y chwarae. Wrth ei gylchdroi, gellid ei ddefnyddio i amrywio'r berthynas rhwng y gynulleidfa a gofod y chwarae, gan greu amrywiol fathau ar safle theatraidd.

gyfrifoldeb am yr argraff y byddai'r digwyddiad theatraidd yn ei wneud arni hi. Â'r goleuadau ynghynn yn yr holl adeilad a chyda sawl ffynhonnell sŵn a golau yn hawlio sylw, ni allai aelod o'r gynulleidfa ymwrthod â'r cyfrifoldeb hwnnw.

O un safbwynt gellid dadlau mai dim ond ers ail hanner yr ugeinfed ganrif rydym wedi sylweddoli gwir botensial theatr fel celfyddyd – hynny yw, ei photensial nid i adlewyrchu'r ffordd rydym yn gweld y byd, ond i'w newid. Er ei bod yn ymwybodol bod amodau arbennig i'r digwyddiad theatraidd o'i gymharu â'r byd go iawn, mae'r gynulleidfa'n defnyddio'r un peirianwaith canfyddiadol i dderbyn y naill a'r llall. Ac oherwydd hynny mae ymarferwyr yr ugeinfed a'r unfed ganrif ar hugain wedi gweld ynddo botensial arbennig ar gyfer effeithio ar y peirianwaith hwnnw. Er o safbwyntiau gwahanol a chydag amcanion gwahanol, mae awduron *Y Fam Wroldeb* (1939), *Wrth Aros Godot* (1953), a *Marat/Sade* (1965) i gyd yn manteisio ar adnoddau'r gofod chwarae er mwyn creu gofod dramataidd y mae mynd mewn iddo'n effeithio'n ddwfn ar feddwl ac ar synwyrusrwydd y gynulleidfa.[19] Eu hamcanion nhw oedd defnyddio theatr i newid y ffordd y mae pobl yn meddwl am baramedrau gofod ac amser y byd go iawn.

Mae'r gwrthgyferbyniad rhwng y ffordd y datblygai'r safle theatraidd dan yr amgylchiadau hyn a'r ffordd y'i datblygwyd mewn oesoedd cynt yn drawiadol. A dyna gydnabod prif ddiffyg y ffurfiau ar theatr sydd wedi datblygu ers dechrau'r ugeinfed ganrif mewn gwrthgyferbyniad llwyr â ffurfiau poblogaidd ar 'theatr' a geir yn y West End yn Llundain. Mewn safleoedd theatraidd traddodiadol, lle cyflwynir iddynt gynnyrch yr hyn y galwodd yr athronydd Marcsaidd Theodor Adorno (1903–69) 'y diwydiant diwylliannol', mae cynulleidfaoedd yn gwybod eu lle ac yn fodlon ag ef.[20] Ond ni ellir dweud yr un peth am y theatr fwy 'celfyddydol' nad yw'n medru hawlio teyrngarwch trwch y boblogaeth unrhyw le yn y byd gorllewinol. Y gwir yw bod theatr, oherwydd ei bod yn weithgarwch cymdeithasol, wedi dioddef yn fwy na ffurfiau eraill ar gelfyddyd yn y byd gorllewinol yn sgil yr ymraniad rhwng y ddau ddiffiniad o 'gelfyddyd' – y naill yn ei gweld fel modd o fyw yn fwy cysurus yn y byd fel rydym yn ei brofi bob dydd, a'r llall yn mynnu ffalsrwydd y confensiynau mae'r byd hwnnw wedi ei seilio arnynt.

Ceir ymarferwyr sydd yn fodlon â'r sefyllfa honno, fel Jerzy Grotowski (1933–99), ac ar ei ôl ef, Thomas Richards a Mario Biagini, sydd wedi parhau â'u gwaith yng 'Nghanolfan Gwaith' Pontedera yn yr Eidal. Ond y rheiny yw'r rhai sy'n tueddu at gelfyddyd berfformiadol mewn gwrthgyferbyniad â theatr, sef perfformiad nad yw'n cyflwyno dim byd ond sy'n hawlio sylw am yr hyn ydyw ynddo'i hun, gan ymwrthod â'r elfen o amwysedd sydd yn hanfodol i theatr fel y cyfryw. Mae sylwebyddion eraill, hefyd, sy'n fodlon derbyn aralleiriad y gynulleidfa oherwydd eu bod yn ei weld yn ganlyniad anochel i'r newidiadau cymdeithasol y cyfeirir atynt fel arwyddion ôl-foderniaeth, sef diwedd hanes, diwedd diwylliant fel y cyfryw a dyfodiad byd lle nad oes ffiniau rhwng celfyddyd ag unrhyw weithgaredd arall. Ceir eraill sy'n ymdrechu i ailddiffinio'r cysyniad o safle theatraidd trwy fynd â chynulleidfa at safleoedd penodol y'u canfyddir fel naill ai'n meddu ar berthnasedd arbennig i'r cyflwyniad neu ansawdd neilltuol y gellir tynnu arno i gryfhau neu bwysleisio arwyddocâd y cyflwyniad. Ceid enghreifftiau enwog o'r rheiny yng Nghymru yng ngwaith Brith Gof yn ystod wyth degau a naw degau'r ugeinfed ganrif.[21] Gosodwyd *Haearn* (1992), er enghraifft – cynhyrchiad oedd yn ymwneud â'r ffordd y mae hunaniaeth ddynol yn cael ei mowldio yn y byd diwydiannol – mewn hen adeilad a fu'n wreiddiol yn rhan o waith dur yn Nhredegar (gweler Ffigwr 11).

Bu'r cyflwyniad hwnnw yn llwyddiant digamsyniol a greodd ei gynulleidfa'i hun. Ond erbyn hyn mae'r cwmni wedi darfod ar ôl colli cefnogaeth y cyngor cyllido. Onid pennaf ddiben cyngor cyllido yw cefnogi'r ffurfiau ar theatr gelfyddydol sydd wedi datblygu ers dechrau'r ugeinfed ganrif am nad ydynt wedi ymwreiddio mewn cymuned neu gymdeithas a fyddai'n barod i arddel perchnogaeth arnynt? Yn ddiau, mae'r theatrau hyn o bryd i'w gilydd wedi creu eu campau buddugoliaethus, ond mae theatr yn ei hanfod yn gelfyddyd fregus, nad yw'n gadael ar ei hôl ond atgofion. Gall fod mai derbyn y freuder honno yw'r unig ddewis sydd gennym erbyn hyn ac nid yw hiraethu am draddodiad theatraidd byw yn fwy na breuddwyd gwrach. Mae'n bosibl hefyd mai aralleiriad y gynulleidfa yw amod angenrheidiol natur camp y theatr gelfyddydol fodern a'r berthynas unigryw rhwng gofod y chwarae a gofod dramataidd sydd yn sail iddi.

Onid yw colli sicrwydd y safle theatraidd a'r gynulleidfa a'i berchenogai yn bris y mae'n werth ei dalu am y theatr gelfyddydol sydd â'r gallu i ailnegodi drosodd a throsodd ein canfyddiad o'r ffordd y mae hunaniaeth ddynol yn ymffurfio ym mhlygiadau gofod ac amser?

Ffigwr 11: Montage o siotiau sy'n dangos cyflwr yr adeilad diwydiannol a ddewisiwyd gan Brith Gof fel lleoliad *Haearn*. Llun wedi ei atgynhyrchu o archif Brith Gof, gyda chaniatâd Mike Pearson a Llyfrgell Genedlaethol Cymru, Aberystwyth.

NODIADAU

[1] Samuel Taylor Coleridge, *Biographia Literaria or Biographical Sketches of my Literary Life and Opinions*, G. Watson (gol.) (Llundain: Dent, 1965), t. 169.

[2] Roedd Titus Maccius Plautus yn ddramodydd Rhufeinig ac yn awdur rhyw gant a thri deg o ddramâu. Roedd Publius Terentius Afer, caethwas o Affrica yn wreiddiol, yn awdur chwech o gomedïau Rhufeinig. Roedd Menander yn awdur comedïau yn y dull 'newydd', o'u cymharu â 'hen' gomedi Aristoffanes.

[3] Canolbwynt yr ŵyl grefyddol y cyfeirir ati fel gŵyl *Corpus Christi* (Corff Crist) yw gorymdaith yr Ewcarist. Yn fuan wedi sefydlu'r ŵyl gan yr Eglwys Gatholig yn 1311 cysylltwyd yr orymdaith â pherfformiadau o ddramâu crefyddol yn nhrefi diwydiannol Gorllewin Ewrop. Perfformiwyd cyfresi o ddramâu mewn trefi fel Caer ac Efrog, lle cymerodd urddau crefft gwahanol y cyfrifoldeb dros ddramâu

unigol. Gwaharddwyd yr arferiad yn yr unfed ganrif ar bymtheg, ar ôl y Diwygiad Protestanaidd.

[4] Roedd Nicolaus Copernicws yn astronomydd Pwylaidd, a'r cyntaf i gyflwyno syniad, trwy gyfrwng ei lyfr, *De revolutionibus orbium coelestium* (1543), bod y bydysawd wedi ei drefnu o gwmpas yr haul. Roedd Galileo Galilei yn ffisegydd, athronydd a mathemategydd o'r Eidal, a gyflwynodd welliannau ar y telesgop a'i ddefnyddio wedyn i wneud arsylliadau cosmolegol manwl iawn a gadarnhaodd ddamcaniaethau Copernicws. Wrth gyhoeddi ei lyfr *Dialogo dei due massimi sistemi del mondo* (Dialog am y ddwy brif gyfundrefn ddaearol) (1632), aeth Galileo benben â'r Chwil-lys ac fe'i gorfodwyd i dynnu ei eiriau'n ôl. Ceir un argraff o'i hanes yn nrama Brecht, *Bywyd Galileo* (1938).

[5] Roedd Andrea di Pietro Monaro (adnabyddus dan y ffugenw Andrea Palladio) yn bensaer Eidalaidd a ddatblygodd ei syniadau ar sail astudiaeth drylwyr o bensaernïaeth glasurol ac ysgrifau'r damcaniaethwr Rhufeinig Vitruvius (*c.*80–70 CC–*c.*15 CC). Bu farw cyn gorffen y Teatro Olimpico, un o'r adeiladau theatraidd mwyaf dylanwadol, a orffenwyd gan Vincenzo Scamozzi (1552–1616), yn 1585.

[6] Cyfetyb yr *autos sacramentales* Sbaeneg i'r dramâu crefyddol yn Lloegr, a chysylltir y ddau fath o ddrama â gŵyl *Corpus Christi*. Fe'u cyflwynwyd yn yr awyr agored ar lwyfannau a ffurfiwyd wrth roi nifer o gertiau at ei gilydd. Parhaodd yr arferiad o berfformio'r *autos* yn Sbaen tan y ddeunawfed ganrif. Mewn *corrales*, sef closydd rhwng tai dinesig, y cyflwynwyd ynddynt ddramâu yn Sbaen o'r unfed ganrif ar bymtheg, lle gellid codi llwyfannau tebyg iawn i'r rheiny a ddefnyddiwyd ar gyfer anterliwtiau Cymru yn y ddeunawfed ganrif. Yn 1579 sefydlwyd theatr ym Madrid ar fodel *corral* ac fe'i galwyd y Corral de la Cruz. Tair blynedd wedyn agorwyd ail theatr gyda'r enw y Corral del Principe.

[7] Roedd Pedro Calderón de la Barca yn ddramodydd Sbaenaidd hynod o gynhyrchiol a ysgrifennodd dros gant o gomedïau, wyth deg o *autos sacramentales* a nifer o ddramâu yn cynnwys *La vida es sueño* (1635), *El Alcalde de Zalamea* (1642), *El príncipe constante* (1629) ac *El mágico prodigioso* (1637), sydd yn dal yn boblogaidd ar lwyfannau theatrau heddiw.

[8] Codwyd y Globe gan aelodau cwmni yr Arglwydd Siambrlen gan ddefnyddio deunyddiau Theatre Burbage yn 1598. Llosgodd yr adeilad hwnnw i lawr yn 1613 ac adeiladwyd yr ail Globe ar yr un lleoliad. Caewyd hwnnw yn 1644. Frances Langley a gododd y Swan, yn 1595.

[9] John Webster oedd awdur *The White Devil* (1612) a *The Duchess of Malfi* (1613). Roedd Cyril Tourneur yn enwog fel awdur *The Revenger's Tragedy* (1606), er ei bod yn amheus ai efe a'i hysgrifennodd. Mae dwy brif ddrama John Ford, *The Broken Heart* (1629) a *'Tis Pity She's a Whore* (1631) yn boblogaidd hyd heddiw.

[10] Bu Louis XIV ar orsedd Ffrainc a Navarre o 1643 tan ei farwolaeth. O 1661 ymlaen ymdrechodd i sefydlu Ffrainc fel prif wladwriaeth Ewrop, gan ganoli pob awdurdod yn ei berson ef ei hun. Priodolir iddo yr ymadrodd enwog, '*L'état, c'est moi*' (Myfi yw'r wladwriaeth).

[11] Goroesodd *Tartuffe* Molière oherwydd cefnogaeth Louis XIV yn erbyn gwrthwynebiad yr Eglwys a Senedd Paris. Fe'i chyflwynwyd gyntaf o flaen y llys yn 1664. Er ei bod yn bell o fod yn boblogaidd pan y'i cyflwynwyd gyntaf yn 1666, mae *Le Misanthrope* yn dal i fod yn rhan o *repertoire* theatr Ewrop hyd heddiw.

[12] Cydnabyddir *The London Merchant* (1731) gan George Lillo fel arwydd cynharaf y symudiad tuag at y ddrama fwrgeisiol y cyfranodd Gotthold Lessing iddo yn yr Almaen a Denis Diderot (1713–84), yn Ffrainc, y naill gyda *Minna von Barnheim* (1767), a'r llall gyda *Le Père de Famille* (1758 a 1761). Priodolir cyfrifoldeb sylweddol am symbylu Chwyldro Ffrengig 1789 i *Le Mariage de Figaro* (1784) Beaumarchais, i'r graddau bod stori Figaro wedi cynorthwyo i danseilio'r gwahaniaethau cymdeithasol y seiliwyd yr hen system aristocrataidd arnynt.

[13] Ystyrir *Hernani* (1830) gan Victor Hugo yn enghraifft flaengar o'r mudiad rhamantaidd o safbwynt ei effaith ar y theatr. Cydnabyddir *Woyzeck* (1837) gan Georg Büchner yn bennaf am ei chyfraniad at y broses o ddemocrateiddio sylwedd a chymeriadaeth drama Ewrop ac am y ffaith fod ei hadeiladwaith pytiog yn rhagflaenu datblygiad diweddarach drama fynegiadaethol.

[14] Sefydlodd André Antoine ei Theatr Rydd ym Mharis yn 1887, lle cyflwynai weithiau dramodwyr naturiolaidd cyfoes. Gyda Stanislafsci, Antoine oedd yn gyfrifol am gyflwyno dulliau newydd o actio a dylunio i'r llwyfan. Constantin Stanislafsci sefydlodd Theatr Gelfyddyd Mosgo, lle cyflwynodd weithiau dramataidd mewn arddull 'realaidd' newydd yr oedd wedi ei datblygu ar sail egwyddorion cwmni Meininger.

[15] Sefydlodd Antonin Artaud ei Theatr Alfred Jarry ym Mharis yn 1927, lle cyflwynodd nifer o weithiau August Strindberg (1849–1912), a Paul Claudel (1868–1955). Egwyddor sylfaenol ei 'Theatr Creulondeb' oedd y modd y defnyddid adnoddau synhwyraidd y cyfrwng – yn neilltuol sain, lliw a symud – i gael effaith uniongyrchol ar synwyrusrwydd y gynulleidfa. Cyhoeddodd gasgliad o erthyglau yn dwyn y teitl *Le Théâtre et son Double (Y Theatr a'i Dwbl)* yn 1938, sydd yn dal yn ddylanwadol iawn. Roedd Grotowski yn actor/gyfarwyddwr o Wlad Pwyl a sefydlodd ei Theatr Labordy yn Wroclaw tua 1960. Yn theatr Grotowski corff yr actor yw canolbwynt y llwyfan ac y mae sylw'n symud oddi ar y digwyddiad a gyflwynir yn y 'ddrama' at y digwyddiad a gyflwynir yn y lle chwarae drwy gyfrwng ei symudiadau a'i ystumiau. Sefydlwyd cwmni perfformio Wooster Group yn Efrog Newydd tua 1980, dan gyfarwyddyd Elizabeth LeCompte, gyda nifer amrywiol o gyfranogwyr. Canolfan y cwmni yw y 'Performing Garage', 33 Heol Wooster.

[16] Roedd Josef Svoboda yn ddylunydd o'r Weriniaeth Tsiec a ddyfeisiodd y *Lanterna Magika*. Ystyrir Svoboda yn bennaf gyfrifol am ddatblygiad y cysyniad o senograffi. Byddai Svoboda'n galw ar holl adnoddau technoleg a diwydiant i greu amgylchfyd trawiadol i'r digwyddiad theatraidd a gynigiai i'r gynulleidfa allwedd i ystyr y digwyddiad hwnnw. Roedd Adolphe Appia yn ddylunydd a damcaniaethwr dylanwadol o'r Swisdir a gyflwynodd syniadau newydd am y ffordd y gellir creu gofod drwy ddefnyddio golau ac ynglŷn â'r berthynas rhwng gofod, gweithgarwch a syniadau. Cyhoeddwyd ei waith pwysicaf yn Almaeneg yn 1899, sef *Musik und Inszenierung* (Cerddoriaeth a *Mise-en-scène*). Cysylltir enw'r cyfarwyddwr Almaenig Georg Fuchs (1868–1949) ag enw Appia yn aml. Bu Fuchs yn adnabyddus fel sefydlydd Theatr Artistiaid Munich lle defnyddiwyd llwyfan gerfwedd ('relief stage') ac fel awdur *Die Revolution des Theaters* (1909).

[17] Roedd Vsevolod Meierhold yn gyfarwyddwr arbrofol ac yn wreiddiol yn ddisgybl i Stanislafsci. Aeth yn ei flaen wedyn i ddatblygu theori ac ymarfer perfformio newydd. Yn ei gyflwyniad chwyldroadol o ddrama Gogol, *Yr Arolygydd* (1836), a

gyflwynodd gyntaf yn 1926, amlygodd dechneg newydd o ddehongli testun. Mae Peter Brook yn gyfarwyddwr Seisnig a sefydlodd ganolfan ryngwladol ymchwil theatraidd ym Mharis. Mae Brook yn adnabyddus fel awdur y llyfr *The Empty Space* (1968) ac am nifer o gyflwyniadau arbrofol, yn cynnwys *Love's Labour's Lost* (1946), *Marat/Sade* (1964) a *The Mahabharata* (1985).

[18] Roedd Jacques Copeau a Louis Jouvet yn gyfarwyddwyr ac actorion enwog. Cafwyd enw'r theatr o'i lleoliad, 21 Rue du Vieux-Colombier. Erbyn heddiw y mae'n un o'r tair theatr a ddefnyddir gan y Comédie Française.

[19] Roedd Peter Weiss (1916–82), yn ddramodydd a nofelydd o'r Almaen a ysgrifennodd *Marat/Sade,* drama sy'n amlygu dylanwad theorïwyr cyfoes fel Artaud. Cyfansoddwyd *Y Fam Wroldeb* (*Mutter Courage und ihre Kinder*) gan Bertolt Brecht (1898–1956), dramatwrg, damcaniaethwr, bardd a dramodydd, a anwyd yn Bafaria. Ymddangosodd *Wrth Aros Godot* Samuel Beckett (1906–1989) yn wreiddiol yn Ffrangeg ym Mharis yn 1953. Ers iddi ymddangos yn Llundain ddwy flynedd wedyn mae wedi ei chydnabod fel un o ddramâu mwyaf dylanwadol y cyfnod modernaidd.

[20] Roedd Theodor Adorno yn athronydd a chymdeithasegydd Almaenig a gyfranai at waith Canolfan Ymchwil Frankfurt. Gyda Max Horkenheimer (1895–1973), ysgrifennodd *Dialektik der Aufklärung* yn 1947. Cyflwynir y cysyniad o'r diwydiant diwylliannol ('the culture industry') mewn pennod sy'n dwyn y teitl 'Y Diwydiant Diwyllianol: Goleuni fel Twyll Torfol', lle disgrifir sut y dadelfennir celfyddyd yn y system gyfalafol er mwyn creu cynnyrch masnachol, torfol.

[21] Sefydlwyd y cwmni theatr Brith Gof gan Mike Pearson a Lis Hughes Jones yn Aberystwyth yn 1981. Er gwaethaf newidiadau o ran personél ac o ran pwyslais ar hyd y blynyddoedd, bu sawl elfen barhaol yng ngwaith y cwmni. Fel yr awgryma'i enw, ymddiddorai'r cwmni yn y berthynas rhwng y gorffennol a'r presennol, ac yn y berthynas rhwng lleoliad a hunaniaeth yng nghyd-destun y profiad dynol. Hefyd mae holl waith y cwmni'n amlygu diddordeb arbennig yn y ffordd y mae'r corff yn symud y tu mewn i ofod ac yn rhoi siâp a sylwedd iddo. O ganlyniad i'r cyfryw ddiddordebau, tueddai prosiectau'r cwmni i fod yn rhai safle-benodol. Ymhlith cyflwyniadau mwyaf trawiadol y cwmni cafwyd *Gododdin* (1989), *Patagonia* (1992) a *Haearn* (1992) a *Pax* (1993).

LLYFRYDDIAETH

Adams, J. C., *The Globe Playhouse* (Efrog Newydd: Barnes & Noble, 1961).

Altman, G., et al., *Theater Pictorial: A History of World Theater* (Berkeley: Gwasg Prifysgol California, 1953).

Bablet, D., *Esthétique générale du décor de théâtre de 1870 à 1914* (Paris: CHRS, 1965).

Bablet, D., *The Revolutions of Stage Design in the Twentieth Century* (Paris: Leon Amiel, 1994).

Bieber, M., *The Greek and Roman Theater* (Princeton: Gwasg Prifysgol Princeton, 1961).

Braun, E., *Meyerhold on Theatre* (Llundain: Methuen, 1969).

Burian, J., *The Scenography of Josef Svoboda* (Conneticut: Gwasg Prifysgol Wesleyan, 1971).
Burnell, K. a Hall, P. R., *Make Space: Design for Theatrical and Alternative Spaces* (Llundain: Theatre Design Umbrella, 1994).
Carlson, M., *Places of Performance* (Cornell: Gwasg Prifysgol Cornell, 1993).
Chambers, E. K., *The Medieval Stage* (Rhydychen: Gwasg Prifysgol Rhydychen, 1903).
Chambers, E. K., *The Elizabethan Stage* (Rhydychen: Gwasg Prifysgol Rhydychen, 1923).
Cohen, G., *Histoire de la mise en scène dans le théâtre religieux francais du moyen age* (Paris: Champion, 1951).
Craig, E., *The Art of the Theatre* (Llundain: Heinemann, 1905).
Davies, H., *Llwyfannau Lleol* (Llandysul: Gwasg Gomer, 2000).
Edwards, H. T., *Codi'r Llen* (Llandysul: Gwasg Gomer, 1998).
Gasgoigne, B., *World Theatre* (Llundain: Little, Brown, 1968).
Izenour, G. C., *Theater Design* (Efrog Newydd: Gwasg Prifysgol Yale, 1977).
Jacquot, J., *Le Lieu Théâtrale dans la societé moderne* (Paris: Eìditions du Centre national de la recherche scientifique, 1963).
Leacroft, R., *The Development of the English Playhouse* (Llundain: Methuen, 1973).
Leacroft, R. ac H., *Theatre and Playhouse: An Illustrated Survey of Theatre Building from Ancient Greece to the Present Day* (Llundain: Methuen, 1984).
Molinari, C., *Theatre Through the Ages,* cyf. gan C. Hamer (Llundain: Cassell, 1975).
Nicholl, A., *The Development of Theatre: A Study of Theatrical Art from the Beginnings to the Present Day* (Llundain: Harrap, 1927).
Ubersfeld, A., *Lire le Théâtre*, I, Paris (1977), cyf. gan F. Collins, *Reading Theatre* (Toronto: Gwasg Prifysgol Toronto, 1999); II, *L'Ecole du Spectateur*, Paris: Éditions Sociales, 1981); III, *Le Dialogue de Théâtre*, Paris: Belin, 1996).
Wickham, G., *Early English Stages* (Llundain: Gwasg Prifysgol Llundain, 1972).
Wickham, G., *History of the Theatre* (Rhydychen: Gwasg Prifysgol Rhydychen, 1985).
Wickham, G., *The Medieval Theatre* (Llundain: Gwasg Prifysgol Llundain, 1974).
Wilson, R., *Theatres and Staging* (Milton Keynes: Gwasg y Brifysgol Agored, 1977).
Willett, J., *The Theatre of Bertolt Brecht: A Study from Eight Aspects* (Llundain: Methuen, 1977).

2

AGWEDDAU AR THEATR EWROP

Anwen Jones

Yn ei chronicl o ddrama a theatr Ewropeaidd, dadleua Erika Fischer-Lichte o blaid cyswllt hanfodol rhwng theatr a bywyd. Dywed ei bod hi'n bosibl rhesymoli bodolaeth theatr fel cyfrwng diwylliannol trwy gydnabod y tebygrwydd rhyngddi a'r cyflwr dynol.[1] Esbonia bod y sefyllfa theatraidd elfennol yn cynnwys yr holl agweddau ar y cyflwr a'r profiad dynol. Mewn theatr, meddai, 'It is always a question of . . . the creation of identity and changing identities . . . whether as a member of a culture, a nation . . . a social class . . . a family, or as an individual.'[2] Mae ei chanfyddiad o'r hunaniaeth ddynol – boed yn unigol neu'n lluosog – wedi ei wreiddio yn yr egwyddor o newid a gwêl newid yn agwedd hanfodol ar y fformiwla theatraidd hefyd. Mae ei dadl gyffredinol am y gyfatebiaeth sylfaenol rhwng bywyd a theatr yn arbennig o berthnasol yng nghyd-destun dulliau cyfoes o fyw ond mae'r egwyddor o newid wedi nodweddu datblygiad bywyd dynol ers canrifoedd.

Mewn astudiaeth hanesyddol o'r berthynas symbiotaidd rhwng diwylliant a chymdeithas, cyfeiria T. C. W. Blanning at theatr fel un o brif ffenomenau diwylliannol yr oes fodern.[3] Aiff ymlaen i drafod natur yr oes honno yng nghyd-destun y disgwrs a amlinellir gan Jürgen Habermas yn ei lyfr dylanwadol, *The Cultural Transformation of the Public Sphere.* Wrth grynhoi dadl Habermas, disgrifia Blanning pa mor dyngedfennol fu'r newid ar droad y ddeunawfed ganrif pan esblygodd cymdeithas ganoloesol yn gymdeithas fodern. Wrth i bŵer gael ei drosglwyddo, ac wrth i'r amlygiad cyhoeddus o rym a dylanwad a ymgorfforid mewn gwŷr megis brenhinoedd a thywysogion leihau, crewyd gofod cymdeithasol, newydd. Yma, gallai grwpiau o unigolion preifat ddod at ei gilydd i herio'r awdurdodau cyhoeddus i gyd-drafod egwyddorion cyffredinol bywyd a chyfathrach ddynol.[4] Bathodd Habermas y term, 'sffêr modern, rhyddfrydol' i ddisgrifio'r fforwm hwn a ddatblygodd pan wahanwyd gwaddol preifat oddi wrth gyllid y wladwriaeth, sefydliadau gwleidyddol oddi wrth lysoedd y tywysogion a phan ddatblygodd biwrocratiaeth broffesiynol yn Ewrop y ddeunawfed ganrif. Yn ôl Blanning, dyma'r sffêr a dra-arglwyddiaethai ar gymdeithas fodern Ewrop o awr ei chreu yn y ddeunawfed ganrif, hyd yr awr hon.[5]

Prif gyfrwng y drafodaeth ddemocrataidd a ddeilliai o'r sffêr modern, rhyddfrydol oedd y cyfryngau diwylliannol ac mae Blanning yn dadlau i theatr chwarae rhan flaenllaw wrth ddatblygu a chyfryngu'r drafodaeth honno. Gellir diffinio theatr yn gyfrwng diwylliannol a chelfyddydol sydd wedi ei lunio ar fodel democrataidd. Mae modd cyfiawnhau'r dehongliad hwn trwy dderbyn gweledigaeth o theatr fel trafodaeth rhwng dwy garfan sy'n ymrwymo i'r weithred theatraidd â'r un arddeliad ac amcanion sylfaenol. O dan amodau'r cyfryw gytundeb, nod cyffredinol y ddwy garfan fyddai sefydlu cyfathrach weithredol a chyfartal a gyfryngir trwy gyfrwng cyfuniad o ddeialog, ystumiau a digwyddiadau dramataidd.[6] O feddwl am theatr yn y modd hwn, gellir deall ei harwyddocâd ac effeithiolrwydd ei rôl wrth wyntyllu'r disgwrs democrataidd, rhyddfrydol a nodweddai cymdeithas fodern.

Er gwaethaf y pwyslais a rydd Fischer-Lichte ar newid fel agwedd canolog ar fywyd a theatr fodern Ewrop, nid yw hi'n amau dilysrwydd a chadernid Ewrop ei hun. Nid felly Patrick Geary sy'n lleisio ei weledigaeth o eiddilwch cyfandir Ewrop. Mae Geary yn ymosod ar y ffug-chwedloniaeth hanesyddol sy'n portreadu Ewrop fel casgliad o 'stable and objectively identifiable social and cultural units'.[7] Mae ei ddatguddiad o chwedloniaeth y cysyniad poblogaidd o greadigaeth Ewrop yn ein hatgoffa o gysyniad pryfoclyd Benedict Anderson o genhedloedd a ddychmygir i'r cof. Pa un ai ydym yn cytuno gyda Geary ai peidio ynghylch cadernid neu wendid Ewrop, rwyf am ddadlau bod theatr fodern Ewrop wedi ymateb yn gadarnhaol i her moderniaeth am iddi groesi ffiniau a goresgyn gwahaniaethau penodol yng nghymdeithas fodern Ewrop yn y cyfnod rhwng diwedd y bedwaredd ganrif ar bymtheg a dechau'r ugeinfed ganrif.[8]

Pan fo Habermas yn trin a thrafod y newid o gymdeithas ganoloesol i'r hyn y mae'n ei ddisgrifio fel cymdeithas fodern, cyfeiria at ddatgymalu'r hen gyfundrefn ffiwdal a ffynnai rhwng y nawfed a'r bymthegfed ganrif. Er mwyn disodli ffiwdaliaeth, roedd hi'n ofynnol creu canolfannau o rym a phŵer a oedd wedi eu cynnal gan isadeiledd sicr megis breniniaethau Ewropeaidd yr unfed a'r ail ganrif ar bymtheg. Un o'r enghreifftiau mwyaf ymffrostgar ac effeithiol o ganoli grym a phŵer ym mherson y brenin oedd cyfnod hir teyrnasiad y *Roi-Soleil*[9] neu Louis XIV (1638–1715). O dan reolaeth Louis XIV, sefydlwyd y *Comédie Française*. Daeth y theatr enwog a oedd o dan nawdd a rheolaeth y brenin yn un o gyfres o ganolfannau diwylliant a oedd yn adlewyrchu gogoniant y brenin ei hun.

Dywed Peter Szondi fod y gyfundrefn hon wedi cynhyrchu math newydd o ddrama feiddgar lle roedd dynion yn lleisio eu hyder wrth iddynt eu diffinio eu hunain ac eraill.[10] Gwnaent hyn trwy gyfrwng gweithgaredd rhyngbersonol, presennol, hynny yw trwy gyfathrach gymdeithasol a oedd yn creu presennol newydd yn barhaus. Roedd dramodwyr mawr y *Comédie Française*, yn eu plith Pierre Corneille (1606–84), Jean Racine (1639–99), a Jean-Baptiste Poquelin neu Molière (1622–73), yn arbenigwyr ar y math hwn o gynnyrch dramataidd. Yng ngweithiau mawr y cyfryw ddramodwyr, dyluniwyd dyn fel bod cymdeithasol a oedd yn canfod ei hunaniaeth yn ei berthynas ac mewn perthynas ag eraill. Roedd unigolion wedi eu nodweddu gan ryddid, ewyllys ac ymroddiad, ac yn caffael sylwedd dramataidd trwy gyfrwng y weithred o benderfynu. O ganlyniad, roedd eu penderfyniadau yn rheoli natur eu perthynas ag eraill ac yn eu perthnasu ag eraill. Roeddent yn gartrefol ym myd y rhyngbersonol a'u cyfrwng dewisol oedd deialog.

Gellid trafod drama fawr Jean Racine, *Phèdre*, fel enghraifft hynod drawiadol o'r math hwn o ddrama. Ynddi, dylunir cwymp y frenhines, Phèdre, yn sgil ei datguddiad o'i chariad anfoesol tuag at Hippolyte, ei llysfab. Mae'r ddrama yn cydymffurfio â gofynion caeth y cyfnod neo-glasurol pan oedd beirniaid llenyddol megis Nicolas Boileau-

Despréaux (1636–1711), yn trafod egwyddorion sylfaenol drama ac yn bathu math newydd ar glasuriaeth trwy gyfrwng eu cyhoeddiadau beirniadol. Roedd drama Racine wedi ei chyfansoddi mewn mydr alecsandraidd. Roedd hefyd yn driw i ofynion *bienséance* a *vraisemblance*, y cyntaf yn derm a oedd yn cyfeirio at yr hyn a oedd yn briodol neu'n gymwys mewn cyd-destun moesol, a'r ail, at yr hyn a oedd yn rhesymol o safbwynt ymarferol. Ar sail y cyfryw egwyddorion sylfaenol, cynghorid dramodwyr Ffrengig i ochel rhag gormodedd eu ceraint Sbaenaidd:

> The other side of the Pyrenees,
> A rhymer can cram years into a day on the stage with impunity.
> There, the hero of an unsophisticated show is often a child
> in the first act and a greybeard in the last . . .
> But we, whom Reason obliges to obey its rules,
> We want the action to be managed artistically;
> That the stage should be occupied to the end
> With a single action completed in a single place,
> in one day.[11]

Yn *Phèdre*, glynir at y canllawiau yma a llunnir drama sydd wedi ei gwreiddio'n gadarn mewn lle ac amser penodol. Gochelir hefyd rhag cyflwyno marwolaeth waedlyd a rhyfelgar Hippolyte ar ddiwedd y ddrama ar lwyfan am na fyddai hynny'n chwaethus. Er gwaethaf hyn, mae'r ddrama'n trafod pynciau llosg megis cywilydd cariad anfoesol ac mae datguddiad Phèdre o'r cariad sy'n uffern ac yn baradwys iddi yn pennu natur ei chyfathrach â'r byd o'i chwmpas, boed hwnnw'n fyd dynol neu oruwchnaturiol:

> Phèdre: Ah, leave your heartless lying.
> You understand and you have heard enough.
> Very well then, you shall learn what Phaedra is
> And all her frenzy.
> But never think that even while I love you
> I can absolve myself, or hide my face
> From my own guiltiness. And never think
> The wanton love that blurs my mind
> Grew with the treachery of my consent.

I, singled out for a celestial vengeance
Unpitied victim, I abhor myself
More than you hate me. Let the Gods bear witness,
Those Gods that set the fire within my breast,
The fatal fire of my accursed line;
Those Gods whose majesty and might exulted
In the beguiling of a mortal's weakness.
Turn back the past yourself: how have I laboured
To seem malignant, savage, how I fostered
Your hatred as my ally in the fight.
Did I escape you? No, I banished you.
. . .
Dare Theseus' widow love Hippolytus?
Truly so vile a monster must not live.
My heart is here, and here is where you strike.[12]

Dyma'r ddrama fawreddog a lwyfennid yn Ewrop yr ail ganrif ar bymtheg.

Tua diwedd y bedwaredd ganrif ar bymtheg, bu cyfres o newidiadau themataidd ym myd y ddrama. Wrth i gymdeithas ddatblygu trwy gyfnod y chwyldro Ffrengig ac ymlaen trwy'r bedwaredd ganrif ar bymtheg, daeth argyfwng i faes y rhyngbersonol. O ganlyniad, cafwyd drama a oedd yn dylunio methiant deialog a chyfathrebu o bob math. Yn raddol, disodlwyd y digwyddiad rhyngbersonol a fu wrth galon drama'r gorffennol. Codwyd yr angor a oedd wedi gwreiddio'r digwydd dramataidd yn y presennol, wedi datguddio cymeriad yn y presennol ac wedi datgan natur y berthynas rhwng y cymeriadau a'r byd o'u cwmpas yn y presennol. Mae drama Henrik Ibsen (1828–1906), yn hawlio canol y llwyfan yn y byd newydd hwn, lle mae deialog yn gyfrwng mynegiadol hanfodol i sawl perthynas ryngbersonol sydd trwy eu gwendidau, eu rhwystredigaethau a'u hing yn creu ac yn mynegi ystyr bywyd. Er gwaethaf y newidiadau a oedd yn gweddnewid dewis dramodwyr o ddeunydd thematiadd neu gynnwys eu gwaith, dalient i lynu at yr un canllawiau a methodolegau wrth lunio'r cyfryw ddeunydd yn ddrama. Yn anorfod, felly, datblygodd gagendor rhwng y neges a gyfryngwyd, gan gynnwys y ddrama, a'r hyn a gyflewyd gan ei ffurf. Fel yr esbonia Steve Giles, roedd dadansoddiad

Szondi o ddrama wedi ei lunio yn unol â chanllawiau meddylfryd Hegelaidd.[13] Ym maes estheteg, Georg Hegel (1770–1831), oedd yr athronydd cyntaf i ddadlau fod perthynas rhwng ffurf, ar y naill law, a chynnwys ar y llall.

Cyn hyn, roedd athronwyr wedi ystyried ffurf drama fel elfen dragwyddol nad oedd yn newid gydag amser ond a oedd yn llestr parod i ddal cynnwys dramataidd unrhyw gyfnod. Heriodd Hegel y farn hon gan ddadlau nad oedd ffurf a chynnwys yn annibynnol ar ei gilydd ond eu bod, yn hytrach, yn treiddio i'w gilydd. O ganlyniad, datblygodd y cysyniad y gallai ffurf a chynnwys wrthweithio yn erbyn ei gilydd mewn cyfnodau pan oedd y negeseuon a drosglwyddwyd trwy gyfrwng thematig y ddrama yn tanseilio'r honiadau a wnaed gan ei ffurf. Dadleua Szondi fod y ddrama Ewropeaidd a ysgrifennwyd gan Ibsen, Anton Tsiecoff, (1860–1904), August Strindberg (1849–1912), Maurice Maeterlink (1862–1949), a Gerhart Hauptmann (1862–1946), oll yn ymatebion gwahanol i'r argyfwng a achoswyd gan y tyndra rhwng ffurf a chynnwys yn nrama fodern Ewrop. Yn ôl Szondi, mae drama Ibsen yn honni ei bod yn delio â'r gorffennol ond, mewn gwirionedd, nid yw hi'n bosibl trin y gorffennol mewn ffurf ddramataidd sy'n ei lleoli ei hun yn y presennol. O ganlyniad, mae gagendor rhwng deunydd thematig drama Ibsen a'i ffurf. Yn yr un modd, mae drama Tsiecoff yn darlunio methiant sylfaenol i gyfathrebu ac eto, cyflwynir y weledigaeth hon ar ffurf deialog.

Wrth i'r ugeinfed ganrif fwrw rhagddi, mae gwahanol ddramodwyr yn ymgorffori agweddau amrywiol ar y tyndra tyngedfennol rhwng ffurf a chynnwys gan gynhyrchu canrif o ddrama wedi ei nodweddu gan baradocs ar lefel y berthynas rhwng ffurf a chynnwys. Nid yw dadansoddiad Szondi o'r gwrthdrawiad rhwng ffurf a chynnwys yn nrama Ewrop fodern yn asesiad beirniadol o ansawdd y cyfryw ddrama. Wedi'r cyfan, mae drama'r cyfnod hwn yn ddylanwadol ac yn chwarae rôl allweddol yn natblygiad y ddrama a'r theatr gyfoes. Dyma'r cyfnod a welodd ddatblygiad mynegiant dramataidd nifer o fudiadau theatraidd mawr moderniaeth, megis realaeth, naturoliaeth, symbolaeth a mynegiadaeth. Mae disgrifiad y beirniad llenyddol Raymond Williams o'r broses o fathu ffurfiau neu fudiadau celfyddydol newydd trwy gyfrwng gwaith creadigol, arloesol yn ddefnyddiol wrth geisio amgyffred datblygiadau o'r math hwn. Tua therfyn yr ugeinfed ganrif, bathodd Raymond Williams y term *structure of feeling* i ddisgrifio'r broses raddol wrth i ddarn o waith unigol gymryd ffurf benodol.[14] Y cam nesaf oedd cydnabod y ffurf honno fel enghraifft o ffurf gyffredinol, ac wedyn bathu perthynas rhwng y ffurf gyffredinol a chyfnod neilltuol.

Yng nghyd-destun drama, mae'r term yn berthnasol i'r cysylltiad rhwng ffurf a chynnwys drama ar y naill law a'r amgylchfyd cymdeithasol y mae'n ymateb iddo ar y llaw arall. Mae Williams yn dadlau y gall artist sydd yn ysgrifennu yn groes i raen cyfnod lansio *structure of feeling* newydd. Dywed fod artistiaid yn ymateb i ddiffygion o safbwynt ffurf a chonfensiynau drama nad ydynt yn gallu mynegi neu gario cynnwys cyfredol. Eu hadwaith yw creu ffurfiau newydd sy'n adlewyrchu anghenion y gynulleidfa yn hytrach na thraddodiadau'r ddrama fel ffurf ar gelfyddyd. Nid yw pob artist gwreiddiol yn creu *structure of feeling* newydd am nad yw pob drama arloesol yn dylanwadu'n ddigonol ar ffurf y ddrama yn gyffredinol nac yn cyfryngu profiadau a gydnabyddir fel rhai cyffredin a chyfarwydd i gynulleidfa eang. Mae'n rhaid i ffurf benodol darn o waith celfyddydol penodol weithredu newidiadau mwy cyffredinol mewn maes ehangach i gyflawni'r newid hwn.

Does dim dwywaith nad oedd *Woyzeck* gan Georg Büchner (1813–1837), yn ddrama flaengar yn rhinwedd natur episodig a bratiog ei ffurf a hefyd natur gyfoes ei thriniaeth o'r seicoleg ddynol. Mae gweledigaeth Büchner o argyfwng emosiynol a seicolegol ei brif gymeriad yn herfeiddiol yn rhinwedd ei gydnabyddiaeth o'r ffactorau seicolegol sy'n cyflyru ei ymddygiad. Trwy ddylunio cymeriad a phrofiad ei wrtharwr o safbwynt cwbl oddrychol, mae Büchner yn cydnabod pwysigrwydd seicoleg mewn cyfnod cyn-Freudaidd. Daw'r ddrama i uchafbwynt wrth i Woyzeck ladd Marie, mam ei blentyn siawns, yn sŵn y lleisiau sy'n meddiannu ei ymwybod ac sy'n fwy real iddo bellach na realiti'i hun:

> On and on for ever! On, on, on!
> Stop the music. – Shh.
> (*Throws himself down.*) What's that? What's that you say?
> What're you saying?

> . . . Stab . . . Stab the she-wolf, dead.
> Shall I?
> Must I?
> (*Stands up.*) Is it there too? In the wind even.
> It's all around me. Everywhere. Round, round
> on and on and on . . .
> Stab her. Dead, dead – dead!! (*Runs out.*)[15]

Er gwaethaf elfennau arloesol y ddrama, ni ellid hawlio bod *Woyzeck* wedi creu *structure of feeling* newydd am na fu'n ddylanwad sylweddol ar ffurf drama neu ddramâu cyfoesol. Ar y llaw arall, gellid dadlau bod drama Ibsen yn waith a sbardunodd y math hwn o newid cyffredinol. Ysgrifennodd Ibsen ei ddrama o ganlyniad i'w ysfa i fynegi gweledigaeth ddramataidd newydd a oedd wedi ei gwreiddio yn ei amgylchfyd cymdeithasol cyfredol. Roedd cynnwys ei ddrama yn adlewyrchu argyfwng cymdeithasol, rhyngbersonol. Roedd ei arddull naturiolaidd yn cydweddu ag ysbryd y weledigaeth honno. Er gwaethaf hyn, roedd y ffaith iddo lynu at ddeialog fel ysgerbwd a oedd yn cynnal y cig ar esgyrn y ddrama yn gwrthddweud neges sylfaenol y ddrama. Er gwaethaf yr addewid a wnaed ar lefel ffurf bod deialog yn gyfrwng ystyrlon ac effeithiol, roedd hi'n amlwg ar lefel thematig bod cyfathrach a chyfathrebu rhyngbersonol mewn cyflwr argyfyngus. Roedd yr argyfwng hwnnw ar ei fwyaf amlwg yn y mangre mwyaf allweddol – yr aelwyd dosbarth canol.

Lleolir un o ddramâu enwocaf Ibsen, *Tŷ Dol*, ar aelwyd cartref dosbarth canol ac mae teitl y ddrama yn pwysleisio hynny. Trwy gydol y ddrama, rydym wedi ein cyfyngu i'r ystafell fyw yng nghwmni Nora, y prif gymeriad. Mae'r cartref fel warin gwningod yn llawn addewidion. Ceir sôn am stydi, yr ystafell lle bu Nora yn gweithio am dair wythnos. Mae drysau yn arwain at gyfleoedd a lleoliadau newydd ond rydym ni fel cynulleidfa yn aros yn yr ystafell fyw gyda Nora. A dweud y gwir, mae caethiwed y gynulleidfa yn fwy na chaethiwed yr arwres, am ein bod ni yn aros gyda Helmer, gŵr Nora, i glywed clep derfynol y drws wrth i Nora ddianc ar ddiwedd y ddrama. Er bod Nora'n dod i gydnabod ei hannigonolrwydd a'i hanaeddfedrwydd fel unigolyn, gwnaiff ei darganfyddiad mewn gwagle. Ni all strwythurau'r gymdeithas sydd ohoni ganiatáu i'w darganfyddiad gael ei brosesu y tu hwnt i'w phrofiad ynysig hi. A dweud y gwir, darganfod yr hyn a erys iddi i'w ddarganfod y mae Nora'n unig:

> Nora: I believe that first and foremost I am an individual, just as much as you are – or, at least, I'm going to try to be. I know most people agree with you, Torvald, and that's also what is said in books. But I'm not content any more with what most people say, and with what it says in books. I have to think things out for myself, and get things clear.[16]

Wrth reswm, gall dramodwyr sy'n torri tir newydd ac yn allanoli agweddau mewnol ar brofiadau dynol a fu ymhlyg neu ynghudd yn yr ymwybyddiaeth boblogaidd ennyn ymateb negyddol:

> Established formations will criticize or reject him, but to an increasing number of people he will seem to be speaking for them, for their own deepest sense of life, just because he was speaking for himself. A new structure of feeling is then becoming articulate.[17]

Yn wir, cafwyd ymateb negyddol i ddrama arall gan Ibsen, sef *Dychweledigion.* Roedd y ddrama'n ymosodiad ar gymdeithas lwgr a oedd yn anwybyddu godineb er gwaethaf y ffaith fod canlyniadau pellgyrhaeddol i ymddygiad o'r fath. Mae Oswald, mab Mrs Alving, yn dychwelyd i'w gartref i farw a hynny am iddo etifeddu syffilis gan ei dad. Wedi dychwelyd, mae'n cwympo mewn cariad â Regina Engstrand, morwyn Mrs Alving, sy'n hanner chwaer iddo er nad yw'n gwybod hynny. Roedd datguddiad diflewyn-ar-dafod y ddrama o effeithiau trasig ymddygiad anfoesol gŵr ar ei wraig a'i deulu yn bilsen rhy chwerw i'w llyncu i'r rhelyw o gynulleidfaoedd. Beirniadwyd y ddrama gan Frenin Sweden a Norwy, Oscar II (1829–1907), a bu'n rhaid llunio cwmni theatr annibynnol i berfformio'r ddrama ar gyfer aelodau tanysgrifiedig yn unig yn Llundain er mwyn osgoi sensoriaeth Swyddfa'r Arglwydd Siambrlen.[18] Ond nid felly y bu hi gyda drama August Strindberg, *Miss Jiwli*, a hynny o bosibl am i Ibsen fraenaru'r tir. Nid oedd yn rhaid i Strindberg sefydlu *structure of feeling* neu adeiladwaith emosiynol newydd ond yn hytrach gallai berffeithio mynegiant gweledigaeth a oedd eisoes wedi ei sefydlu fel un wir a gwerthfawr.

Dyma mae llawer yn honni i Strindberg ei gyflawni wrth ysgrifennu *Miss Jiwli*. Disgrifir y ddrama fel un o gonglfeini'r cyfnod naturiolaidd; cyfnod a berthyn i'r degawdau rhwng 1880 ac 1910. Yn ystod y cyfnod hwn, o dan ddylanwad gwaith Charles Darwin (1809–82), datblygodd gweledigaeth ddramataidd a oedd yn cydnabod ac yn dylunio dylanwad yr amgylchfyd ar ymarweddiad ac ymddygiad dyn.

Trwy gyfrwng gweithiau megis *Thérèse Raquin*,[19] astudiaeth wyddonol o'r ymddygiad a'r cyflwr dynol o safbwynt mecanyddol, saernïwyd math newydd o ddrama. Roedd yn ddrama oedd wedi ei gwreiddio mewn sefyllfaoedd nodweddiadol o fywyd bob dydd, yn dylunio cymeriadau cyffredin ac yn defnyddio deialog fel prif gyfrwng mynegiant. Crewyd perthynas uniongyrchol â chynulleidfa trwy gyfrwng y cysyniad o'r bedwaredd wal; ffin rithiol rhwng y gynulleidfa a'r digwydd dramataidd a oedd yn caniatáu iddynt wylio'r gweithgarwch fel pe baent yn rhan anhepgor ohono. Strindberg, mae'n debyg, a berffeithiodd y dechneg hon a hynny mewn drama sy'n dylunio ymddatodiad strwythur cymdeithasol a oedd wedi cynnal system ddosbarth cyhyd ag y medrai ond a oedd bellach yn dadfeilio. Dylunia Strindberg sefyllfa druenus yr aristocrat sy'n prysur golli ei rym a'i gywirdeb yn wyneb her gan ddosbarth gweithiol sy'n ymbalfalu am annibyniaeth, hunan-barch ac addysg. Mae ymddygiad gwamal yr arwres aristocrataidd, Miss Jiwli, wrth iddi iselhau'i hun trwy gyfathrach rywiol â Jean, ei gwas, yn portreadu argyfwng dosbarth cyfan sy'n prysur golli gafael ar fyd a fu unwaith yn foethus. Wedi ei ddal rywle rhwng yr ysfa am annibyniaeth a thraddodiad o daeogrwydd cyffyrddus a chyfarwydd, mae Jean yn sarhau ei feistres yn derfynol trwy argymell hunanladdiad fel yr unig ddihangfa posibl iddi.

Gellir deall arwyddocâd y ddrama hon yng nghyd-destun datblygiad drama naturiolaidd am ei bod yn ymgorffori rhai o brif nodweddion y meddylfryd hwnnw yn hynod gryno. Dadleua Raymond Williams:

> In high naturalism the lives of the characters have soaked into their environment. Its detailed presentation, production, is thus an additional dramatic dimension, often a common dimension within which they are to an important extent defined. Moreover, the environment has soaked into their lives. The relations between men and things are at a deep level interactive.[20]

Lleisir ing yr unigolyn sydd yn dod wyneb yn wyneb â chymhlethdod y berthynas ôl-Ddarwinaidd rhwng dyn a'i amgylchfyd gan Huw, arwr un o ddramâu John Gwilym Jones, pan ddywed fod:

> y penderfyniadau mawr, yn anorfod ufudd i ryw bwerau unbenaethol, difater, didostur. Ei Deyrn Amgylchedd ydi un ohonyn nhw . . . Mae fel gelen yn ein sugno ni . . . Bydd môr a mynydd a chloddiau cerrig ardal fy ngeni ac arogleuon Hen Ŵr gardd nain a melyn briallu cynnar a smotiau coch saethau o frithyll, ac 'mewn hiraeth dwys, Nel a Huw' yn ysgrifen dlos mam o dan wydr y dorch ar fedd nhad yng ngwead fy nghyfansoddiad i hyd fy medd.[21]

Yn yr union fodd yma, mae'r cymeriad Miss Jiwli yn ymgorffori argyfwng cymdeithasol, economaidd a diwylliannol ym mreuder ei chorff ac yng ngwendid sylfaenol ei chymeriad. Hi *yw* adfeilion yr hen fonedd a'u ffordd elitaidd o fyw ac mae portread Strindberg ohoni yn ddi-faddeuant. Yn yr un modd, rhoddir rôl flaengar i'r amgylchfyd fel elfen weithredol yng ngweithgaredd y ddrama yn hytrach nag yn agwedd ar ei chynnwys yn unig. Mewn geiriau eraill, mae'r ddrama yn arddangos 'explicit cognizance of environment, not merely as a setting but as an element of the action of the drama'.[22] Yn *Miss Jiwli*, mae'r amgylchfyd yn rhan elfennol o wead y ddrama ar lefel ffurf. Mae ymddygiad Miss Jiwli wedi ei effeithio gan ffactorau allanol megis ei bod hi'n Galan Mai ac yn lleuad lawn. Mae'r ffaith ei bod hi hefyd yng nghyfnod ei misglwyf yn amlygiad concrid o'r berthynas rhyngddi a'i hamgylchfyd.

Tra bo *Tŷ Dol* yn dylunio darganfyddiad Nora o'r problemau sylfaenol yn ei pherthynas â'i hamgylchfyd, mae *Miss Jiwli* yn datguddio gwendidau'r amgylchfyd cymdeithasol ei hun. O nifer o safbwyntiau, mae *Miss Jiwli* yn ddrama fwy gobeithiol na *Tŷ Dol*. Er gwaethaf pa mor amrwd y weithred o ddinoethi cyflwr bregus a thruenus cymdeithas *Miss Jiwli*, mae gobaith am newid yn nrama Strindberg. Wrth i Nora glepio'r drws ar orffennol ei thŷ dol, gwyddom nad oes unrhyw sicrwydd o ddyfodol iddi y tu hwnt i orfoledd y foment honno o ryddid. Mae'r profiad o newid wedi ei gyfyngu i'w chyflwr a'i phrofiad hi ac ni cheir trawsffurfiad cyfatebol yn amgylchfyd y ddrama at ei gilydd. Ar y llaw arall, yn nrama Strindberg, gonestrwydd cïaidd y fethodoleg ddramataidd yw'r ffactor sy'n cyfiawnhau gobaith o ryw fath. Fel y dywedodd Strindberg ei hun:

> That my tragedy depresses many people is their own fault. When we have grown strong, as the pioneers of the French revolution, we shall be happy and relieved to see the national parks cleared of ancient rotting trees which have stood too long in the way of others equally entitled to a period of growth – as relieved as we are when an incurable invalid dies.[23]

Mae a wnelo drama Tsiecoff ag argyfyngau personol a chymdeithasol yn Rwsia ar droad y bedwaredd ganrif ar bymtheg. Daw ar drothwy newid sylfaenol yng nghydbwysedd cymdeithasol y wlad o ganlyniad i ryddhau taeogion. Datgela data cyfrif 1857 fod 49,486,665 o gyfanswm poblogaeth o 60,909, 309 yn daeogion. Erbyn 1861, roedd Tsar Alexander II (1818–81), yn ddigon gofidus ynghylch gwrthryfeloedd y taeogion i ganiatáu eu rhyddhau yn derfynol. Mae un o ddramâu enwocaf Tsiecoff, *Y Gelli Geirios*, yn portreadu gwewyr teulu'r Ranevsky wrth iddynt wynebu – neu efallai wrthod wynebu – colli eu cartref a'u hetifeddiaeth ddiwylliannol, y gelli geirios annwyl. Mae'r ddrama yn artaith i'w gwylio a hynny am nad oes dim gweithgaredd ynddi, ond yn hytrach tindroi diddiwedd.

Canolir y ddrama ar y gelli geirios a'i phreswylwyr, casgliad o unigolion digon rhyfedd: Madame Ranevsky, Anya, ei merch, Varya, ei merch fabwysiedig, ei brawd, Leoni Gayef, y clerc, Epikhodov, Trophimof, y myfyriwr tragwyddol a'r forwyn Dunyasha. Mae tlodi Madame Ranevsky wedi'i gorfodi i werthu'r gelli ac erbyn diwedd y ddrama, nid yw'r teulu ond yn bresennol yn eu cartref trwy garedigrwydd Lopakhin, y prynwr sydd am roi bwyell i'r berllan yn enw elw masnachol. Wrth i Madame Ranevsky ddychwelyd i'w chartref ar ddechrau'r ddrama, cawn argraff o natur lipa, ddiegni'r gweithgaredd dramataidd sydd i yrru'r ddrama, yn araf deg, i'w thynged anorfod. Mae'r tŷ yn ferw o fywyd a chlonc wrth i hen ffrindiau gwrdd ac eto does neb yn gwrando nac yn cyfathrebu mewn gwirionedd:

DUNYASHA: You went away in Lent, with snow on the ground still and now look at it! . . . My own precious! My heart's delight . . .! I'm going to tell you at once – I can't contain myself another minute . . .

ANYA: [*Inertly*] Nothing else.

DUNYASHA: Yepikhodov – you know who I mean, the estate clerk – just after Easter he proposed to me.

ANYA: Still on about the same old thing [*Tidying her hair*]. I've gradually lost all the pins . . .
[*She is completely exhausted – unable to keep her balance even*]

DUNYASHA: I don't know what to think about it. He's in love with me, so in love with me!

ANYA: [*Looks into her room, tenderly*] My room, my windows, just as if I'd never been away. I'll get up in the morning. I'll run into the orchard . . . Oh, if I could only get to sleep! I didn't sleep all the way – I was worn out with worry.

DUNYASHA: The day before yesterday Mr Trofimov arrived.

ANYA: [*Joyfully*] Petya!

DUNYASHA: He's sleeing in the bath-house – he's living out there. He said he was afraid of being in the way . . . We ought to wake him up, but Miss Varya told me not to. 'Don't you go waking him,' she says.[24]

Mae'r cymeriadau oll wedi eu dal mewn trobwll o oedi tragwyddol. Mae'r ddrama yn bwrw rhagddi ond er gwaethaf y ffaith fod addewid cyson o ddigwydd, yr unig weithred a gaiff ei chyflawni yw gwerthu'r gelli i Lopakhin. Mae Lopakhin yn orfoleddus am iddo berchnogi eiddo lle y bu gynt namyn gwas taeog ond ymddengys yntau bron mor oddefol â'r cymeriadau eraill. Pan ddaw'r cyfle iddo ofyn i Varya ei briodi, osgoi a wna yntau:

A VOICE: (*through the door from the outside*) Where's Lopakhin?

LOPAKHIN: (*as if he had been expecting this call for a long time*) Coming! (*Goes rapidly out*)

VARYA: (*now sitting on the floor, lays her head on a bundle of clothing, and sobs quietly*)[25]

Hawdd deall safbwynt Szondi wrth iddo ddadlau bod a wnelo drama Tsiecoff â'r gorffennol, y cof a breuddwydio delfrydol yn hytrach na chyfathrach ryngbersonol sy'n meddiannu ac yn gwthio'r presennol rhagddi yn barhaus. Dyma ddrama lle mae deialog yn raddol ddirywio'n fonolog a hynny am nad oes gan y rhan fwyaf o'r cymeriadau'r gallu i glywed nac i wrando ar ei gilydd bellach.

Disgrifiodd Szondi ddrama Maurice Maeterlinck (1862–1949), fel drama ddi-ddigwydd. Ar y llaw arall, dywedodd y bardd enwog Rainer Maria Rilke (1875–1926), iddi weddnewid drama fodern Ewrop a hynny am iddi adleoli 'theatre's centre of gravity'.[26] Mae'r beirniad llenyddol Patrick McGuinness yn dadlau i Maeterlinck gyflawni hyn trwy gyfrwng cyfres o gyfnewidiadau allweddol. Honna iddo gyfnewid 'action with inaction, events with eventlessness, and dialogue with a semantics of silence'.[27] Ysgrifennodd Maeterlinck ei ddrama fwyaf adnabyddus, *Pélleas et Mélisande* yn 1892. Fe'i hystyrir yn ddrama symbolaidd a hynny am ei bod yn cyflwyno cyflyrau a phrofiadau emosiynol, mewnol trwy gyfrwng methodoleg sy'n ddibynnol ar awgrym, osgo, oedi ac ymatal. Yn y ddrama, cyflëir gwewyr meddwl a dwyster emosiwn Pélleas, brenin canoloesol, Mélisande, ei briod, a Golaud, ei frawd. Does fawr o weithgaredd dramataidd heblaw'r weithred gychwynnol o ddarganfod Mélisande gan y brenin, Pélleas. Does dim ymgais i ddehongli ymddygiad y cymeriadau nac ychwaith i gynnig cymhelliad dros dawelwch Mélisande na'r cariad rhyngddi â Golaud. Daw golygfa fwyaf trawiadol y ddrama wrth i Pélleas godi ei fab bach, Yniold, i ffenestr llofft Mélisande, er mwyn canfod tystiolaeth allanol o'i chariad tuag at Golaud. Ni wêl Yniold ddim i gyfiawnhau'r genfigen sy'n gyrru Pélleas i ladd y ddau ac eto mae'r ddrama wedi ei thrwytho yng nghyfrinder eu cariad.

Cynhyrchwyd y ddrama am y tro cyntaf gan Aurélien Lugné-Poe (1869–1940), cyfarwyddwr enwog a gyflwynodd ddulliau effeithiol o lwyfannu dramâu symbolaidd yn ei Théâtre de l'Oeuvre. Heb fawr o oleuni, yn enwedig wrth odre'r llwyfan, hanner-cuddiwyd yr actorion y tu ôl i len o feinwe er mwyn sicrhau awyrgylch cyfrin a oedd yn deilwng o naws ganoloesol, hanner-hudol drama a leolwyd yn nheyrnas fytholegol Allemonde. Mae hanes yn datgelu'r ffaith na fu drama symbolaidd Maeterlinck yn fan cychwyn i draddodiad newydd ym maes y ddrama ond bu'n fawr ei dylanwad mewn maes cysylltiedig, sef byd cerddorol yr opera. Roedd drama mor ddiddigwydd na wnâi unrhyw ymdrech i guddio'r ffaith nad oedd ei hystyr yn hanu o'i digwyddiadau, nac ychwaith ei deialog, yn anathema i gynulleidfaoedd y cyfnod. Serch hynny, cydiodd yn nychymyg rhai o fawrion y byd cerddorol cyfoes. Aeth Claude Debussy (1862–1918), ati i lunio'r ddrama yn opera; opera a ddatododd hualau'r traddodiad Wagneraidd heb orfod dychwelyd at ormes hen opera fawreddog, draddodiadol Ffrainc. Bu'r ddrama yn ysbrydoliaeth i fath newydd ar opera a ddefnyddiai ddistawrwydd fel dull o atalnodi'r perfformiad; mewn geiriau eraill, fel elfen hanfodol o'i ffurf.

Cyfeiriwyd at Strindberg fel meistr y ddrama naturiolaidd ond gellir gweld dylanwad y meddylfryd symbolaidd ar beth o'i waith mwy diweddar megis *Drama Freuddwyd*, a ysgrifennwyd yn 1901. Mae'n debyg i Strindberg gyfansoddi'r gwaith cyn cyfnod o anhwylder seicotig, a diddorol yw nodi'r tebygrwydd rhwng natur fratiog y ddrama hon a drama Büchner, *Woyzeck*, lle cawsom arwr a oedd yn brae i leisiau a'i gyrrai, yn llythrennol, i bydew gwallgofrwydd. Lleolwyd *Drama Freuddwyd* mewn arallfyd; rhywle rhwng rhith a gwirionedd. Mae'r arwres, Agnes merch Indra, yn dduwies a dystia i drueni'r hil ddynol o ddiogelwch ei statws arallfydol. Disgrifiodd Strindberg ei amcan yn y ddrama yn gryno ac yn effeithiol yn ei rhagair:

> The characters split, double, multiply, evaporate, condense, disperse, assemble. But one consciousness rules over them all, that of the dreamer, for him there are no secrets, no illogicalities, no scruples, no laws. He neither acquits nor condemns, he merely relates; and just as a dream is often more painful than happy, so an undertone of melancholy and of pity for all mortal beings accompanies this flickering tale.[28]

Mewn erthygl gan Brian Johnston, gwneir sylwadau diddorol am y berthynas rhwng gwaith Ibsen a gwaith diweddaraf Strindberg.[29] Dywedir bod Ibsen yn ymhyfrydu mewn trafodaeth o'r gorffennol i'r fath raddau bod y gorffennol yn rhan annatod o wead y plot. Ymdebyga hyn i sylwadau Szondi am oruchafiaeth y gorffennol ar y ddrama Ibsenaidd. Ar y llaw arall, mae Johnston yn dadlau bod Strindberg yn trin y gorffennol o safbwynt arall, safbwynt goddrychol sy'n caniatáu i'r dramodydd ei hun ailwampio'r gorffennol yn unol â'i ysfa a'i amcanion personol. Nid yw'r gorffennol, felly, yn ddim amgen na realiti preifat, cwbl oddrychol nad yw'n meddiannu unrhyw gadarnle yn y byd y tu hwnt i ymwybyddiaeth yr awdur. Does dim dwywaith nad yw'r math hwn ar gyflwyniad goddrychol yn anghyson â'r gweithgaredd rhyngbersonol yr ystyriai Szondi ei fod wrth wraidd y math o ddrama lle cydweithia ffurf a chynnwys i fynegi'r un thematig cyson. Mae'n amlwg bod y ddrama yn gynnyrch gweledigaeth fodern o ansicrwydd ac anghysondeb perthnasau dynol a oedd yn gyrru'r unigolyn i'w wallgofrwydd ynysig ei hun. Mae'n debyg bod y ddrama yn gam ar hyd y daith a arweiniodd at *stationen drama* Strindberg, drama a fu'n gonglfaen i gynnyrch y cyfnod mynegiannol.

Clodd Szondi ei drafodaeth o'r cyfnod problematig hwn yn hanes datblygiad y ddrama fodern Ewropeaidd gyda dadansoddiad o ddrama hanesyddol, gymdeithasol Gerhart Hauptmann. Yn fy marn i, mae ei ddadl ynghylch Hauptmann yn anos i'w dilyn na'r rhan fwyaf o'i ddadansoddiadau eraill. Efallai mai'r rheswm am hyn yw'r ffaith fod *Y Gwehyddion*, y ddrama o waith Hauptmann o dan sylw, yn ddrama am wrthryfel cymdeithasol ymysg gwehyddion o Silesia. Ymddengys y thematig yn un sydd yn ymwneud â phortreadu'r lliaws a chyfryngu holl ferw lluosog ennyd o wrthryfel yn hytrach na chanoli ar berthynas ryngbersonol yn y modd a ddaeth yn gyfarwydd yn nhrafodaeth Szondi o weithiau Ibsen, Tsiecoff, Maeterlinck a Strindberg. Mae deialog yn y ddrama ond mae hefyd ddogn go helaeth o gydganu ac o areithio. Ceir areithio gwleidyddol i godi calonnau'r werin ond cawn hefyd ymsonau hir ar ran y perchennog, Dreissiger, sy'n siarad ag ef ei hun ar goedd, fel petai:

DREISSIGER: . . . it's still a disgrace. The child is like a blade of grass waiting to be blown over. It's inconceivable how people . . . how parents can be so irresponsible. Burdening him with two bundles of cotton on a good one and a half mile walk – It's really hard to credit. I'll simply have to make it a rule that no products will be accepted from children. (*He paces about again in silence.*) Anyway I shall insist that such a thing doesn't happen again. Who gets blamed for it in the end? The factory owners,

> of course, it's always our fault. If some poor little boy gets trapped in the snow, in the winter and falls asleep, some hack will come running and two days later we'll read a horror-story in all the papers . . . It never occurs to them that such a man has also got worries and sleepless nights: that he runs great risks undreamt of by the workers; that he sometimes doesn't know whether he's coming or going with all that addition, division and multiplication.[30]

Mae rhagor o amrywiaeth ym methodoleg y ddrama hon sy'n mynd â ni y tu hwnt i ddeialog ac yn ein closio at ddulliau eraill o gyfathrebu, megis y gân neu'r araith. Er gwaethaf hyn, mae dadl gredadwy gan Szondi ynghylch y ffaith fod ffactorau allanol yn llethu byd y rhyngbersonol yn y ddrama nes bod gweithgaredd yn troi'n oddefgarwch.

Gwelai Szondi'r cyfnod ar ôl Hauptmann fel un mwy gobeithiol pan gynigiwyd ymatebion amrywiol i'r *impasse* a achoswyd gan y gwrthdaro rhwng ffurf a chynnwys trwy gyfrwng gweithiau arbrofol megis cynnyrch dramataidd mwyaf dylanwadol hanner cynta'r ugeinfed ganrif, gwaith Erwin Piscator (1867–1963), Luigi Pirandello (1893–1966), a gwaith ôl-*Inferno* Strindberg. A ninnau bellach ar drothwy'r unfed ganrif ar hugain, cyfeiria John Sundholm at yr awdur cyfoes fel un a ddieithriwyd rhag yr arlwy o ffurfiau llenyddol sydd eisoes o fewn ei gyrraedd. O ganlyniad, fe'i gorfodir i fathu dulliau newydd o fynegiant a luniwyd gan ei brofiadau uniongyrchol ef neu hi'i hun. Yn wyneb yr argyfwng hwn, mae'n dadansoddi'r modd y gall yr adwaith rhwng gofodau diwylliannau cenhedloedd a'u celfyddyd fapio meysydd newydd ar gyfer mynegi a chanfod hunaniaethau. Daw i'r casgliad fod tueddiadau haniaethol mewn celfyddyd yn ymatebion cadarnhaol i'r heriau a ddaw yn sgil datblygiad moderniaeth.[31] Yn fy nhŷb i, mae theatr yn gyfrwng celfyddydol sy'n chwarae gyda chysyniadau haniaethol o'r math a drafodir gan Sundholm mewn modd cyfareddol. Deillia'r cyfryw gyfaredd o'r modd y mae'r gynulleidfa yn cydnabod ac yn gwrthsefyll y berthynas rhwng eu profiad o fywyd go iawn a chynrychiolaeth gelfyddydol y realiti hwnnw a ymgorfforir yn y digwyddiad theatraidd dychmygus. Buaswn yn dadlau bod natur ymrwymiad y gynulleidfa i'r digwyddiad theatraidd yn arbennig o werthfawr am ei fod yn creu ymdeimlad o gymdeithas law yn llaw â chydnabyddiaeth o annibyniaeth ac arwahanrwydd. Mae presenoldeb corfforol y gynulleidfa yn y digwyddiad theatraidd, fel unigolion a hefyd fel cymuned, yn caniatáu i brofiad unigol gadw gafael ar ei natur benodol a gweithredu fel modd o roi trefn ar brofiad dynol yn gyffredinol yng nghyd-destun moderniaeth. Mae hefyd yn ein galluogi i ail-greu'r amodau delfrydol ar gyfer sffêr ryddfrydol, ddemocrataidd Habermas a hynny mewn cyfnod lle mae cyfalafiaeth, prynwriaeth a chanfyddiadau technolegol yr oes fodern wedi hen roi taw ar y ddelfryd honno mewn gwirionedd.

NODIADAU

[1] Gweler Erika Fischer-Lichte, *History of European Drama and Theatre*, cyf. gan Jo Riley (Llundain: Routledge, 2002), t. 2.

[2] Ibid.

[3] Gweler T. C. W. Blanning, *The Culture of Power and the Power of Culture: Old Regime Europe 1660–1789* (Rhydychen: Gwasg Prifysgol Rhydychen, 2002).

[4] Gweler Jürgen Habermas, *The Structural Transformation of the Public Sphere: An Inquiry into a Category of Bourgeois Society*, cyf. gan Thomas Burger (Caergrawnt: Gwasg Polity, 1989), t. 27.

[5] Mae Habermas yn dadlau bod y sffêr modern, rhyddfrydol a amlygodd ei hun yn ystod y cyfnod o newid o gymdeithas ganoloesol i gymdeithas fodern yn Ewrop bellach wedi ei llygru gan rymoedd y farchnad sy'n rheoli llafur cymdeithasol a chyfnewid cynnyrch. O ganlyniad, mae'r hyn y cyfeiria ato fel 'the web of public communication' wedi ymddatod ac wedi dirywio yn gyfres o weithredoedd unigol. Ni cheir bellach sffêr gyhoeddus ond yn hytrach sffêr sy'n ymddangosiadol gyhoeddus lle gall anghenion unigolyddol gael eu digoni yng ngŵydd eraill ond nid mewn trafodaeth agored gydag eraill.

[6] Nid yw'r defnydd o'r gair 'cyfartal' yma yn awgrymu na all y berthynas rhwng cynulleidfa a digwyddiad theatraidd gynnwys pob math o ddiffyg cyfartaledd gan gynnwys gormes. Yn hytrach, cyfeirio y mae at natur gyfartal yr ymroddiad a'r ymrwymiad i'r weithred theatraidd ar ran y chwaraewyr ar y naill law, a'r gynulleidfa ar y llall.

[7] Patrick Geary, *The Myth of Nations: The Medieval Origins of Europe* (Princeton: Gwasg Prifysgol Princeton, 2002), t. 11.

[8] Gweler Fischer-Lichte, *History of European Drama and Theatre*, t. 2.

[9] Term sy'n disgrifio'r llewyrch euraid, brenhinol a ymbelydrai o gylch person y brenin ac a oedd yn brawf allanol o'i rym, ei gyfoeth a'i hawl frenhinol i ymgorffori'r wlad roedd yn deyrn arni hi. Roedd yn adlewyrchu canfyddiad y

brenin ohono ef ei hun fel haul yr oedd ei ddeiliaid yn ymgasglu o'i gylch ac yn rhannu ei wres.

[10] Gweler Peter Szondi, *Theory of the Modern Drama*, gol. a cyf. gan Michael Hays (Minneapolis: Gwasg Prifysgol Minnesota, 1987).

[11] Gordon Pocock, *Boileau and the Nature of Neo-classicism* (Caergrawnt: Gwasg Prifysgol Caergrawnt, 1980), t. 200, ll.105/15–18 a 106/1–4.

[12] Jean Racine, *Phèdre*, gol. a cyf. gan R. C. Knight (Caeredin: Gwasg Prifysgol Caeredin, 1971), tt. 73–5.

[13] Gweler Steve Giles, 'Szondi's Theory of Modern Drama', *British Journal of Aesthetics*, 27/3, 1987.

[14] Raymond Williams, *Drama from Ibsen to Brecht* (Caergrawnt, 1968), t. 9.

[15] Georg Büchner, *Woyzeck*, cyf. gan John Mackendrick (Llundain: Eyre Methuen, 1979), t. 26.

[16] Henrik Ibsen, *Four Major Plays*, cyf. gan James McFarlane a Jens Arup (Rhydychen: Gwasg Prifysgol Rhydychen, 1981), t. 82.

[17] Raymond Williams, *Drama from Ibsen to Brecht* (Llundain: Hogarth, 1987), t. 11.

[18] Mae Swyddfa'r Arglwydd Siambrlen yn adran yn y Cartref Brenhinol. Mae'n gyfrifol am drefnu a goruchwylio digwyddiadau megis ymweliadau gwladwriaethol a phriodasau brenhinol. Rhwng 1737, dyddiad sefydlu'r Ddeddf Trwyddedu gan Robert Walpole, ac 1968, dyddiad diddymu sensoriaeth swyddogol, roedd hefyd yn gyfrifol am sensoriaeth pob cyflwyniad theatraidd ym Mhrydain gan gynnwys rhai Cymraeg – er nad oedd yr Arglwydd Siambrlen, wrth reswm, yn medru'r Gymraeg.

[19] Nofel fer oedd *Thérèse Raquin* a gyhoeddwyd yn 1867 ac a berfformiwyd fel drama yn 1873. Mae'n adrodd hanes merch ifanc a briododd ei chefnder, Camille, ond sydd yn ei lofruddio gyda chymorth ei chariad, Laurent. Mae'r ddau wedyn yn priodi ac yn cyd-fyw gyda mam Camille sydd wedi dioddef strôc ac felly yn methu â datgelu'r gwirionedd am eu drwgweithredu. Yn y diwedd, mae'r ddau'n cyflawni hunanladdiad o dan faich o warth, euogrwydd ac anhapusrwydd.

[20] Raymond Williams, 'Social environment and theatrical environment: the case of English naturalism', yn *English Drama: Forms and Development: Essays in Honour of Murial Clara Bradbrook* (Caergrawnt: Gwasg Prifysgol Caergrawnt, 1977), t. 217.

[21] John Gwilym Jones, *Ac Eto Nid Myfi* (Dinbych: Gwasg Gee, 1976), tt. 7–8.

[22] Martin Banham (gol.), *The Cambridge Guide to Theatre* (Caergrawnt: Gwasg Prifysgol Caergrawnt, 1992), t. 703.

[23] *Six Plays of Strindberg*, cyf. gan Elizabeth Sprigge (Efrog Newydd: Doubleday, 1955), tt. 62–3.

[24] Anton Chekhov, *The Cherry Orchard*, cyf. gan Michael Frayn (Llundain: Eyre Methuen, 1978), tt. 4–5.

[25] Checkhov, *The Cherry Orchard*, t. 64.

[26] Dyfynnir yn Patrick McGuinness, *Maurice Maeterlinck and the Making of Modern Theatre* (Rhydychen: Gwasg Prifysgol Rhydychen, 2000), t. 1.

[27] Ibid.

[28] Michael Meyer, *Strindberg: A Biography* (Llundain: Random House, 1985) t. 431.

[29] Gweler *http:/www.coursesindrama.com/modules/smartsection/print.php?temid=114*.

[30] Gerhart Hauptmann, *The Weavers*, cyf. gan Frank Marcus (Llundain: Eyre Methuen, 1980), tt. 15–16.

[31] Gweler John Sundholm, 'The Non-Place of Identity: On the Poetics of a Minority Culture' yn *Yearbook of European Studies*, 15, Andy Hollis (gol.), *Beyond Boundaries: Textual Representations of European Identity* (Amsterdam, 2000), tt. 165–81.

LLYFRYDDIAETH

Banham, Martin (gol.), *The Cambridge Guide to Theatre* (Caergrawnt: Gwasg Prifysgol Caergrawnt, 1992).

Blanning, T. C. W., *The Culture of Power and the Power of Culture: Old Regime Europe 1660–1789* (Rhydychen: Gwasg Prifysgol Rhydychen, 2002).

Büchner, Georg, *Woyzeck*, cyf. John Mackendrick (Llundain: Eyre Methuen, 1979).

Chekhov, Anton, *The Cherry Orchard*, cyf. gan Michael Frayn (Llundain: Eyre Methuen, 1978).

Fischer-Lichte, Erika, *History of European Drama and Theatre*, cyf. gan Jo Riley (Llundain: Routledge, 2002).

Geary, Patrick, *The Myth of Nations: The Medieval Origins of Europe* (Princeton: Gwasg Prifysgol Princeton, 2002).

Giles, Steve, 'Szondi's Theory of Modern Drama', *British Journal of Aesthetics*, 27, rhif 3, Haf 1987, 268–77.

Habermas, Jürgen, *The Structural Transformation of the Public Sphere: An Inquiry into a Category of Bourgeois Society*, cyf. Thomas Burger (Caergrawnt: Gwasg Polity, 1989).

Hauptmann, Gerhart, *The Weavers*, cyf. Frank Marcus (Llundain: Eyre Methuen, 1980).

Ibsen, Henrik, *Four Major Plays*, cyf. James McFarlane a Jens Arup (Rhydychen: Gwasg Prifysgol Rhydychen, 1981).

Jones, John Gwilym, *Ac Eto Nid Myfi* (Dinbych: Gwasg Gee, 1976).

Meyer, Michael, *Strindberg: A Biography* (Llundain: Random House, 1985).

Pocock, Gordon, *Boileau and the Nature of Neo-classicism* (Caergrawnt: Gwasg Prifysgol Caergrawnt, 1980).

Racine, Jean, *Phèdre*, cyf. a gol. R. C. Knight (Caeredin: Gwasg Prifysgol Caeredin, 1971).

Six Plays of Strindberg, cyf. Elizabeth Sprigge (Efrog Newydd: Doubleday, 1955).

Sundholm, John, 'The Non-Place of Identity: On the Poetics of a Minority Culture', yn *Yearbook of European Studies*, 15, Andy Hollis (gol.), *Beyond Boundaries: Textual Representations of European Identity* (Amsterdam, 2000), tt. 165–81.

Szondi, Peter, *Theory of the Modern Drama*, cyf. a gol. Michael Hays (Minneapolis: Gwasg Prifysgol Minnesota, 1987).

Williams, Raymond, *Drama from Ibsen to Brecht* (Llundain: Hogarth, 1987).

Williams, Raymond, 'Social environment and theatrical environment: the case of English naturalism', *English Drama: Forms and Development: Essays in Honour of Murial Clara Bradbrook* (Caergrawnt: Gwasg Prifysgol Caergrawnt, 1977), tt. 214–39.

http:/www.coursesindrama.com/modules/smartsection/print.php?temid=114, cyrchwyd 12 Ebrill 2012.

3

RÔL A DYLANWAD Y CYFARWYDDWR YN Y GORLLEWIN

Roger Owen

Er mwyn cael theatr, rhaid bod rhywun (neu rywrai) yn gyfrifol am drefnu a llywio'r gweithgarwch llwyfan. Fe all fod yn ddramodydd, yn actor neu'n drefnydd allanol. Fe all fod yn noddwr neu'n aelod o'r cwmni. Fe all weithredu fel teyrn neu ddemocrat. Fe all fod yn gyfrifol am ddewis y ddrama, am drefnu'r ymarferion, am ddethol symudiadau'r actorion, am drefnu a chreu effeithiau technegol. Fe all fod yn gweithredu'n gwbl anhysbys, neu'n amlygu ei waith fel *auteur*. Fe all fod yn ymddangos ar y llwyfan. Pa fodd bynnag y dewisa weithredu, mae'n rhaid wrtho: a bu'n bresennol ar ryw ffurf neu'i gilydd ers dyddiau cynharaf y theatr. Ond nid tan yn gymharol ddiweddar y daeth y ffigwr hwn yn *gyfarwyddwr* yn yr ystyr gyfoes. Digwyddodd hynny tua diwedd y bedwaredd ganrif ar bymtheg, pan aeth y trefnydd llwyfan yn gyfrifol am greu gweledigaeth theatraidd gyfan a oedd yn wreiddiol a chydlynol o ran techneg a dramatwrgiaeth.

Un o grefftau'r theatr fodern yw cyfarwyddo. Wrth i'r mudiad modernaidd afael yn y theatr ar ôl tua 1880, fe ddechreuodd artistiaid a chynulleidfaoedd osod pwyslais cynyddol ar y cynhyrchiad theatraidd fel cyfanwaith, fel ffenomen a oedd yn rhannol gysylltiedig â'r byd o'i chwmpas, ond a oedd hefyd yn annibynnol ac unigryw. Gan hynny, bu'n rhaid cael ffigwr artistig awdurdodol i gynllunio, llunio a goruchwylio'r cyfanwaith hwnnw; ac felly y daeth y cyfarwyddwr yn ffigwr o bwys hanesyddol. Yn gyffredinol, roedd dwy agwedd i'w waith. Yn gyntaf oll, roedd yn gyfrifol am greu *cyflwyniad* a oedd yn gyfuniad o wahanol elfennau: actio, canu, dawns, testun ysgrifenedig, set lwyfan, goleuadau, gwisgoedd, sain, ac yn y blaen. Roedd hefyd yn gyfrifol am benderfynu sut a beth yn union y byddai'r pethau hyn yn eu *cynrychioli*. Ei gyfrifoldeb ef oedd pennu pa fath o deimlad o ddrama, o sefyllfa a chymeriad a fyddai'n cael ei greu gan gydblethiad y gwahanol elfennau. Ef hefyd a luniai'r berthynas rhwng y greadigaeth artiffisial hon a'r byd go iawn y tu hwnt i furiau'r theatr. Fel y gwelir isod, mae hanes cyfarwyddo yn Ewrop yn ystod yr ugeinfed ganrif yn gofnod o'r ffrithiant creadigol rhwng y ddwy agwedd hon ar y cynhyrchu, sef y *cyflwyno* a'r *cynrychioli*. Yng nghanol y tensiwn hwnnw, mae'r syniad o'r cynhyrchiad fel cyfanwaith celfyddydol ynddo'i hun yn cael ei brofi i'r eithaf.

CYNHYRCHIAD THEATRAIDD FEL CYFANWAITH ARTISTIG

Yn y lle cyntaf, delfryd ramantaidd oedd y syniad o'r cynhyrchiad theatraidd fel cyfanwaith artistig. Roedd rhamantiaeth yn un o brif fudiadau celfyddydol y bedwaredd ganrif ar bymtheg. Gosodai bwyslais ar deimladrwydd a delfrydiaeth, ac fe honnai fod celfyddyd yn allweddol bwysig fel arwydd o gyfoeth a chyrhaeddiad profiad dynol. Yn ôl y rhamantwyr, rhaid oedd i gelfyddyd, ar ei uchaf, 'gymryd lle bywyd go iawn, rhaid iddo doddi'r Realiti hwn mewn rhith, a rhaid i Realiti ei hun ymddangos fel pe bai'n ddim byd ond rhith'.[1] Credent fod arucheledd y ddynoliaeth i'w ganfod yn ei gallu i deimlo a mynegi emosiwn, a bod hynny llawn mor bwysig â'r gallu i resymu. Golygai hynny bod rhamantiaeth dipyn yn fwy unigolyddol a mewnblyg na'r clasuriaeth a ddaeth o'i flaen; ac fe godai'r pwyslais ar emosiwn gwestiynau digon dyrys ynglŷn â'r berthynas rhwng profiad yr unigolyn a natur y gymdeithas o'i amgylch. Fodd bynnag, credai'r rhamantwyr bod modd uno'r agwedd bersonol a'r agwedd gymdeithasol ar fywyd yr unigolyn, yn enwedig felly yn y 'ffwrnais awen' o ryfeddod a chyfaredd a symbylid gan gelfyddyd aruchel.

Un o'r ffigyrau pwysicaf o ran y weledigaeth hon, ac un sy'n cynnig cynsail i rôl ac awdurdod y cyfarwyddwr modern, oedd y cyfansoddwr Richard Wagner (1813–83). Uchelgais mawr ei waith ef ar hyd ei oes fu creu'r hyn y galwai'n *gesamtkunstwerk* – 'cyfanwaith celfyddydol', sef synthesis o lenyddiaeth, barddoniaeth, celfyddyd weledol, drama, theatr a cherddoriaeth. Y peth agosaf at y ffurf honno, i'w dŷb ef, oedd yr opera, ac fe droes ei sylw ati er mwyn ei dyrchafu a'i chwyldroi. Credai Wagner y gallai'r opera greu profiad cyfareddol a fyddai'n tynnu'r gorchudd a orweddai, yn ôl yr athronydd Arthur Schopenhauer, rhwng dyn a hanfod ei brofiad, a rhoi iddo am ennyd rywbeth elfennol ac anghyraeddadwy. Er mwyn ysgogi'r profiad hwn, aeth Wagner ati i greu cyfres o bedair opera – *Der Ring des Nibelungen* – gan gynllunio ac adeiladu theatr yn arbennig i'w llwyfannu a goruchwylio pob agwedd ar y cynhyrchu ei hun.[2] Ei nod oedd creu darn o gelfyddyd aruchel a fyddai'n asio Dawns (neu berfformio byw), Tôn (cerddoriaeth) a Barddoniaeth. Mewn geiriau eraill, mynnai greu rhyw fath ar brofiad *synesthetig* a gysylltai'r synhwyrau oll a'u galluogi i dreiddio i'w gilydd. Fe ddaeth prif egwyddorion gweledigaeth gelfyddydol Wagner – undod gweledigaeth, rheolaeth artistig, ac asio synesthetig – yn gynseiliau pwysig iawn i waith nifer o gyfarwyddwyr theatr yn ystod yr ugeinfed ganrif.

MODERNIAETH A'R ANGEN AM BERSBECTIF ALLANOL: ATHRONIAETH AC YMARFER

Roedd rhamantiaeth ar drai fel mudiad erbyn diwedd gyrfa Wagner. Roedd syniadau modern am gelfyddyd yn dechrau gyrru artistiaid ym mhob cyfrwng i arloesi, chwalu creiriau'r hen gelfyddyd ac i groesi ffiniau. Gyda thwf moderniaeth, fe aeth yr unigol a'r chwyldroadol yn drech na'r elfen o fynegiant cymdeithasol. Collwyd yr ymdeimlad o frawdoliaeth ecstatig a fu'n sail i ramantiaeth oherwydd pryder cynyddol ynglŷn â gallu (neu anallu) dyn i gyfathrebu â'i gyd-ddyn. Gan hynny, un o ffigyrau mwyaf nodweddiadol y gelfyddyd fodern oedd yr unigolyn alltud neu *ymddieithriedig*; ac yn y theatr, o waith Henrik Ibsen (1828–1906), a'i gyfoedion ymlaen, cafwyd portreadau cynyddol ddirdynnol o unigolion nad oeddent yn medru dod i wybod beth oedd eu cyflwr yn y byd. Tra bod arwyr y theatr rhamantaidd (megis Ffawst o eiddo Goethe) yn medru dathlu eu hundod â'r greadigaeth, roedd (gwrth-) arwyr y mudiad modern (megis *Woyzeck* Georg Büchner, *Peer Gynt* Ibsen ac *Ubu* Alfred Jarry) yn ffigyrau ynysig, caeth neu afreolus. Yr hyn na feddent oedd *persbectif allanol*, cyfan ac awdurdodol, ar eu bywyd eu hunain. Dim ond y gynulleidfa – y gwylwyr datgysylltiedig – a fedrai eu gweld nhw fel ffigyrau gorffenedig, cyfan, oherwydd mai dim ond trwy eistedd yn y gynulleidfa y medrid canfod y berthynas lawn rhyngddynt hwy a'u hamgylchfyd. Roedd yn rhaid cael rhyw fath ar 'asiant', felly, i drefnu amgylchfyd y llwyfan er mwyn mynegi'r methiant canfyddol a chyfathrebol hwn yng nghyflwr y cymeriadau, ac i sicrhau bod y persbectif allanol yn un cytbwys – y cyfarwyddwr.

Dyma beth o'r rhesymeg athronyddol a chelfyddydol dros esgyniad y cyfarwyddwr fel ffigwr o bwys yn theatr fodern yr ugeinfed ganrif. Ond roedd yna ffactorau mwy ymarferol hefyd. Yn ystod ail hanner y bedwaredd ganrif ar y bymtheg, gwelwyd nifer o ddarganfyddiadau a newidiadau technegol a ysgogodd newidiadau sylfaenol yn y theatr. Un o'r pwysicaf o'r rheini fu datblygu systemau goleuo trydanol. Goleuid theatrau dinesig mawrion yr oes gan oleuadau nwy, gan gynnwys y golau sbot neu *limelight*. Roedd hyn yn ddatblygiad sylweddol ar y goleuo cannwyll a ddefnyddid am ganrifoedd cyn hynny, ond roedd goleuadau nwy yn anodd i'w rheoli ac yn creu effeithiau cymharol amrwd. Roeddynt hefyd yn beryglus (llosgwyd sawl theatr yn ulw oherwydd damweiniau nwy), yn grasboeth ac, os yw adroddiadau'r oes i'w coelio, yn ddrewllyd. Pan ddatblygwyd goleuadau trydan ar gyfer y theatr yn ystod y 1870au a'r 1880au, felly, fe gawsant groeso mawr gan reolwyr theatr, actorion a chynulleidfaoedd (a chan frigadau tân y dinasoedd hefyd, mae'n debyg!). Roedd y goleuadau newydd yn llawer haws i'w rheoli a'u cyfeirio, ac fe roesant gyfle i egin-gyfarwyddwyr yr oes greu effeithiau goleuo llawer mwy manwl a soffistigedig nag a fu'n bosibl o'r blaen. At hynny, roedd y goleuadau trydanol newydd yn creu golau llawer mwy cyson na'r canhwyllau a'r nwy a welwyd o'u blaen. Roedd y golau yn dawel, yn hyblyg a di-sawr.

Tua'r un cyfnod (o 1876 ymlaen), unwaith eto yn y Bayreuth Festspielhaus dan ofalaeth Wagner, fe ddechreuwyd ar yr arfer o dywyllu'r awditoriwm er mwyn cynyddu'r cynnwrf a deimlai'r gynulleidfa wrth wylio'r cynhyrchiad. Roedd sawl damcaniaethwr wedi dyheu am gael gwneud hyn – mor bell yn ôl â'r unfed ganrif ar bymtheg[3] – ond dyma'r tro cyntaf i'r peth fod yn ymarferol a hwylus. Roedd y cam hwn yn un tra phwysig, am ei fod yn cadarnhau'r awgrym (a oedd ymhlyg eisoes ym mhensaernïaeth y theatr broseniwm) fod y llwyfan a'r awditoriwm yn ddau ofod neu ddau 'fyd' ar wahân i'w gilydd. Rhoddai'r tywyllwch gyfle i'r gynulleidfa gael profiad a oedd yn un torfol ond hefyd, ar union yr un pryd, yn un preifat; profiad pwerus o gyd-gyfranogi a oedd eto yn eu rhwystro rhag cyfathrebu'n agored â'i gilydd yn ystod y cynhyrchiad. Ac er iddi gael ei chyflwyno gan Wagner, y rhamantydd, roedd y sefyllfa hon yn gwbl gyson ag egwyddorion moderniaeth, a'u pwyslais ar unigolyddiaeth ymddieithriedig. Pan ddaeth yr arfer o dywyllu'r awditoriwm yn fwyfwy cyffredin yn ystod oes goleuo trydan, fe fu'n gymorth sylweddol i'r llwyfan theatraidd i droi o fod yn ofod ar gyfer adloniant cymdeithasol i fod yn ofod lle gellid damcaniaethu'n ymarferol, gyda chymorth y cyfarwyddwr, ynglŷn â natur a chyflwr yr unigolyn.[4]

Cipolwg ar hanes cynnar cyfarwyddo yn Ewrop

Yn ôl Edward Braun, hanfod gwaith y cyfarwyddwr yw 'cydgysylltu'r dulliau mynegiant yn ôl y dehongliad o'r testun'.[5] Mae ei astudiaeth fras ond hyddysg ef o waith y cyfarwyddwr yn Ewrop, *The Director and the Stage*, yn cychwyn gyda phennod yn trafod y Dug Georg (1826–1914), o dywysogaeth y Saxe-Meiningen yn yr Almaen. Roedd y Dug, ynghyd â'i gyd-weithiwr, Ludwig Chronegk (1837–91), yn gyfrifol am gwmni theatr y llys yn Saxe-Meiningen, cwmni a ddaeth i'r amlwg yn ystod y 1870au o ganlyniad i gyfres o gynyrchiadau teithiol a welwyd ar hyd a lled Ewrop. Y Dug Georg oedd yn gyfrifol am gynllunio'r cynyrchiadau yn yr achos cyntaf ac am greu senario ar gyfer y llwyfannu. Ef, mewn geiriau eraill, oedd yn ymgorffori'r 'persbectif allanol' y cyfeiriwyd ato uchod, ac am drefnu'r hyn a oedd yn cael ei *gynrychioli*. Chronegk, ar y llaw arall, oedd yn gofalu am y cwmni, gan adnewyddu ac addasu'r cynyrchiadau yn ystod eu teithiau hir ar draws Ewrop. Ef, i raddau helaeth iawn, oedd yn trefnu'r hyn a gâi ei *gyflwyno*.[6] Ef hefyd oedd yn gyfrifol am ddiffinio a rheoli arddull actio'r perfformwyr llwyfan – agwedd arall ar waith y cyfarwyddwr a ddaeth yn bwysig iawn yn ystod yr ugeinfed ganrif.

Un o brif nodweddion gwaith Chronegk, ac un o'r prif resymau am enwogrwydd cwmni'r Meininger, oedd ei ddehongliad o olygfeydd torfol mewn dramâu mawrion megis *Julius Caesar* gan Shakespeare (1564–1616), *Hermannsschlacht* gan Heinrich Kleist (1777–1811), neu *Wilhelm Tell* gan Friedrich Schiller (1759–1805). Fe ddaeth y golygfeydd hyn yn enwog iawn ynddynt eu hunain am eu bod yn trawsffurfio'r llwyfan o fod yn lleoliad ar gyfer areithio rhethregol unigolyn (yr arwr trasig) i fod yn ymgorfforiad o *lifeiriant cyffredinol* y digwydd yn y ddrama. Yn syml iawn, syniad sylfaenol Chronegk oedd i beidio â gadael i'r dorf ymateb fel un corff, eithr fel cyfres o unigolion. Mynnai fod pob aelod o'r dyrfa ar y llwyfan yn ymddwyn fel pe bai ganddo wahanol anian i'w gymydog, ac fe siarsiodd yr actorion yn y dyrfa i feddwl am eu cymeriadau fel pobl a oedd yn unigolion crwn, llawn, er gwaetha'r ffaith mai am ychydig funudau'n unig yr ymddangosent ar lwyfan. Rhoddwyd cyfarwyddiadau iddynt sydd, erbyn heddiw, yn ymddangos fel mater o synnwyr cyffredin, ond a oedd ar y pryd yn chwyldroadol:

> Dylai'r pellter rhwng nifer o actorion fod yn wahanol bob tro . . . Dylai taldra'r rheini sy'n sefyll wrth ymyl ei gilydd mewn tyrfa fod yn wahanol. Lle bo hynny'n briodol fe ddylai'r unigolion amrywiol sefyll ar lefelau gwahanol; os fydd y sefyllfa'n caniatáu hynny, fe ddylai rhai benlinio, tra bod eraill yn sefyll gerllaw, rhai yn plygu yn eu blaenau, eraill yn sefyll yn dalsyth.[7]

Os yw'r cyfarwyddiadau hyn yn swnio'n amlwg erbyn heddiw, roedd eu heffaith bryd hynny'n syfrdanol. Hybent uniaethiad y gynulleidfa â'r gweithredu ar y llwyfan, gan roi i'r olygfa ddeinameg a momentwm integreiddiedig, a chan ddadorseddu'r prif actorion fel canolbwynt sylw'r gynulleidfa. Roedd Chronegk a Dug Georg o Saxe-Meiningen wedi rhoi bod i'r cysyniad cyfoes o theatr *ensemble*, a, thrwy hynny, wedi gosod sylfaen ar gyfer y llu o 'ffigyrau trefniadol' eraill a wthiodd ddatblygiad ffurfiol y theatr fodernaidd arbrofol yn y 1880au a'r 1890au.

CONSTANTIN STANISLAFSCI A VSEVOLOD MEIERHOLD

Un o'r rheini a gafodd ei ddylanwadu gan weledigaeth Saxe-Meiningen a Chronegk oedd Constantin Stanislafsci (1863–1938), a fu'n gwylio'r Meininger yn ystod taith y cwmni i Rwsia yn 1890. Fe ddaeth Stanislafsci yn un o ffigyrau pwysicaf y theatr yn yr ugeinfed ganrif, oherwydd ei ymchwil arloesol i waith yr actor, a'i ymroddiad i archwilio a chefnogi arbrofion o ran cyfarwyddo a llwyfannu yn y theatr yn gyffredinol. Fodd bynnag, wrth drafod hanes cyfarwyddo yn Ewrop, mae'n rhaid ystyried ffigwr arall ochr-yn-ochr â Stanislafsci, sef ei gydweithiwr a'i gyfoeswr, Vsevolod Meierhold (1874–1940). Bu ef hefyd yn arloesol wrth gyfarwyddo ac wrth gynnig diffiniad newydd o waith yr actor, ond fe wnaeth hynny o safbwynt cwbl wahanol i Stanislafsci. Tra bod Stanislafsci â'i fryd ar greu theatr a oedd yn *cynrychioli* realiti'r testun yn ddidwyll a manwl, ceisiai Meierhold greu cynyrchiadau a oedd yn amlygu theatricaliaeth y weithred o *gyflwyno*, ac yn datgelu byd y testun dramataidd fel un amodol a chwareus.

Cychwynnodd Stanislafsci ei yrfa fel cyfarwyddwr yn 1891 gyda Chymdeithas Gelf a Llên Mosgo, ond daeth ei gyfle mawr yn 1897, pan gyfarfu â Vladimir Nemirovich-Danchenko (1858–1943), a sefydlu Theatr Gelfyddyd Mosgo. Llwyddiant mawr cynnar y theatr honno oedd ei chynyrchiadau enwog o ddramâu Anton Tsiecoff (1860–1904), *Gwylan*, *Ewythr Fania*, *Tair Chwaer* a'r *Gelli Geirios* rhwng 1898 ac 1904. Rhoddodd y rhain gyfle i Stanislafsci arddangos ei egwyddorion sylfaenol fel cyfarwyddwr: helaethrwydd ei ddychymyg a'i deimladrwydd, manylder ei weledigaeth o'r ddrama, ei benderfyniad i fod yn feistr dros holl elfennau'r cynhyrchiad, a'i gred yng ngallu'r actorion i gyfathrebu gwirionedd sylfaenol eu gweithredoedd i'r gynulleidfa. Y pwynt olaf hwn yw'r pwysicaf o ddigon wrth inni geisio crynhoi dylanwad Stanislafsci ar theatr yr ugeinfed ganrif. Wrth gyfarwyddo cynyrchiadau gyda'r Theatr Gelfyddyd ym Mosgo, penderfynodd – o flaen dim arall – fod yn rhaid mowldio gwaith a galluoedd yr actor at ddibenion creadigol y ddrama a'r cwmni. Rhaid oedd sicrhau bod gan yr actor y gallu a'r arfau angenrheidiol i dreiddio'n seicolegol i gyflwr mewnol y cymeriad a chwaraeai, ac i fynegi'r cyflwr seicolegol hwnnw'n fanwl trwy ei gyflwr a'i weithgarwch corfforol ar y llwyfan.[8] Dyna paham y gelwir 'system' Stanislafsci yn aml yn ddull *seico-gorfforol*. Fel cyfarwyddwr, hyderai Stanislafsci y byddai gonestrwydd a gwirionedd sylfaenol y dull hwn o weithredu'n peri i'w gynyrchiadau gyfathrebu'n uniongyrchol â'r gynulleidfa, ac y byddai'r gynulleidfa hithau yn uniaethu â'r ddrama yn union yr un modd ag yr uniaethai'r actor â'i gymeriad. Roedd hyn yn dipyn o haeriad ar ei ran, ond fe lwyddodd yn ysgubol yn hynny o beth yn ei gynyrchiadau naturiolaidd o ddramâu Tsiecoff.

Mae hanes llwyddiant *Gwylan* gan y Theatr Gelfyddyd yn 1898 yn un o chwedlau mawr y theatr fodern, ac yn dyst i allu Stanislafsci fel saer delweddau a sefyllfaoedd dramataidd manwl. Wrth baratoi ei ddehongliad o'r ddrama, roedd wedi llunio cynllun manwl iawn, gan geisio sicrhau undod gweledigaeth holl elfennau cynrychioliadol y cynhyrchiad – y gosodiad gweledol, yr effeithiau sain (mynych), arddull ensemble yr actorion, a chymesuredd cyffredinol datblygiad y naratif. Ei nod oedd creu cyfeiriad neu 'linell' glir i'r digwydd ar y llwyfan ac i gymeriadaeth bob actor yn unigol, a thrwy hynny, i greu cynhyrchiad a oedd yn gyfanwaith celfyddydol yn yr un modd ag operâu Wagner, eithr ar lefel seico-gorfforol, a heb yr holl rwysg a chyfaredd a oedd y gysylltiedig ag operâu'r Almaenwr. Ond nid pawb a gafodd ei blesio. Teimlai Tsiecoff ei hun bod y cyfarwyddwr wedi gor-ddehongli'r ddrama (teimlai'r un peth fwy neu lai am bob un o gynyrchiadau Stanslafsci o'i waith) ac wedi gorbwysleisio awyrgylch gefndirol y gweithredu – yn enwedig y defnydd o effeithiau sain – yn fwy na'r elfennau symbolaidd. At hynny, fe gododd anghydfod rhwng Stanislafsci a'r actor a chwaraeai rôl yr artist ifanc Treplef yn *Gwylan*, sef Vsevolod Meierhold. Digiai Meierhold am fod Stanislafsci yn amharod i ganiatáu rhyddid mynegiant a chyfle i lywio'u gwaith arbrofol eu hunain i'w actorion. Ac roedd cryn wirionedd yng nghŵyn Meierhold: ar yr adeg hon yn ei yrfa, cyndyn ar y gorau oedd Stanislafsci i ymollwng i hylifedd y broses greadigol mewn ymarfer. I raddau helaeth, roedd yn gaeth i'w lyfrau cynllun.[9]

Ond buan y newidiodd ei ffordd o weithio, ac mae'r newid hwn yn gwbl nodweddiadol o'i yrfa fel cyfarwyddwr ac fel artist yn gyffredinol.

Ni fodlonodd ar unrhyw dechneg neu egwyddor neilltuol yn ystod ei yrfa, ac fe gadwodd i ymchwilio ac arloesi er mwyn adnewyddu ei awch i greu celfyddyd fyw ar lwyfan. Yn 1904, fe droes i weithio ar gynyrchiadau llawer mwy symbolaidd eu naws, megis dramâu Maeterlinck (1862–1949), *Drama Bywyd*, gan y Norwyad Knut Hamsun (1859–1953), a dehongliadau symbolyddol o waith Ibsen. Un arall o'i brosiectau blaengar o'r cyfnod hwn oedd y cydweithrediad hanesyddol rhyngddo â'r dylunydd o Sais, Edward Gordon Craig (1872–1966), ar *Hamlet* gan Shakespeare yn 1912. At hynny, ac er gwaetha'r anghydfod rhyngddo a Meierhold, fe roddodd gyfle i hwnnw greu gwaith arbrofol yng ngofod Stiwdio'r Theatr Gelfyddyd yn 1905 (prosiect y talodd Stanislafsci amdano â'i arian ei hun). Yn bwysicach, efallai, fe gefnodd ar y duedd o weithredu cynllun rhagbaratoedig. Yn hytrach, cychwynnai ei gynyrchiadau newydd gyda chyfnod o ymarfer 'o gylch y bwrdd' a gynhwysai proses o ymchwilio, cydddarganfod a thrafod syniadau fel cwmni *ensemble*. Mae'r cyfryw newidiadau yn ffactorau allweddol bwysig i'w cofio wrth dafoli cyfraniad Stanislafsci fel cyfarwyddwr. Er nad oedd pob un o'i dechnegau arloesol yn llwyddiannus ar y pryd, profodd fod mwy o lawer i rôl y cyfarwyddwr na threfnu llwyfan a chyflwyno cynyrchiadau gerbron cynulleidfa. Profodd mai un o hanfodion y gwaith yn yr ugeinfed ganrif yw bod yn ymchwiliwr i natur y theatr fel ffurf ynddo'i hun, i greu'r amgylchiadau priodol ymhlith cwmni o artistiaid er mwyn bwrw ati i gyflawni'r nod hwnnw, ac i beidio â bodloni ar y canlyniadau hyd yn oed ar ôl ei gyrraedd. O ran hynny, rhith mewn gwirionedd yw'r syniad o 'system' a gysylltir â'i enw. Yn ystod ei yrfa, roedd yn arbrofwr selog, un a ymddiriedai yn ei reddf artistig llawn gymaint ag unrhyw gyfres o reolau a ddyfeisiwyd ganddo.

Gellir dweud bod yr un peth yn wir, eithr mewn ffordd wahanol, am Meierhold yntau. Roedd ymchwil i'r weithred theatraidd ac awydd i hyfforddi'r actor yn rhan annatod o'i weledigaeth yntau fel cyfarwyddwr. Yn ei achos ef, ac yn enwedig felly ar ôl y Chwyldro yn 1917, fe ddistyllodd y gwahanol ddylanwadau a fu arno hyd at hynny. Galluogodd hyn iddo lunio dull hyfforddi a alwai'n 'Fiomecaneg' a oedd, fel dull Stanislafsci, yn ceisio rhoi disgyblaeth gyfan i'r actor ac yn newid ei gorffoledd fel bod hwnnw'n asio yn agos â gofynion neilltuol cynyrchiadau penodol. Wrth gwrs, roedd syniadau a gwerthoedd theatraidd Meierhold yn dra gwahanol i rai Stanislafsci. Yn gynnar yn ei yrfa, ymwrthododd Meierhold â *chynrychioli* fel un o brif egwyddorion y theatr. Credai y dylai pob agwedd ar gynhyrchiad amlygu'r weithred o *gyflwyno*, gan greu tensiwn creadigol byw rhwng y testun a'r cyflwyniad ohono. Er enghraifft, wrth gyfarwyddo *Hedda Gabler* gan Ibsen, flwyddyn wedi iddo ymadael â'r Theatr Gelfyddyd, yn 1905, dewisodd ddull 'oeraidd' o actio yn hytrach na'r arddull naturiolaidd ddisgwyliedig, a defnyddio llwyfan bas iawn – dim ond tua deuddeg troedfedd o ddyfnder – gan ddadlau bod drama Ibsen, o'i llwyfannu, yn wrth-naturiolaidd.[10] Mynnai gyflwyno'r hyn a welai ef fel hanfod theatraidd y ddrama yn hytrach na'i harwyneb dramataidd, ac, er gwaethaf (neu efallai trwy gyfrwng) sawl newid o ran arddull ei gynyrchiadau, fe lynodd wrth yr egwyddor hwn ar hyd y blynyddoedd. I'r perwyl hwnnw, pan oedd angen rhyw fath ar fodel neu egwyddor sefydlog arno fel sail i'w waith, fe'i cafodd mewn mathau gwahanol o berfformio – yn enwedig dulliau poblogaidd a chorfforol, megis syrcas, ffilmiau Charlie Chaplin, a'r *Commedia dell'arte.* Roedd y rhain yn ddefnyddiol iddo am eu bod yn cynnig disgyblaeth gorfforol amlwg i'r actor ac am fod ganddynt eu dramatwrgiaeth gynhenid eu hunain. Hynny yw, wrth eu cymhwyso er mwyn dehongli testunau dramataidd, nid oeddent yn 'diflannu' fel dulliau cyflwyno, gan ymddangos fel pe baent yn agweddau naturiol ar gyflwr seico-gorfforol y cymeriadau. Yn hytrach, roeddent yn amlwg, ac yn creu 'dieithriad' rhwng y testun a'r gynulleidfa, gan rwystro'r gynulleidfa rhag derbyn gwerthoedd a rhesymeg y testun yn ddi-gwestiwn, a buont yn rhan allweddol bwysig o waith Meierhold fel cyfarwyddwr.

Pan ddaeth Chwyldro mis Hydref 1917, ymunodd Meierhold â'r Bolsieficiaid a cheisiodd sicrhau y byddai ei ddull o theatr *gyflwyniadol* (yn hytrach na dull *cynrychioliadol* Stanislafsci) yn adlewyrchu uchelgais ac egwyddorion y Chwyldro. Yn ei gynhyrchiad o *Y Wawr* gan Emile Verhaeren (1855–1916), yn 1920, fe wrthododd unrhyw ddyfais a allai fod yn help i gyflwyno rhith ar y llwyfan, gan osod yr actorion i sefyll yn llonydd ar y llwyfan ac i draethu eu geiriau'n uniongyrchol at y gynulleidfa. At hynny, gosododd sawl elfen o'r cyflwyniad yn yr awditoriwm ei hun. Crogai murlenni propagandaidd o gylch y galerïau, gosodwyd actorion ymysg y gynulleidfa, ac fe addaswyd y ddrama ei hun yn sylweddol er mwyn caniatáu cynnwys ymyrraeth uniongyrchol gan yr actorion a'r gynulleidfa.[11] Tua'r un cyfnod, cymhwysodd ei ddiddordeb mewn ffurfiau theatr poblogaidd corfforol er mwyn creu system o hyfforddi 'gwyddonol' newydd a alwodd yn *Fiomecaneg*. Roedd y dull hyfforddi hwn yn cynnwys ugain o *études* corfforol a oedd yn seiliedig ar weithredoedd megis trywanu, taro, cario carreg, saethu bwa-a-saeth, ac yn y blaen. Y nod oedd i sicrhau bod corff yr actor yn derbyn natur y gweithredoedd hyn yn llwyr, a thrwy hynny yn medru ymsuddo i unrhyw fath ar weithredu corfforol coreograffig a darganfod y 'bywyd' a'r emosiwn priodol ynddo.

Gyda'r dechneg hon yn gefn i waith ei actorion, aeth Meierhold ati i lunio'r hyn a gyfrifir fel pinacl ei gyrhaeddiad fel cyfarwyddwr, sef ei gynhyrchiad o ddrama Nikolai Gogol (1809–52), *Yr Arolygydd*, yn 1926. Roedd hwn yn ddehongliad beiddgar a blaengar o ddrama Gogol a ddadberfeddodd y testun, gan dorri darnau helaeth ohono a gan ychwanegu darnau eraill, naill ai o ddyfais y cwmni ei hun, neu'n seiliedig ar weithiau eraill gan y dramodydd. Torrwyd y ddrama yn episodau ac fe ailddehonglwyd rhai golygfeydd yn sylweddol er mwyn pwysleisio llygredd a llwfr-dra yr hen drefn gyfalafol Tsaraidd. Gan hynny, newidiwyd holl deimlad y ddrama, o fod yn gomedi fras a chreulon i fod yn drasig ac yn dra thywyll ei gweledigaeth. Roedd Meierhold yn dal i arddel ei ddaliadau sylfaenol fod y cyfarwyddwr yn 'awdur' ar y digwyddiad theatraidd, a bod dyletswydd arno i wneud ei waith fel dehonglwr yn gwbl amlwg i'r gynulleidfa. O ran hynny, mae ei gyfraniad i ddatblygiad rôl y cyfarwyddwr yn yr ugeinfed ganrif yn amhrisiadwy a chyfuwch â'i feistr cynnar yn y Theatr Gelfyddyd, Stanislafsci.

HYNT Y 'DDAU DRADDODIAD' YN SGIL STANISLAFSCI A MEIERHOLD

Erbyn tua chanol yr ugeinfed ganrif, yn sgil ymdrechion llu o arloeswyr, roedd rôl y cyfarwyddwr wedi datblygu i'r fath raddau nes bod y theatr yn frith o wahanol fathau o ffurfiau cyflwyno, ac o wahanol egwyddorion ymarferol. Ymledodd dylanwad Stanislafsci yn sylweddol, ac fe aeth ei ddull ef o gynhyrchu cynrychioliadol yn gyffredin iawn ar draws y byd. Ond gellir mesur ei ddylanwad mewn sawl ffordd: roedd ei agwedd tuag at ymchwilio yn y theatr yn ysgogiad i nifer o gyfarwyddwyr dylanwadol eraill, ac yn debyg mewn sawl ffordd i ymdrechion nifer o rai eraill nad oeddent wedi'u dylanwadu ganddo'n uniongyrchol i geisio creu theatr *elfennol* a oedd yn crynhoi hanfodion y cyfrwng fel ffordd o gyfathrebu a chynrychioli. Ymhlith y rhain, gellir nodi ffigyrau megis Jacques Copeau (1879–1949), Antonin Artaud (1896–1948), ac, ar ôl y rhyfel, Peter Brook (1925–). Roedd rhai i'w cael hefyd a oedd yn cydnabod eu dyled yn uniongyrchol i Stanislafsci, yn enwedig felly Jerzy Grotowski, y trafodir ei waith yn fwy manwl isod. Yng ngwaith y garfan hon, ceid tuedd gynyddol i wrthod y syniad o lwyfan ffurfiol yn llwyr, gyda'r actor yn ganolbwynt i holl weithgarwch y theatr, a'i gorff yn 'llwyfan' cyfan, hyblyg a symudol ynddo'i hun.

Ymysg dilynwyr y traddodiad yr wyf wedi'i gysylltu ag egwyddorion sylfaenol gwaith Meierhold (sef creu gwrthdaro cyson rhwng gwahanol elfennau'r cynhyrchiad theatraidd, ac ymwrthod â'r syniad fod gan y theatr unrhyw hanfod fel y cyfryw o gwbl), ceir ffigyrau megis Erwin Piscator (1893–1968), a Bertolt Brecht, ac, ar ôl y rhyfel, cyfarwyddwyr megis Peter Stein (1937–), Ariane Mnouchkine (1939–), rhai o gyfarwyddwyr blaenaf y Wooster Group, a Robert Lepage (1957–). Yng ngwaith y rhain, gwelir defnydd o ddyfeisiadau llwyfannu gwrthgyferbyniol (rhai technolegol neu beiriannol yn aml) er mwyn dangos bod gwaith yr actor yn greadigaeth dros-dro yn unig, ac ynghlwm wrth ei gyd-destun (cyfnewidiol) wrth gyfathrebu â'r gynulleidfa. Er gwaethaf y gwahaniaeth sylfaenol rhwng gwerthoedd a dulliau artistig y ddwy garfan, gellir dweud bod ganddynt rhywbeth pwysig yn gyffredin â'i gilydd, sef eu bod wedi arbrofi â ffurf y theatr er mwyn cymell ailasesiad o'r berthynas rhwng yr actor a'r gynulleidfa. Yng ngwaith y meistri modernaidd (ac ôl-fodernaidd) hyn, mae yna dystiolaeth fod rôl y cyfarwyddwr yn dal i fod yn ymwneud yn sylfaenol ag ymchwilio i natur a photensial y cyfrwng. Nid oes ofod i drafod gwaith pob un ohonynt yn fanwl, ond gellir amlinellu gyrfa o leiaf un o bob 'carfan' er mwyn dangos sut y datblygodd ymdriniaeth y cyfarwyddwr â ffurf y theatr yn ystod blynyddoedd canol y ganrif ddiwethaf.

BRECHT, Y THEATR EPIG A 'DIEITHRIO'

Cyfrifir Bertolt Brecht (1898–1956), yn un o ffigyrau pwysicaf theatr yr ugeinfed ganrif oherwydd iddo greu a diffinio ffurfiau a dyfeisiadau theatraidd tra dylanwadol, megis y Theatr Epig, a'r hyn y galwodd yn *Verfremdungseffekt*, neu 'Ddieithriad'. Fel dramodydd, roedd yn idiosyncratig ac iconoclastig ond, er iddo fenthyg o nifer o wahanol ffynonellau, a chydweithio gyda nifer o bartneriaid yn ystod ei oes, roedd ganddo lais unigryw fel cyfarwyddwr. Gellir dweud yn gymharol hyderus ei fod wedi'i ddylanwadu gan waith Meierhold, a'i fod wedi cymhwyso egwyddorion y Rwsiad ar gyfer ei oes a'i gymdeithas ei hun. Dechreuodd gyrfa Brecht fel cyfarwyddwr yn 1923, gyda'i addasiad o ddrama hynafol Christopher Marlowe (1564–1593), *Edward II*. Fel Meierhold, credai y dylai'r cyfarwyddwr weithredu fel awdur i'r cynhyrchiad, gan blygu'r deunydd traddodiadol nes ei fod yn cwrdd â'i ofynion presennol yntau. O ganlyniad, aeth ati i addasu'r ddrama yn helaeth iawn, gan dorri, ailddehongli a hyd yn oed ychwanegu golygfeydd wrth fynd yn ei flaen. Pan aeth i mewn i'r ystafell ymarfer i weithio ar *Edward II*, nid oedd ganddo gynllun rhagbaratoedig cadarn. Yn hytrach, mynnai *ymateb* i'r hyn a oedd yn cael ei greu gan yr actorion. O'r cychwyn cyntaf, roedd yn ymroddedig i weithredu'n *amodol*. Golygai hynny dderbyn cyngor yn ystod yr ymarferion gan ffigyrau yr oedd ef yn ymddiried ynddynt ac yn parchu eu barn. Fe ddibynnodd gryn dipyn ar ei is-gyfarwyddwr, sef Asja Lacis (1891–1979), merch o Latfia a oedd wedi cael ei dylanwadu gan ddulliau Meierhold. Roedd golygfeydd torfol y ddrama dan ei gofal hi, ac, yn unol â dylanwad y cyfarwyddwr Rwsiaidd, fe ddadbersonolwyd cymeriadau'r milwyr yn y ddrama a rhoi i'w symudiadau rythm cryf ac amlwg iawn. At hynny, wrth geisio darganfod ffordd o gyfleu ofn milwyr cyn y frwydr dyngedfennol yn y ddrama, fe dderbyniodd Brecht awgrym gan y digrifwr poblogaidd Karl Valentin (1882–1948), a oedd yn bresennol yn yr ymarferion, i beintio eu hwynebau'n wyn 'fel caws'. Fe ddaeth cydweithio fel hyn yn rhan annatod o dechneg Brecht, ac fe roddodd hwb sylweddol i'w awydd i greu cynyrchiadau anwastad eu harddull a fyddai'n herio'r gynulleidfa trwy wyrdroi confensiynau a chymeriadaeth ddisgwyliedig.[12]

Fel sawl un o'r ffigyrau a drafodir yn y bennod hon, fe newidiodd Brecht arddull ei gynyrchiadau yn sylweddol yn ystod ei fywyd. Fel Stanislafsci a Meierhold (ac, fel y gwelir maes o law, fel Grotowski hefyd), fe fu ei yrfa yn y theatr yn *ymchwiliad* i natur y cyfrwng. Ar ddechrau ei yrfa, fe'i gwelwyd yn dilyn ôl troed y mynegiadwyr, gan greu delweddau llwyfan a oedd yn grotésg o wrth-realaidd. Yn ddiweddarach, fe luniodd nifer o ddramâu 'addysgiadol' mewn arddull tra syml a chyflwyniadol – y *Lehrstücke*. Yna, fe greodd nifer o wahanol fathau o Theatr Epig, a roddodd gyfle iddo ddatblygu a gweithredu'r syniad o 'ddieithrio' fel dyfais. Ond, fel y dywed Ronald Hayman, nid oedd gan Brecht fawr o ddiddordeb yn arddull ei waith fel y cyfryw, ond yn y weithred o 'edrych ar y byd o'r gwaelod'.[13] O ran hynny, roedd eto'n debyg i Meierhold, gan fod hwnnw hefyd wedi ceisio sicrhau mai mater o reidrwydd neu berthnasedd cymdeithasol oedd arddull ei waith ac nid mater esthetig yn unig. Ffordd o amlygu perthnasedd y gwaith mewn termau cymdeithasol ydoedd, ac nid mater o geisio creu celfyddyd o harddwch clasurol. Yn wahanol i Meierhold, wrth gwrs, roedd Brecht yn ddramodydd hefyd, ac felly, gallai beri i'r weithred o ysgrifennu, ac ailysgrifennu, fod yn rhan ganolog o'r broses ymarfer. Gwelwyd hyn yn amlwg wrth iddo gyfarwyddo *Edward II*, ond bu hefyd yn ffactor yn llwyddiant ysgubol *Yr Opera Pisyn Tair* yn 1928, pan fu'n rhaid newid cryn dipyn ar y testun yng nghanol proses ymarfer a oedd, yn ôl yr hanes, yn beryglus o ddi-drefn.[14]

Erbyn 1928, roedd Brecht wedi dechrau datblygu ei gysyniad o *Verfremdung* ('dieithrio'), ond roedd hyn yn y bôn yn ddatblygiad o'i ymdriniaeth gyffredinol â gwaith yr actor, ac o'i benderfyniad i weithio yn erbyn y math o gonfensiynau gor-emosiynol a gor-rhethregol a welai yn theatr fwrgeisiol ei oes. Trwy gydol ei yrfa, roedd y math o actio yr oedd Brecht yn ei geisio gan ei berfformwyr yn dibynnu llawn gymaint ar *gyflwyno* ag ar *gynrychioli*, a chan hynny gallai rôl a chymeriadaeth yr actorion fod yn orffenedig, i bob pwrpas, o'r cychwyn cyntaf. Roedd *persona*'r actor fel perfformiwr yn rhan amlwg iawn, a hanfodol bwysig, o'r weithred o gymeriadu yn theatr Brecht, ac, waeth pa faint o afael a oedd ganddo ar y deunydd dramataidd yn nyddiau cynnar y broses ymarfer, gallai'r actor fynegi'i *bersona* drwy'r deunydd bob amser. Wrth gyflwyno cymeriad, disgwylid i'r actor gadw gafael ar ei *bersona* perfformiadol ei hun, a pheidio ag ildio'n llwyr i natur y cymeriad nac i greu *persona* 'actor mawr' neu 'actor difrifol' iddo'i hun. Roedd yn rhaid iddo gyflwyno cymeriad mewn ffordd a oedd yn gydnaws â'i anian ef ei hun. Dyna oedd wrth wraidd dyhead cyson Brecht am 'symlrwydd' ac 'eglurdeb' oddi wrth ei actorion. Wrth ddefnyddio'r termau hyn, cyfeiriai Brecht at y modd yr ymgymerai'r actor â'r dasg o gynrychioli cymeriad, ac nid at ansawdd y gynrychiolaeth ei hun.

At hynny, roedd Brecht yn awyddus iawn i sicrhau bod yr actor, wrth gymeriadu, yn medru arddangos olion o natur gymdeithasol y cymeriad – y modd yr oedd ei gorff wedi'i fowldio gan ei waith beunyddiol, er enghraifft, neu'r ffaith fod ganddo fedrau arbennig o ganlyniad i'w alwedigaeth, ac yn y blaen. Y term a ddefnyddiai Brecht wrth grynhoi'r fath olion oll at ei gilydd o fewn un cymeriad oedd *gestus*, ac fe ddaeth hwnnw'n sail ac amod ar gyfer cynrychioli cymeriadau yn ei gynyrchiadau. Nod creu *gestus* oedd sicrhau y byddai'r gynulleidfa'n medru gweld bod profiad y cymeriad wedi'i ffurfio gan amgylchiadau neilltuol yn y byd o'i gwmpas. Roedd y syniad yn wahanol i gysyniad Stanislafsci o'r 'amgylchiadau a roddir' gan fod iddo ddimensiwn hanesyddol a gwleidyddol pendant. Credai Brecht fod profiadau pawb wedi'u seilio ar ffactorau yr oedd eu gwraidd yn economaidd, yn wleidyddol ac ideolegol. Bwriad *gestus* oedd creu ffordd o gynrychioli cymeriad dramataidd yn fanwl a chredadwy ond heb wthio'r actor na'r gynulleidfa i uniaethu â'r greadigaeth honno fel unigolyn.

Nid oedd Brecht yn arbennig o weithgar fel hyfforddwr actorion. Yn hytrach, roedd ganddo nifer o hoff actorion yr oedd eu techneg actio yn cydweddu'n agos â'i ddiffiniad yntau o *gestus* a *verfremdung*. Ymhlith y rhain roedd Peter Lorre (1904–64), a ddaeth yn enwog yn y 1930au a'r 1940au fel actor yn Hollywood, a'r actores Helene Weigel (1900–71), a fu hefyd yn rheolwr llwyfan ar gyfer cwmni Brecht, y

Berliner Ensemble, ar ôl yr Ail Ryfel Byd, ac a fu'n ail wraig iddo o 1927. I raddau helaeth, roedd yr hyn a ddiffiniwyd fel 'techneg Brechtaidd' yn rhan gynhenid ac annatod o weithgarwch y fath ffigyrau, ac, o ran hynny, nid oedd modd ei ddysgu na'i gofnodi fel rhan o 'system'. Roedd gan bob actor ei ffordd ei hun o gyflawni *verfremdung*, ac roedd llwyddiant unrhyw gynhyrchiad o eiddo Brecht yn dibynnu ar ei allu i ddenu cwmni a gyfunai wahanol ddulliau dieithrio'n gymharus. Dyna pam fod enw Brecht fel cyfarwyddwr wedi'i gyplysu'n agos iawn ag enw'r Berliner Ensemble, a bod gwaith ac arddull yr Ensemble wedi'i gynnal am nifer o flynyddoedd ar ôl marwolaeth Brecht yn 1956.

GROTOWSKI, Y THEATR DLAWD A'R 'VIA NEGATIVA'

Daeth Jerzy Grotowski (1933–1999), i sylw cynulleidfaoedd a beirniaid theatr rhyngwladol yn ystod y 1960au, pan gafodd gyfle i ddangos peth o waith ei gwmni, y Teatr-Laboratorium o Wroclaw, Gwlad Pwyl, mewn gwyliau theatr yn Ewrop ac America. Fe achosodd y cwmni cryn gynnwrf yn y gorllewin oherwydd disgyblaeth gorfforol a lleisiol eithriadol yr actorion, ond hefyd oherwydd dulliau cyfarwyddo beiddgar Grotowski ei hun, gyda'i bwyslais ar chwalu'r ffiniau gofodol rhwng y gynulleidfa a'r actorion ac ar addasu'i destunau dramataidd yn sylweddol er mwyn rhoi sylw manwl i weithgarwch yr actorion. Crisialwyd yr egwyddorion hyn yn yr hyn y galwodd Grotowski yn 'Theatr Dlawd', sef theatr a oedd yn hepgor symbyliadau ac effeithiau 'eilradd' – gwisgoedd cynrychioliadol, colur, dyfeisiadau gweledol, effeithiau technegol o ran goleuo, sain, set, ac yn y blaen. O hepgor y pethau hyn oll, meddai Grotowski, fe allai'r gynulleidfa ganolbwyntio'n agosach o dipyn ar yr hyn a oedd yn weddill – sef corff a llais yr actor, a rhyfeddod ei bresenoldeb mewn gofod ac amser fel gweithredwr byw. Fe ddaeth hyn oll yn agwedd ddigon cyfarwydd ar waith Grotowski, ond mae'n rhwydd iawn i'w gamddehongli. Nid rhyw fath ar 'dric' theatraidd oedd y 'Theatr Dlawd', wedi'i greu er mwyn dangos bod modd cyflwyno theatr fywiog a chyfoethog heb gymorth effeithiau 'allanol': yr hyn y dymunai Grotowski'i greu oedd distylliad o'r weithred o gyfathrebu. Mynnai waredu'r theatr o bopeth dianghenraid er mwyn creu *cymundod* rhwng y gynulleidfa a'r actorion.

Wedi dweud hyn, nid oedd ffordd Grotowski o geisio creu cymundod yn golygu llunio profiad 'cyfforddus' neu dyner o gwbl. Yn aml, gosodai'r gynulleidfa a'r actorion blith-draphlith ar draws ei gilydd yn y gofod, a deuai â'r gynulleidfa a'r actorion yn rhyfeddol o agos at ei gilydd, nes tanseilio gallu'r actor i greu 'golygfa' yn yr ystyr arferol yn llwyr, a chreu undod rhwng perfformwyr a'r gwylwyr. Fe seiliwyd nifer o'i gynyrchiadau yn ystod y 1960au ar ddramâu o'r traddodiad gwladgarol Pwylaidd yn y bedwaredd ganrif ar bymtheg, ond mynnai Grotowski addasu'r rheini'n sylweddol fel bod y sôn am ryddid a hunanaberth a geid ynddynt yn caffael ystyr gwahanol iawn. Yn *Akropolis* (a seiliwyd ar ddrama gan Stanisław Wyspiański (1869–1907)), fe drawsblannwyd y gweithredu o balas brenhinol Cracow i Auschwitz, dyfais a fu'n gyfrifol am danseilio'r syniad fod y cymeriadau yn ymgorfforiadau o bersonoliaethau cyfan, ac a daflodd sylw'r gynulleidfa ar allu'r actorion i'w hymgorffori fel delwau neu ddrychiolaethau dros-dro. I'r perwyl hwnnw, gwisgwyd pob un ohonynt yn yr un modd, ac fe drefnodd Grotowski i'r actorion greu 'masg' ar eu cyfer, gan ddefnyddio cyhyrau'r wyneb yn unig. At hynny, hepgorwyd unrhyw ymdrech i lefaru'r testun yn realistaidd – yn hytrach, fe'i ynganwyd a'i lafarganu, yn aml iawn ar ruthr wyllt: 'Ocheneidiau, rhuadau anifeilaidd, caneuon gwerin tyner, llafarganiadau litwrgaidd, tafodieithoedd, traethu barddonol, mae popeth yma. Cydblethir y synau yn sgôr cymhleth sydd, yn ysbeidiol, yn ein hatgoffa o bob math o leferydd.'[15]

Un peth – annisgwyl, efallai – sy'n amlwg o wylio recordiad o gynhyrchiad megis *Akropolis* yw'r tensiwn a'r gwrthdaro o fewn y weithred o gyfathrebu. Erbyn diwedd y 1960au, sylweddolai Grotowski bod cynhyrchu testunau dramataidd yn creu perthynas fwy cyfoethog neu ddwys rhwng y gynulleidfa a'r actorion na'r hyn a geid mewn bywyd cyffredin. Eto i gyd, deallai fod y theatr ei hun yn *rhwystr* i'r weithred o gymuno, gan fod yr actorion a'r gynulleidfa yn sylfaenol *wahanol* i'w gilydd oherwydd y gwahaniaeth rhyngddynt o safbwynt swyddogaeth. I'w dŷb ef, fe fyddai'r actorion mewn cynhyrchiad theatr bob amser yn drech na'r gynulleidfa. Gellid amgyffred y frwydr hon rhwng nodweddion cynhenid y theatr ac ymdrech Grotowski i hyrwyddo cymundod yng nghynyrchiadau diweddar y Teatr-Laboratorium, sef *Doctor Ffawstws*, *Y Tywysog Diwair* ac *Apocalypsis cum Figuris*.[16] Er enghraifft, yn *Y Tywysog Diwair*, ceid gwrthgyferbyniad cryf a chyson iawn rhwng Ryszard Cieslak fel perfformiwr unigol a gweddill y cwmni: tra bod y cwmni at ei gilydd yn dueddol o weithio mewn ffordd gymharol *gynrychioliadol*, roedd Cieslak yn *cyflwyno*'i waith corfforol mewn ffordd llawer mwy uniongyrchol.[17] Tuedda'r sylwebwyr ar waith Grotowski gytuno mai'r digwyddiadau mwyaf trawiadol yn *Y Tywysog Diwair* oedd y rhai uniongyrchol, gwrth-gynrychioliadol yn y bôn – megis areithiau Cieslak, pan ymgollai'n gorfforol yn ei weithgarwch, gan adael i'w eiriau lifo allan o'r weithred fel analog i'w brofiad corfforol ei hun; a'r 'olygfa' arteithio, pan welid Rena Mirecka yn poenydio Cieslak trwy ei chwipio â'r lliain coch a lapiwyd fel clogyn amdano wrth iddo ymddangos am y tro cyntaf. Trwy weithredu mewn ffordd a darfai ar y weithred o gynrychioli fel hyn, dangosai Grotowski ei awydd, trwy gyfrwng ei Theatr Dlawd, i greu cymundod dyfnach na'r hyn a geid trwy gyfrwng portreadu sefyllfaoedd a chymeriadau. Ceisiodd fynd ymhellach hyd yn oed yn ei gynhyrchiad theatraidd olaf, sef *Apocalypsis cum Figuris*. Yn hwnnw, hepgorwyd y syniad o sefyllfa ddramataidd a chymeriad i'r graddau eithaf posibl, gwrthodwyd pob ffynhonnell destunol y ceisiwyd eu harchwilio yn ystod y broses ymarfer, ac nid oedd yna eisteddle i'r gynulleidfa er mwyn dynodi'r gwahaniaeth rhwng eu gofod hwy a gofod yr actorion. Roedd y cynhyrchiad yn seiliedig ar waith byrfyfyr gan yr actorion, ond roedd hwnnw ei hun yn adlewyrchu proses o hunanarchwilio dwys ac ymdrech i gyflwyno rhywbeth cwbl elfennol a gonest.

Er mwyn gwneud hynny, roedd yn rhaid iddo annog ei actorion i fynd cryn dipyn ymhellach na'r hyn a awgrymid gan y disgrifiad syml uchod o'r Theatr Dlawd. Roedd yn rhaid iddynt fynd ar 'daith' bersonol, amgyffrediadol a chorfforol, ar hyd yr hyn y galwodd Grotowski yn *via negativa*. Trwy gyfrwng yr egwyddor hwn, fe fynnai Grotowski weld yr actor yn ymwrthod nid yn unig ag allanolion megis colur, gwisgoedd cymeriadol ac effeithiau technegol, ond hefyd â phob dyfais gyflwyno a oedd eisoes yn gyfarwydd iddo – hyd yn oed ei syniadau mwyaf sylfaenol ohono ef ei hun fel perfformiwr. Trwy gael gwared ar y 'rhwystrau' hyn, gobeithiai Grotowski y byddai'r theatr yn medru cael ei 'aileni' fel ffordd o greu ymwybyddiaeth amgen o'r presennol, ac o berthynas pobl (boed actorion neu gynulleidfa) â'i gilydd. Meddai Grotowski:

> Roeddwn i'n chwilio am dechneg bositif neu . . . rhyw fath ar fethod o hyfforddiant a fedrai rhoi sgil greadigol yn wrthrychol i'r actor . . . Nid yw'r actor bellach yn gofyn i'w hun: 'Sut fedraf i wneud hyn?' Yn hytrach, rhaid iddo wybod beth i beidio â'i wneud, beth sy'n ei rwystro . . . Dyna'r hyn a olygaf wrth via negativa: proses o ymwrthod.'[18]

Yr hyn yr oedd Grotowski'n ei geisio trwy gyfrwng y *via negativa* oedd yr hyn a ddaethpwyd i'w alw'n 'weithred gyfan'. Roedd y cysyniad hwn yn hanfodol bwysig i'w waith ar y cynyrchiadau diweddar o'i eiddo, ac yn dystiolaeth o'i awydd angerddol i ddefnyddio'r theatr fel ffordd o greu cymundod a fyddai'n galluogi'r gynulleidfa a'r actorion gyda'i gilydd i adfer y grym bywiol a oedd yn cael ei golli wrth fyw mewn cymdeithas ddiwydiannol, gyfalafol gymhleth. Fel y nododd yn ei 'Ddatganiad o Egwyddorion': 'Wrth geisio rhyddid rydym yn creu anhrefn biolegol. Yn fwy na dim, rydym yn dioddef o ddiffyg cyfanrwydd, gan daflu ein hunain i ffwrdd, gwastraffu'n hunain.'[19]

Er mwyn i'r 'weithred gyfan' hon ddigwydd, roedd yn rhaid i'r gynulleidfa a'r actorion rannu safbwynt ac egwyddorion, ac ni allai unrhyw weithred theatraidd gael ei chyfri'n un 'gyfan' tra bod y gwahaniad sylfaenol rhwng cynulleidfa ac actorion yn dal i fod. Pa mor onest ac uniongyrchol bynnag y gweithredai'r actorion, ni fyddai modd pontio'r agendor rhyngddynt a'r gynulleidfa ond trwy sicrhau bod y naill a'r llall yn gweithio a chyfrannu at yr un nod. Bellach, *theatr ei hun* – y weithred o roi'r gwaith o gyflwyno i un garfan a'r gwaith o wylio i'r llall – oedd y rhwystr eithaf i gymundod. Gan hynny, fe benderfynodd Grotowski, ar yr union adeg pan oedd ei gwmni'n cynyddu o ran ei lwyddiant a'i ddylanwad yn y byd gorllewinol, i gefnu ar greu cynyrchiadau, ac i weithredu mewn ffyrdd mwy cyfranogol. O 1970, fe ddechreuodd y cwmni weithio ar yr hyn a alwyd yn yr achos cyntaf yn 'ymchwil paratheatraidd'; ac fe gynhaliwyd y digwyddiadau cyhoeddus cyntaf i weithredu'r egwyddorion newydd hyn mewn safleoedd gwledig anghysbell ar draws y byd o tua 1973. Roedd y rhain yn brosiectau cydweithredol a oedd yn creu 'digwyddiadau' arbennig a gynhwysai gyfnodau o lafurio trwm, ymarferion a theithiau arbrofol mewn coedwigoedd, canu a symud. Byddai'r cyfan yn cymryd tua wythnos i'w gyflwyno. Dyma'r math o waith a ddaeth yn ganolbwynt i weithgarwch y Teatr-Laboratorium o'r cyfnod hwn hyd nes y terfynwyd y cwmni yn 1984. Fe berfformiwyd *Apocalypsis cum Figuris* yn ysbeidiol hyd at 1979, ond fe'i addaswyd yn gyson er mwyn adlewyrchu gwerthoedd y gwaith paratheatraidd wrth i hwnnw ddatblygu yn ystod y 1970au. Roedd anghenion Grotowski fel artist ac fel unigolyn creadigol wedi goresgyn terfynau confensiynol y ffurf theatraidd yn llwyr, ac wedi dangos i ba raddau y gellid gwthio gwaith y cyfarwyddwr fel ffigwr a oedd yn ceisio gwireddu potensial theatr a pherfformio fel ffordd o greu cymundod rhwng cynulleidfa ac actorion.

Mae hanes gwaith Grotowski yn dangos pa mor bell yr aeth arbrofion rhai o gyfarwyddwyr amlycaf yr ugeinfed ganrif, a pha mor bellgyrhaeddol oedd rôl y cyfarwyddwr theatr erbyn diwedd y 1970au. Wrth gwrs, ychydig iawn o gyfarwyddwyr a aeth i'r un cyfeiriad â Grotowski, a phenderfynu bod y weithred draddodiadol o gyflwyno cynyrchiadau theatraidd yn llesteirio cyfathrebu a chymundod rhwng pobl. Gwelwyd nifer o rai eraill yn mentro i gyfeiriadau tra gwahanol. Bu rhai, megis Brook, Eugenio Barba (1936–), a Mnouchkine, yn gweithio gyda chwmnïau ensemble o actorion rhyngwladol, gyda Brook yn ceisio archwilio hanfodion y cyfrwng fel ffurf rhyngwladol a rhyng-ddiwylliannol trwy nifer o ffyrdd gan gynnwys teithio i ardaloedd anghysbell yng ngogledd Affrica; Barba yn creu astudiaeth gymharol o ffurfiau theatr ar draws y byd gyda'i Ysgol Ryngwladol ar Anthropoleg y Theatr;[20] a Mnouchkine yn ceisio dilyn canllawiau chwyldroadol wrth greu cynyrchiadau am bynciau a drafodai ddatblygiad yr ymwybyddiaeth fyd-eang. Roeddent ill tri yn gwbl ymroddedig i weithio gyda chwmnïau ensemble parhaol, gyda Barba yn bathu'r term Trydedd Theatr fel ffordd o gyfeirio at bosibiliadau a chyrhaeddiad y syniad o *ensemble* creadigol a weithiai gyda'i gilydd i feithrin perthynas unigryw trwy waith a hyfforddiant dyddiol.

Yn dilyn yn nhraddodiad Brecht yn yr Almaen roedd y cyfarwyddwr Peter Stein (1937–), a ddaeth i'r amlwg yn ystod y 1960au ac a geisiodd redeg cwmni *ensemble* chwyldroadol yn theatr y Schaubühne ym Merlin. Nodwedd amlycaf gwaith Stein oedd ei ymroddiad i'r syniad y dylai'r berthynas rhwng y gynulleidfa a'r cynhyrchiad theatraidd fod yn un *feirniadol*. Gan hynny, wrth greu addasiad o *Peer Gynt* gan Ibsen yn 1971, nododd mai un o'i gynlluniau ar gyfer diwedd y ddrama oedd i ddangos sut y câi ffigwr cymhleth, bwrgeisiol, ond gwrth-arwrol a byw fel Peer ei droi gan y system gyfalafol yn eicon ac, yn y pen draw, yn gynnyrch:

> Gwelir peiriannau'n ymddangos, peiriannau go iawn a all gynhyrchu rhywbeth, e.e. swfeniriau Peer Gynt, deunydd wedi'i argraffu, a.y.y.b. . . . Fe gaiff y cynnyrch gorffenedig – atgynyrchiadau o *kitsch* Peer Gynt – ei gludo ar feltiau ac, ar ôl cael ei selio mewn pecynnau tryloyw, ei ddosbarthu ymysg y gynulleidfa. Y ddrama *Peer Gynt* wedi'i gostwng i lefel swfenir.[21]

Roedd y math hwn o wyriad o'r testun gwreiddiol yn agos iawn at y math o addasu radical a welwyd gan Brecht (a Meierhold yntau) trwy gydol ei yrfa; a gwelwyd egwyddorion Brechtaidd tebyg yn cael eu defnyddio gan gyfarwyddwyr eraill yn ystod y 1970au a'r 1980au, gan gynnwys Heiner Müller (1929–95), a Peter Zadek (1926–2009). Ond efallai mai'r cyfarwyddwr a aeth ymhellach na neb wrth ddilyn y traddodiad radical a dilechdidol a ddiffiniwyd gan Brecht a Meierhold oedd y Brasiliad Augusto Boal (1931–2009). Wrth geisio creu theatr beiddgar a pherthnasol o safbwynt gwleidyddol, fe aeth y tu hwnt i'r hyn a gyflawnwyd gan 'feistri' theatr wleidyddol y 1920au hyd y 1950au, a chreu cyfrwng gwirioneddol agored a fedrai ymbweru'r gynulleidfa'n uniongyrchol. Un o ddyfeisiadau mwyaf pwysig Boal oedd Theatr Fforwm, dull lle medrai'r gynulleidfa ymyrryd yn y perfformiad theatraidd ei hun a chyflwyno'u hatebion unigryw eu hunain i'r problemau a'r gwrthdaro a gâi eu portreadu ar y llwyfan. O ran hynny, roedd Boal, fel Grotowski, yn barod i roi heibio'r arfer o gyflwyno cynyrchiadau traddodiadol yn gyfan gwbl er mwyn hwyluso'r broses o gyfathrebu gyda'r gynulleidfa. Yn hynny o beth, nid oedd yn syndod i weld Boal yn defnyddio dulliau'r Theatr Fforwm fel ffordd o hyrwyddo'i waith fel *vereador* – aelod o Gyngor Dinas Rio de Janeiro – rhwng 1993 ac 1997. Roedd wedi cymryd technegau theatr a'u cymhwyso fel eu bod at wasanaeth gwleidyddol uniongyrchol: mae'n siŵr y buasai Brecht wedi edmygu'r fath fenter, gan ei fod yntau'n boenus o ymwybodol o'r ffaith ei fod ef, er gwaetha'i ymroddiad i'r proletariat, yn dueddol o ddenu cynulleidfaoedd o'r dosbarth canol i weld y Berliner Ensemble yn y Theater am Schiffbauerdamm.

Un garfan arall o gyfarwyddwyr y mae'n werth eu crybwyll yw'r rheini a greodd theatr yn y dull ôl-fodernaidd a thrwy gyfryngau cymysg. Rhai o'r ffigyrau pwysicaf ymhlith y garfan – helaeth a niferus – hon yw'r Americanwr Robert Wilson (1941–), Elizabeth LeCompte (1944–), o'r Wooster Group yn Efrog Newydd, y Canadiad Robert Lepage (1957), a Cliff McLucas (1945–2002), a Mike Pearson (1949–), o gwmni Brith Gof. Yng ngwaith y rhain, tueddwyd i chwalu undod y cynhyrchiad theatraidd i raddau helaeth iawn, ac i wrthod y math o gyfarwyddo a bwysleisiai integreiddiad agos rhwng gwahanol elfennau'r gwaith. Eto i gyd, roedd radicaliaeth technegau Meierhold yn gynnar yn yr ugeinfed ganrif yn gynsail pwysig iawn ar gyfer gwaith yr 'ôl-fodernwyr': fel y Rwsiad, gwelwyd y cwmnïau a'r unigolion hyn yn darnio, cyplysu a dyfeisio elfennau testunol, ac yn gosod y gweithredu mewn fframwaith gysyniadol a ddatgelai rhai o'r gwerthoedd cymdeithasol neu esthetig a oedd yn sylfaen iddo. At hynny, medrent ddefnyddio lliaws o wahanol ddulliau o gynrychioli, a hynny o fewn un cynhyrchiad, er mwyn gweithio yn erbyn y syniad o ganolbwynt neu hanfod i'r cyfanwaith a thrwy hynny roi mwy o fri ar y weithred o *gyflwyno*. Er enghraifft, yng nghynhyrchiad enwog y Wooster Group, *L.S.D. (Just the High Points)*, a grewyd yn 1984, cyflwynwyd dehongliad hysteraidd (a rhyfeddol o gyflym) o'r ddrama *The Crucible* gan Arthur Miller (1915–2005), llwyfaniad o'r dadleuon rhwng Timothy Leary a G. Gordon Liddy ynglŷn â rhinweddau ac effeithiau'r cyffur LSD, ac ailgread manwl gan y cwmni o'r profiad o fod wedi cymryd y cyffur hwnnw. Roedd yn waith cwbl onest fel astudiaeth o gyfnod y 'Beat generation' a diwylliant cyffuriau y

1960au. Yng ngwaith Brith Gof, ar y llaw arall, fe ddefnyddiai McLucas a Pearson dechneg o weithio mewn 'haenau', gan drosglwyddo'r wybodaeth ddramataidd neu'r prif ysgogiad theatraidd o un haen i'r llall (hynny yw, o'r actio i'r trac sain neu'r senograffi neu'r gerddoriaeth gefndirol ac yn y blaen) yn gymharol fympwyol. Fel gwaith y Wooster Group, tueddai hynny weithredu yn erbyn unrhyw deimlad o undod yn y cynhyrchiad gan greu gwead a oedd yn fwriadol llac, a thrwy hynny dynnu sylw at natur unigol y weithred o adeiladu dehongliad ar ran y gynulleidfa. Gwelwyd hyn ar ei fwyaf amlwg yng ngweithiau mawr y cwmni, gan gynnwys *Gododdin*, *Pax* a *Haearn*, ond roedd yn dechneg a ddefnyddiwyd yn effeithiol iawn hefyd er mwyn ail-greu'r profiad o derfysgaeth yn y sioe stiwdio *EXX-1* (1988).

Fel y gwelwyd, datblygodd y cysyniad o 'gyfarwyddo' yn aruthrol yn y traddodiad theatraidd yn Ewrop ac America yn ystod yr ugeinfed ganrif: wrth ystyried gwaith Ludwig Chronegk a Dug Saxe-Meiningen, anodd dychmygu pa mor ddylanwadol y deuai'r cyfarwyddwr fel ffigwr a fynnai ysgogi a diffinio natur y weithred theatraidd. Rhaid cofio, serch hynny, na ellid datgan ag unrhyw sicrwydd y bydd y cyfarwyddwr yn ffigwr o bwys yn nyfodol y theatr. Mae hanes y cyfrwng yn symud yn ei flaen yn aruthrol gyflym ar brydiau, ac yn ymateb i ofynion economaidd, cymdeithasol a chelfyddydol ei oes. Wrth i dechnoleg newydd effeithio'n gyson ar y syniad o'r hyn sy'n 'fyw', ac wrth i waith aml-gyfrwng a rhyngweithiol ddod yn fwyfwy cyffredin fel agweddau ar ddiwylliant cyfoes, mae'n bosibl y darganfyddir ac y datblygir ffyrdd newydd o drefnu a rhoi ffurf i weithredoedd theatraidd, gyda'r gynulleidfa ei hun yn llunio ac yn creu ei dewisiadau ei hun. Hyd yn oed wedyn, mae'n bosibl iawn y bydd cynseiliau hanesyddol pwysig i'w cael at y gwaith hwn yn y dyfodol, ac y bydd yr ystod eang iawn o ffurfiau ac egwyddorion ymarferol a welwyd yn y gorffennol yn dal i ddylanwadu ar berfformwyr a chynulleidfaoedd fel ei gilydd.

NODIADAU

[1] 'The highest work of art must put itself in the place of real life, it must dissolve this Reality in an illusion, by means of which Reality itself appears to us to be no longer anything but an illusion.' Richard Wagner, o'r nodiadau i'w raglen ar gyfer yr opera *Parsifal* yn 1864: codwyd o Edward Braun, *The Director and the Stage* (Llundain: Methuen Drama, 1982), t. 38. Cyfieithiadau Cymraeg gan yr awdur.

[2] Y *Festspielhaus* yn nhref Bayreuth, yng ngogledd Bafaria.

[3] Dywedir mai Leone di Somi (1527–92), yn ei gyfrol *Dialogues on Stage Affairs* (1565), oedd y cyntaf i argymell tywyllu'r awditoriwm.

[4] Mae'n werth nodi hefyd bod gan y golau trydan ei hun, fel y nododd nifer o ddamcaniaethwyr tua dechrau'r ugeinfed ganrif, 'bresenoldeb' o fath priodol ac arwyddocaol iawn; roedd yn weithredol ond yn amhenodol iawn, yn ymwthiol iawn o ran ei effaith, ond ymron yn gwbl anweledig o ran ei ffynhonnell. Roedd yn ddeunydd perffaith ar gyfer mynegi natur y profiad modern yn y theatr.

[5] 'The coordination of expressive means based on an interpretation of the play-text', Braun, *The Director and the Stage*, t. 7.

[6] Ac fe gâi Chronegk ddigon o amser i weithredu ei ddylanwad yntau: er enghraifft, fe gyflwynodd y Meininger eu cynhyrchiad enwog o *Julius Caesar* gan Shakespeare ym mhob dinas yr ymddangosodd y cwmni ynddi – gan gynnwys Llundain, Brwsel, Berlin a Mosgo – rhwng 1874 ac 1891.

[7] 'The distance between several actors must always be different . . . The height of the heads of those who stand next to one another in crowd scenes should be varied. Where appropriate the various individuals should stand on different levels; if the situation permits it, some can kneel, while others stand nearby, some bending forward, others standing upright.' Braun, *The Director and the Stage*, t. 17.

[8] Mae'n werth nodi bod hyn yn wahanol iawn i arferion actor-reolwyr y cenedlaethau blaenorol, a dueddai gyflogi actor ar sail ei *emploi*, sef ei 'fag o driciau' perfformiadol cynhenid.

[9] Gweler, er enghraifft, Bella Merlin, *Konstantin Stanislavsky* (Llundain: Routledge, 2003), tt. 11–12.

[10] Gweler Edward Braun, *Meyerhold on Theatre* (Llundain: Methuen, 1991), t. 66: 'Is life really like this? Is this what Ibsen wrote? Life is not like this, and it is not what Ibsen wrote. *Hedda Gabler* on the dramatic stage is *stylized*.'

[11] Gweler Braun, *The Director and the Stage*, t. 132: 'Bythefnos wedi agoriad y cynhyrchiad, ataliodd yr actor a chwaraeai rôl yr Herald ei berfformiad er mwyn cyhoeddi'r newyddion a dderbyniwyd ddiwrnod ynghynt fod y Fyddin Goch wedi torri drwodd yn fuddugoliaethus i'r Crimea ym Mrwydr Perekop. Wrth i'r gymeradwyaeth ddistewi, clywyd llais unigol yn canu'r ymdeithgan angladd chwyldroadol 'Fel Merthyron y Syrthiasoch' ac fe safodd y gynulleidfa mewn distawrwydd. Yna fe aeth y cyflwyniad ar y llwyfan yn ei flaen. Teimlai Meierhold fod ei ddyheadau mwyaf wedi'u bodloni, ac fe lynwyd at yr arfer o gyflwyno bwletinau ar ddigwyddiadau'r rhyfel.' ('A fortnight after the production had opened, the actor playing the Herald interrupted his performance to deliver the news received the day before that the Red Army had made the decisive break-though into the Crimea at the Battle of Perekop. As the applause died down, a

solo voice began to sing the revolutionary funeral march 'As Martyrs You Fell' and the audience stood in silence. The action on stage then resumed its course. Meyerhold felt that his highest aspirations were gratified, and the practice of inserting bulletins on the progress of the war continued.')

[12] Gweler Ronald Hayman, *Brecht: A Biography* (Efrog Newydd: OUP, 1983), t. 101: 'Ni chyflwynwyd ei Gaveston [ffefryn y brenin Edward yn y ddrama] . . . fel rhywun llechwraidd a chain, ond fel taeog naïf na fedrai achub ei hun o afael sefyllfa beryglus. Roedd Brecht eisoes yn dod o hyd i'r arddull a'r dull o weithio a ddaeth yn gwbl nodweddiadol ohono.' ('His Gaveston . . . did not come across as sly and elegant, but as a naïve peasant, incapable of extricating himself from his dangerous situation. Already Brecht was finding his way towards the style and method of working that were to become distinctively his.')

[13] Hayman, *Brecht: A Biography*, t. 121: 'He had no interest in modernism as such, or even in literature as such. His commitment was to looking at life from underneath.'

[14] Gweler Hayman, *Brecht: A Biography*, tt. 130–6.

[15] Ludwig Flaszen, cyd-gyfarwyddwr Grotowski: 'Inarticulate groans, animal roars, tender folksongs, liturgical chants, dialects, declamation of poetry, everything is there. The sounds are interwoven in a complex score which brings back fleetingly the memory of all forms of language.' Dyfynnwyd yn Jennifer Kumiega, *The Theatre of Grotowski* (Llundain: Methuen, 1985), t. 64.

[16] Sef *Tragiczne Dzieje Doktora Fausta*, yn seiliedig ar ddrama Christopher Marlowe, '*The Tragical History of Doctor Faustus*'; a drama Pedro Calderón de la Barca, *Książę Niełomny* ('*The Constant Prince*'). Gwaith a ddyfeisiwyd gan y cwmni ei hun oedd *Apocalypsis cum Figuris*.

[17] Gweler *Il Principe Constante*, Odinfilm, 1968.

[18] 'I was searching for a positive technique or . . . a certain method of training capable of objectively giving the actor a creative skill . . . The actor no longer asks himself: "How can I do this?" Instead, he must know what *not* to do, what obstructs him . . . This is what I mean by *via negativa*: a process of elimination.' Jerzy Grotowski, *Towards a Poor Theatre* (Llundain: Methuen, 1969), t. 101.

[19] 'In our search for liberation we reach biological chaos. We suffer most from a lack of totality, throwing ourselves away, squandering ourselves.' Ibid.

[20] Neu ISTA – The International School of Theatre Anthropology.

[21] Michael Patterson, *Peter Stein: Germany's Leading Theatre Director* (Caergrawnt: Prifysgol Caergrawnt, 1981), tt. 85–6: 'Machines appear, real machines which can produce something, e.g. Peer Gynt souvenirs, printed material, etc., and which are industriously attended by other worker-actors. The finished product – serial reproductions of Peer Gynt kitsch – will be transported on long conveyor belts and, sealed in transparent packages, will be distributed amongst the audience. The play *Peer Gynt* reduced to a souvenir.'

LLYFRYDDIAETH

Braun, Edward, *Meyerhold on Theatre* (Llundain: Methuen, 1991).
Braun, Edward, *The Director and the Stage* (Llundain: Methuen Drama, 1982).
Grotowski, Jerzy, *Towards a Poor Theatre* (Llundain: Methuen, 1969).
Hayman, Ronald, *Brecht: A Biography* (Efrog Newydd: Gwasg Prifysgol Rhydychen, 1983).
Kumiega, Jennifer, *The Theatre of Grotowski* (Llundain: Methuen, 1985).
Merlin, Bella, *Konstantin Stanislavsky* (Llundain: Routledge, 2003).
Patterson, Michael, *Peter Stein: Germany's Leading Theatre Director* (Caergrawnt: Gwasg Prifysgol Caergrawnt, 1981).

4

DAMCANIAETHAU ACTIO STANISLAFSCI A MEIERHOLD

Lisa Lewis

Roedd Constantin Stanislafsci (1863–1938), a Vsevolod Meierhold (1874–1940), yn actorion, athrawon a chyfarwyddwyr a ddylanwadodd yn fawr ar theatr yr ugeinfed ganrif yn Ewrop a thu hwnt. Er eu bod ill dau yn hanu o'r un cyd-destun theatraidd, cynnyrch tra gwahanol a gafwyd ganddynt, gwahaniaeth sydd i'w ganfod yn glir yn eu hysgrifau ynglŷn â swyddogaeth y theatr, a rôl yr actor yn y weithred theatraidd. Ffocws y bennod hon yw'r ysgrifau hynny a ddaeth yn sylfaen i brif ddamcaniaethau actio'r ugeinfed ganrif.

Erbyn heddiw, cydnabyddir mai'r actor yw prif gyfrwng y cyflwyniad theatraidd. Clymir ynghyd holl arwyddion y llwyfan, megis set, gwisg, sain, golau a symudiad gan weithgaredd yr actor, sy'n arwain ac yn rheoli ymateb y gynulleidfa yn fwy nag unrhyw elfen theatraidd arall. Mae'r actor yn cyfryngu'r digwyddiad theatraidd yn rhinwedd y ffaith ei fod yn ei drawsnewid ei hun mewn gweithgaredd deongliadol, creadigol. Gellir deall actio fel gweithgaredd celfyddydol o'r fath oherwydd y gwaith sylweddol a gyflawnodd Stanislafsci a Meierhold o ddyrchafu statws yr actor yn gyfansoddyn creadigol. Er mwyn cyrraedd safbwynt o'r fath roedd yn rhaid wynebu un o'r problemau sylfaenol yn yr athroniaeth ynglŷn ag actio a'r modd y cynrychiolir ymddygiad dynol ar lwyfan.

Stanislafsci oedd ymarferydd cyntaf yr ugeinfed ganrif i drafod actio yn nhermau problem. Mae ei ddull ymarfer, a ymgorfforir yn ei ysgrifau, *Gwaith yr Actor Arno'i Hun, Rhan 1 a Rhan 2*,[1] yn ymdrech i ddatrys problem sylfaenol yr actor y gellir ei holrhain yn ôl i'r ddeunawfed ganrif a thraethawd yr athronydd Ffrengig Denis Diderot (1713–84), *Paradocs yr Actor* (*Paradoxe sur le comédien*).[2] Yn y ddeialog athronyddol hon mae Diderot yn cadarnhau ei honiad mai'r actor gorau – hynny yw, yr actor a fedrai effeithio fwyaf ar ei gynulleidfa – oedd yr actor a reolai ei deimladau fel ag i *ddynwared* ymddygiad. Mewn safiad yn erbyn synwyrusrwydd a theimladrwydd yn y theatr ac mewn bywyd ceisiodd Diderot ddadlau nad oedd yn rhaid i'r actor brofi'r un teimladau â'i gymeriad er mwyn ennyn teimladau tebyg yn y gynulleidfa, ac yn wir ei fod yn well actor drwy beidio â gwneud hynny. Dyma hanfod 'paradocs' yr actor – mai'r actor sy'n medru portreadu neu daflunio teimlad orau yw'r un nad yw'n 'teimlo' yn ormodol.

Gwyddai Diderot am gymhlethdod cyflwr yr actor ac y gallai'r perfformiwr effeithiol gael ei ysbrydoli gan waith y dramodydd: pe bai synwyrusrwydd yr actor yn drech nag ef ar lwyfan ni fyddai techneg actio yn ddigonol i gynnal perfformiad effeithiol. Yma, byddai synwyrusrwydd afreolus yr actor yn dinistrio'i bortread o'r cymeriad, ac ni fyddai'r ddrama'n cael ei chyflwyno'n effeithiol. Er mwyn cyflwyniad ystyrlon o'r ddrama, rhaid oedd i'r actor fedru rheoli ei deimlad rywfaint er mwyn trosglwyddo'i gymeriad mewn awditoriwm mawr, peth amhosibl pe bai'n colli rheolaeth ar ei deimladau'n llwyr. Nid dadlau yn erbyn teimladrwydd yn gyfan gwbl oedd Diderot. Yn ei drafodaeth ar ei ddrama *Y Mab Naturiol* (*Entretiens sur le Fils naturel*) (1757) dywedodd fod actor yn un â'i deimlad, ond eto, bod rhaid gwahanu natur a chelfyddyd er mwyn sicrhau nad âi geiriau'r actor ar goll.

Y mae *Paradocs yr Actor* yn rhybudd fod angen disgyblaeth a thechneg ar yr actor, ac mae rhesymeg yn chwarae rhan bwysig yn hynny:

> FIRST: I want him to have a lot of judgement, for me there needs to be a cool, calm spectator inside this man, so I demand

sagacity and no feeling, the power to imitate anything. Or, what amounts to the same thing, an equal aptitude for all characters and parts.

SECOND: No feeling!

FIRST: None. . . . If the actor actually felt what he was doing, would it honestly be possible for him to play a part twice running with the same warmth and the same success? He would be full of warmth for the first performance and exhausted and cold as a stone for the third . . . If he's himself when he acts, how will he stop being himself? If he wants to stop being himself, how will he know where the right point is to fix his performance?

What confirms me in my opinion is the unevenness of actors who play from the heart. Don't expect any kind of consistency from them; their performance is alternately strong and weak, hot and cold, dull and brilliant. The bit they do brilliantly today will be the one they muff tomorrow . . . Whereas the actor who acts from the head, from studying human nature, from constantly imitating some ideal model, using his imagination and his memory, will always be the same, unchanged from one performance to the next, always with the same degree of perfection: everything has been measured, thought out, learnt and organized in his head; there's no monotony, nothing out of place in his delivery. The warmth of his performance has its development, it leaps forward, its moments of calm, its beginning, its mean and its extreme . . . He won't vary from day to day: he's a mirror, always ready to picture things and to picture them with the same accuracy, the same power and the same truth.[3]

Nid oes rhyfedd fod *Paradocs yr Actor* wedi gafael yn nychymyg Stanislafsci yn yr union gyfnod (o 1906 ymlaen), y dechreuodd ysgrifennu am ei brofiadau ei hun fel actor. Fel Diderot, credai Stanislafsci fod uniaethu'n sail i brofiad gwirioneddol arwyddocaol yn y theatr. Ond yn wahanol i Diderot roedd yn gofyn am grediniaeth lwyr. Cymerodd yn ganiataol fod pawb yn deall mai esgus oedd natur y weithred theatraidd, ond ceisiodd ddyrchafu'r broses o greu theatr, o strwythuro rhith, yn gelfyddyd y dylid credu ynddi. Nid realiti o safbwynt cynrychiolaeth neu debygolrwydd oedd gan Stanislafsci dan sylw, ond realiti'r gwrthrych celfyddydol.

Gwreiddir realiti llwyfan Stanislafsci yn realiti gweithgaredd yr actor. Dyma oedd hynodrwydd realiti'r llwyfan iddo ef, ac roedd yn wahanol i realiti bywyd bob dydd. Pwysleisiodd fod yn rhaid i'r actor gydnabod y gwrthrychau o'i gwmpas fel pethau ffuglennol, ond roedd yr actor hefyd i gredu yn y llwyfan fel tiriogaeth profiadau go iawn. Rhaid oedd iddo ddangos hygrededd wrth drafod pethau'r llwyfan:

> Truth onstage is what we sincerely believe in our own and in our partners' hearts.
>
> Truth is inseperable from belief, and belief from truth. They cannot exist without each other and without both there can be no experiencing or creative work.
>
> Everything on stage must be convincing for the actor himself, for his fellow actors and for the audience. Everything should inspire belief in the possible existence in real life of feelings analogous to the actor's own. Every moment onstage must be endorsed by belief in the truth of the feelings being experienced and in the truth of the action taking place.[4]

Roedd crediniaeth yn esgor ar gynrychiolaeth o realiti dramataidd ('gwirionedd' yw term Stanislafsci), ond gwirionedd y sefyllfa ddychmygol, hynny yw, gwirionedd byd y cymeriad:

> Decide what is more interesting, more important to you, what is it you want to believe, that the material world of facts and events exists in the theatre and in the play, or that it is the feeling which is born in the actor's heart, stirred by a fiction, that is genuine and true?
>
> That is the truth of feeling we talk about in the theatre. That is the theatrical truth the actor needs in performance. There is no genuine art without truth and belief. And the more real surroundings are onstage, the nearer to nature the actor's experiencing should be.[5]

Ysgrifennodd Stanislafsci ei syniadau am actio ar ffurf trafodaethau ffuglennol rhwng athro a disgybl ar drywydd cwrs actio tair blynedd, ac ynddynt canolbwyntir ar yr actor a'i gyflwr ar lwyfan yn nhermau problem. Deillia'r broblem actio yn rhannol o'r un math o baradocs ag yr ysgrifennodd Diderot amdano, ond mae'n ymwneud hefyd â chred sylfaenol Stanislafsci ynglŷn â swyddogaeth celfyddyd fel cyfrwng profiadau dynol. Ar y llwyfan realaidd mae paradocs yr actor yn cael ei ddwysáu, a daw'r gwahaniaeth rhwng teimlo a pheidio â theimlo yn fwy amlwg, oherwydd po fwyaf y tebygolrwydd ymddangosiadol, yr agosaf at deimladau go iawn mae perfformiad yr actor. Cymhlethir hyn ymhellach gan dyndra sy'n deillio o berfformio ar lwyfan realaidd, sy'n ymddangos fel rhwyg yn ymwybyddiaeth yr actor rhwng cyflwyno *i*'r gynulleidfa, a cheisio amlygu perthynas *gyda*'i gyd-actor(ion). Mewn cyflwyniad realaidd gwneir pob ymdrech i anwybyddu'r tyndra hwn a'i guddio, er mwyn creu darlun credadwy o fywyd.

Aeth Stanislafsci ati i archwilio'r tyndra hwn gyda'r bwriad o'i oresgyn. Strwythurodd broses waith baratoadol i'r actor a fyddai'n caniatáu iddo guddio'r ffaith ei fod yn perfformio, ond a fyddai ar yr un pryd yn meithrin sgiliau perfformio a wnâi i'r actor ymddangos yn ddidwyll ei berfformiad, er mwyn cyflwyno'r hyn a alwai'n 'wirionedd' y cymeriad dramataidd.

Colyn neu hanfod y tyndra oedd y ffaith fod gofyn i'r actor brofi teimladau ei gymeriad fel pe bai'n eu profi ei hun. Ni allai Stanislafsci ddianc rhag y broblem hon oherwydd iddo ef roedd theatr yn seiliedig ar *brofi* – pe bai'r actor yn profi, byddai'r gynulleidfa yn profi hefyd, ar sail cadwyn o ymatebion emosiynol. Profi (*Perezhivanie*) yw'r term a ddefnyddiai Stanislafsci yn ei ysgrifau i ddisgrifio'r hyn a wna'r actor yn ystod y cyfnod ymarfer, a dyma sy'n cyfiawnhau galw'r actor yn artist, am fod celfyddyd yr artist yn dibynnu ar gyfraniad unigryw – ac ar ei allu i brofi ac i drosglwyddo'r 'profiad' hwnnw. Dyma hefyd sut y byddai'r actor yn cyfryngu teimladau 'newydd' ym mhob perfformiad, drwy brofi o'r newydd bob tro, fel petai. Ond gwyddai Stanislafsci hefyd, ar sail ei brofiad fel actor, nad yw'r actor yn gallu rheoli ei ymddygiad yn llwyr, gan fod teimladau, deisyfiadau a syniadau yn anodd eu rheoli, ac nad yw'n bosibl diystyru eu heffaith ar y corff yn ystod y weithred o berfformio. Ar y naill law felly, roedd Stanislafsci yn ddigon o ramantydd i geisio theatr o brofiad a synwyrusrwydd, ond ar y llaw arall, yn ddigon o ymarferydd profiadol i ddeall bod yn rhaid wrth dechneg gyson a rheoledig.

Mewn ymgais i ddatrys y tyndra hwn pwysleisiodd Stanislafsci ddau gyflwr amseryddol, sef y cyfnod ymarfer (lle 'crëir' y cymeriad) a'r cyfnod perfformio (lle mae'r actor yn cyflwyno'r cymeriad a 'grëwyd' ganddo drwy gyfrwng ei deimladau ei hun). Fel yma, cyflwynodd y cysyniad o'r gelfyddyd actio fel proses sy'n digwydd yn ystod y cyfnod o gyfansoddi'r cynhyrchiad yn ei gyfanrwydd, yn ystod y broses ymarfer ac yn ystod y perfformiad. O ganlyniad, mae actor Stanislafsci yn artist sy'n creu ac yn wrthrych celfyddydol ar yr un pryd.

Gan ystyried y ddeuoliaeth hon yng nghyd-destun y cyfnod ymarfer fel proses greu, casglodd bod modd i'r actor oresgyn y gwahaniaeth rhyngddo ef ei hun â'r cymeriad dros amser. Daeth y gwahaniaeth rhwng actor a chymeriad yn egwyddor ddefnyddiol yn y broses greu – ac fe'i gosodwyd yn gonglfaen i adeiladu strwythur gweithgaredd yr actor. Yn ystod y cyfnod ymarfer prif amcan actor Stanislafsci yw canfod problem (*zadacha*) y cymeriad, a'r gweithgaredd (*deistvie*) dramataidd sy'n ei datrys.[6] Wrth geisio canfod 'problem' ei gymeriad mae'r actor yn darganfod ei 'weithgaredd', a'r gweithgaredd hwn yw sylfaen y ddrama, a sylfaen gweithgaredd llythrennol yr actor ar lwyfan. Gwrthododd Stanislafsci ddefnyddio'r term *igrat*, y gair traddodiadol am actio, am ei fod yn awgrymu ymddygiad ffug, gan ddefnyddio *deistvovat* ('gweithredu') a awgrymai'r rheidrwydd i gyflawni gweithred go iawn.[7]

Oherwydd y pwyslais ar ganfod gweithgaredd yr actor dros amser disgrifiodd Stanislafsci y cyfnod creadigol yn ei gyfanrwydd (o ddechrau'r cyfnod ymarfer hyd at ddiwedd y cyfnod perfformio) yn nhermau 'adeiladu cymeriad'. Mae'r cymeriad a gyflwynir ar lwyfan yn ganlyniad i brofiadau'r actor ei hun a phatrymau ymddygiadol y cymeriad dramataidd a ymgorfforir yn neialog a gweithgaredd y ddrama; tasg yr actor yw asio'r ddau beth hyn yn ystod y cyfnod ymarfer, sy'n cynnwys ymarferion sy'n ddibynnol ar deimladrwydd yr actor ond sydd hefyd yn ei ddysgu i reoli ei ymatebiadau. Ar y cyfan, mae'r cyfnod ymarfer yn gyfnod o ymchwilio emosiynol a meistroli drachefn, tra bod y cyfnod perfformio yn un o ryddhau teimladau a brofwyd trwy gyfrwng y cof yn ystod y broses ymarfer, y tu mewn i strwythur gweithgaredd y ddrama. I Stanislafsci roedd cyflwr yr actor ar lwyfan yn cynnwys dwy elfen: ei *brofiad* yn ystod y broses greu, a'r broses o *brofi* ar lwyfan yn ystod y perfformiad ei hun.

Yn dilyn yr athroniaeth gyffredinol hon darganfu Stanislafsci ddwy brif ffordd o geisio datrys y broblem actio, gan ddisgrifio'r naill yn gymeriadu 'ymwybodol' a'r llall yn 'anymwybodol', ac mae'r naill ddull a'r llall yn perthyn i gyfnodau gwahanol yn ei yrfa.

1. CYMERIADU YMWYBODOL (1906–1915)

Yn y dull hwn gwreiddir holl weithgaredd yr actor yn y ddrama. Roedd 'profi' cymeriad yn dibynnu ar adnabod y cymeriad yn drwyadl, ac roedd clymu pob ymateb wrth y testun dramataidd yn sicrhau nad âi'r broses o uniaethu ac ymdeimlo â'r cymeriad yn fenter heb reolaeth. Roedd y broses o brofi yn cael ei chysylltu â'r strwythur dramataidd a berfformid:

> So analysis proceeds from the formal, written text, which is accessible to our conscious mind, to its essence, which the writer has embodied in his work: and which, for the most part, is only accesible to the unconscious. We go from the periphery to the centre, from words to meaning. And thus we come to know (feel) the circumstances the writer proposes, so that, thereafter, we can feel (know) the truth of the passions or, at least, emotions, that seem true in a living situation. We can go from another man's fiction to living, genuine, personal feeling.[8]

Credai Stanislafsci y byddai'r actor sy'n chwilio am atebion i gwestiynau am y cymeriad yn darganfod 'amgylchiadau rhoddedig' (*predlagaemye obstoiatelstva*) y ddrama.[9] Defnyddiai gwestiynau am y cymeriad er mwyn datgelu i'r actor ei anwybodaeth am fywyd y cymeriad, ac er mwyn dangos i'r actor y gwahaniaeth rhyngddo'i hun a'r cymeriad. Rhydd yr atebion ddarlun i'r actor sy'n cynnwys mwy na'r wybodaeth a gynhelir yn yr atebion fesul un. Hynny yw, mae'r wybodaeth a grëir yn fwy na datgeliad, mae'n sylfaen ar gyfer adnabod y cymeriad a'i gymharu â'r hunan mewn proses o ddehongli creadigol.

Gosodai'r dull dadansoddol y cymeriad yng nghyd-destun amser y ddrama (y presennol mae'r actor yn ei brofi 'nawr' yn yr ennyd ar lwyfan, a hefyd ei ymwybyddiaeth o ddyfodol y cymeriad). Drwy rannu'r testun yn fwy nag un 'darn' (*Kusok*) o amser ag iddo arwydd-ocâd gweithredol, trefnid cyfres resymegol o weithrediadau, sy'n arwain yng nghwrs y ddrama at 'brif broblem' (*Sverkhverkhzadacha*) y cymeriad, sef ei brif ddeisyfiad. Y 'prif broblem' sy'n dylanwadu ar y cymeriad trwy gydol y ddrama, ac sy'n dweud wrth yr actor sut y dylai chwarae'r rôl yn ei chyfanrwydd.

Ymdrech oedd hyn oll i gynnal crediniaeth ac ar yr un pryd i ffrwyno teimladrwydd yr actor drwy gyfrwng digwyddiadau'r ddrama. Gwyddai Stanislafsci, fodd bynnag, fod yn rhaid archwilio emosiwn dynol fel ffenomen er mwyn deall sut yn union y gellid ei reoli. Trodd felly at waith seicolegwyr a arbrofodd â'r cysyniad o deimlad ac ymatebiad a chymerodd un o brif syniadau'r seicolegydd Ffrengig Théodule Ribot (1839–1916), ynghylch cof affeithiol.[10] Rhannodd Ribot 'gof affeithiol' yn ddau fath – atgofion 'diriaethol' (o emosiwn) sy'n ymwneud â'r holl unigolyn seicogorfforol, ac atgofion 'haniaethol'. Caiff cof 'diriaethol' ei deimlo gan yr holl gorff mor sicr â'r emosiwn gwreiddiol, ac nid yw unrhyw atgof na phrofir yn y modd hwnnw'n ddim mwy na chyflwr meddyliol. O ganlyniad, rhaid casglu nad yw'r cof haniaethol, er mor real o ran ei deimlo, yn ddim mwy na theimlad ffug. Ar sail ei dystiolaeth sylwodd Ribot bod atgofion o emosiwn yn bodoli, ond bod hwn yn brofiad prin iawn. Sylwodd hefyd fod cyfranogwyr ei arbrofion yn camgymryd atgofion haniaethol fel rhai diriaethol. Galwodd unigolion a fedrai gofio'n fanwl yn 'deipiau affeithiol', tra bod y mwyafrif llethol yn arddangos ychydig iawn o allu i gofio'n affeithiol a hynny am fod rhaid anghofio er mwyn delio â phrofiadau sylfaenol bywyd. Casglodd Ribot fod cof affeithiol yn brin iawn yn achos y rhan fwyaf o bobl. Yn nhŷb Stanislafsci roedd yr actor llwyddiannus yn un o deipiau affeithiol Ribot, a defnyddiodd y gair *chuvstva* (teimladau) i ddynodi'r math hwn o gofio yn yr actor.[11]

Mae'n amlwg fod y dull rhesymegol, dadansoddol o weithio ar gymeriad yn gallu bod yn anghymarus â'r profiad hwnnw o deimlo gwirioneddol a'i gyflwyno drachefn i'r gynulleidfa fel petai'n cael ei brofi am y tro cyntaf. Dyma amhosibilrwydd paradocs yr actor, ac ni allai'r ffordd ymwybodol o weithio ond leddfu rywfaint ar y tyndra. Yn ddiweddarach yn ei yrfa cydnabu Stanislafsci yr hyn a wyddai ers tro – bod gweithio drwy'r corff yn gallu arwain at brofiad gwirioneddol sydd gystal os nad yn well na gweithio'n ddadansoddol. Aeth ati i weithio ar dechneg gorfforol a elwid ganddo'n ddull 'anymwybodol', lle y byddai'r actor yn defnyddio ysgogiadau corfforol er mwyn creu profiad(au) personol.

2. CYMERIADU ANYMWYBODOL (1916–1937)

Yn gynnar yn ei yrfa, darganfu Stanislafsci fod dynwarediad corfforol yn gallu arwain at deimlad: 'Sometimes it is possible to arrive at the inner characteristics of a part by way of its outer characteristics'.[12] Roedd symudiadau corfforol yn haws eu rheoli a'u hailadrodd mewn cyfres o berfformiadau, ac yn hyn o beth, gwyddai Stanislafsci fod y corff yn haws ei ddisgyblu na'r teimladau:

> We cannot set feeling; we can only set physical action . . . if your feelings dry up, there is no cause for alarm; simply return to physical actions and these will restore your lost feelings.[13]

Yn ddiweddarach yn ei yrfa cydnabu ragoriaeth gwaith somataidd a'r ffaith ei fod yn gallu creu profiad lle nad oedd un yn bodoli o'r blaen. Sail syniadaeth Stanislafsci yma yw'r cysyniad y gall gweithgaredd corfforol symbylu profiad, a bod y ddrama fel strwythur yn cynnig i'r actor gyfres o symudiadau gweithredol yn ogystal â geiriau. Yr amcan oedd peri bod yr actor yn sylweddoli'r angen i weithredu drwy gydol ei amser ar lwyfan, hyd yn oed pan yw'n llonydd, drwy gyflwyno'r fath adegau mewn termau 'gweithredol':[14]

> Usually stage action implies something false and external. It is common to think that a work is rich in stage action, when people come and go, marry, divorce, kill or threaten others, when the plot is tight. That is a nonsense.
>
> Stage action is not a matter of coming on, moving about, waving one's arms, etc. It is not a question of legs and body but of inner

> movement, endeavour. So, let us understand 'action', once and for all, not as facial expression, not as histrionic expression, not as histrionic representation, not as external but as internal, not as physical but as *psychological*. This arises out of an unbroken series of states of mind, phases, moments, etc. Each of them, in turn, is made up of wishes, endeavours and urges or inner impulses to action to achieve an appointed goal.[15]

Datblygodd Stanislafsci'r cysyniad o 'ddadansoddi gweithredol' ac ymarferion 'gweithgaredd corfforol' er mwyn i'r actor gymryd rhan mewn modd llawer mwy ymwybodol, ac yn yr arbrofion diweddar trosglwyddwyd llawer o'r cyfrifoldeb deongliadol i'r actor. Rhoddai hyn ryddid i'r actor ddehongli a strwythuro'r digwydd llwyfan mewn modd newydd, a oedd yn syniadaeth flaengar.

Mewn ysgrif ar berfformio *Othello*, a ysgrifennodd rhwng 1930 ac 1932, disgrifiodd y dasg o lunio sgôr syml o weithgareddau corfforol:

> This score, or line, which you should follow must be simple. It should attract by its simplicity. A complex psychological line with all its subtleties and nuances would only confuse you. Mine is a very simple line of physical and elementary psychological tasks and actions. So as not to frighten feeling let us call this line the plan of the physical tasks and actions but, as we are acting, do only take it for what it is, but, as a preliminary, once and for all let us agree that the hidden essence does not lie in the physical tasks but in the psychological refinement, nine-tenths of which consists in subconscious feeling. You cannot dip your hand into the sack of the subconscious and rummage about. The subconscious has to be approached differently.[16]

Yn ei ysgrifau olaf dyrchefir dadansoddiad gweithredol uwchlaw dadansoddiad affeithiol; roedd techneg y corff yn bwysicach na theimladrwydd. Gofynnai Stanislafsci i'r actor fod yn weithredol ar lwyfan drwy gyfrwng gwaith byrfyfyr, gan osgoi'r angen i daflunio'r hyn a welai yn ei ddychymyg i realiti diriaethol y llwyfan. Yn hytrach na dychmygu cerdded drwy leoliad, gallai'r actor gerdded drwy'r gofod ymarfer fel pe bai'n amgylchfyd i'r cymeriad, ac yn hytrach na dibynnu ar ffantasi bersonol, gallai sefydlu sefyllfa ddiriaethol, gorfforol, gyda'i gydactorion. Canfu fod gwaith byrfyfyr o'r fath yn gwneud gwaith yr actor yn fwy presennol ac uniongyrchol; allanolwyd profiad mewnol yr actor trwy gyfrwng ei weithgaredd. Drwy symud yn y gofod yn ystod y broses ymarfer gynnar crewyd realiti corfforol i'r actor a'i alluogai i sefydlu llif rhesymegol y gweithgareddau ar lwyfan. Roedd hyn yn wahanol i'r gwaith dychmygu a fu'n gymorth i'r actor fyfyrio ar ddigwyddiadau penodol, ac a greai linell weithredol ddarniog drwy'r ddrama. Drwy weithio'n gorfforol, gallai'r actor ddadansoddi'r manylion lleiaf, a'r symlaf, sy'n cyfrannu at y gweithgareddau mwyaf cymhleth.

Arbrofodd Stanislafsci â'r cysyniad o weithgareddau corfforol mewn cyfnod ar ddechrau'r 1930au pan oedd Meierhold eisoes wedi sefydlu nifer o'i egwyddorion theatraidd chwyldroadol ac wedi cyhoeddi llawer ar swyddogaeth yr actor a Biomecaneg, ei ddull corfforol o ymarfer. Nid oedd ymdrechion Stanislafsci i ddatrys problem yr actor trwy gyfrwng gwaith corfforol yn ddatrysiad o gwbl – gwadwyd hynny gan gynsail realaidd ei weledigaeth theatraidd.

Ond er na lwyddodd i ddatrys paradocs yr actor gwelir yng ngwaith Stanislafsci ymdrech i ddyrchafu'r actor yn rym creadigol llawn oddi mewn i'r weithred theatraidd. Yn ei dro, esgorodd hyn ar rai o dechnegau a syniadaethau mwyaf arbrofol yr ugeinfed ganrif, yn arbennig o safbwynt perfformio ffilm. Trwy gyfrwng ei ddisgyblion yn yr Unol Daleithiau datblygodd ei syniadau yn sylfaen actio method (yng ngwaith Lee Strasberg (1901–82), Stella Adler (1901–92), Robert Lewis (1909–97), ac eraill). Ond gellir olrhain trywydd tra gwahanol i ddamcaniaethau Stanislafsci yn y theatr. Penllanw ystyried yr actor yn golyn ac yn darddle'r digwyddiad theatraidd yw gwaith a syniadaeth Jerzy Grotowski (1933–99), ymhlith nifer, sy'n ystyried y weithred theatraidd yn allanoliad diriaethol o drafferthion mewnol neu 'eneidiol' yr actor fel unigolyn yn y byd – gweledigaeth theatraidd sydd, yn yr enghraifft hon, yn symud yn bell oddi wrth wreiddiau theatraidd Stanislafsci.

Gellir dweud bod Meierhold, ar y llaw arall, yn fwy tebygol o ddatrys paradocs yr actor a hynny am iddo geisio ailddiffinio swyddogaeth yr actor yn gyfan gwbl, a oedd mewn ffordd yn cael gwared â seiliau'r broblem. Haeriad Meierhold oedd bod cyflwr emosiynol yr actor, ac yn wir, ei ymwybyddiaeth, yn amherthnasol i'w weithgaredd ar lwyfan, oherwydd yn y theatr a ddeisyfai Meierhold, *corff* yr actor oedd prif gyfrwng cyfleu arwyddion. Yn y theatr hon, a dynnai ar agweddau hynafol y weithred theatraidd ac ar ei helfennau 'gwreiddiol', digwyddai'r profiad theatraidd rywle rhwng corff yr actor a'r gwyliwr: 'Ymbellhaodd y ddrama oddi wrth ei man cychwyn cymdeithasol a chrefyddol; cafodd y gynulleidfa ei dieithrio gan ei gwrthrychedd; ac nid yw'r llwyfan bellach yn dylanwadu nac yn gweddnewid.'[17] Roedd gallu'r actor i dreiddio i'w brofiadau ei hunan a'u defnyddio yn gwbl amherthnasol ar gyfer theatr o'r fath.

3. YMWRTHOD Â'R THEATR RITHIOL (1906–1923)[18]

Tua 1905 ysgrifennodd Meierhold am ei syniadau ynghylch y theatr arddulliedig.[19]

Credai Meierhold fod theatr naturiolaidd yn cynrychioli penllanw'r trawsffurfiad o'r theatr glasurol, unedig (a'i ddelfryd y theatr Roegaidd) i'r theatr ddomestig (gartrefol), breifat:

> Yn nhreigl y canrifoedd ymrannai'r Theatr Roegaidd yn fwy ac yn fwy mân, a'r Theatr Gartrefol yw un o'r manion eithaf, yr agwedd ddiwethaf i ddatblygu ohoni. Holltwyd ein theatr ni'n Drasiedi a Chomedi, ond roedd theatr y Groegiaid yn unedig. Ofnaf fod ymrannu'r Theatr Unedig yn Theatrau Cartrefol yn rhwystro dadeni'r Theatr Werinol, y Theatr Ddefod a'r Theatr Ŵyl.[20]

Yn nhŷb Meierhold, nid damwain oedd yr adwaith yn erbyn y theatr ddomestig, a oedd yn atal 'aileni' y 'theatr wirioneddol ddramataidd, y theatr ddygwyl',[21] ond canlyniad esblygiad hanesyddol. Fel y gwelai Meierhold bethau, roedd y theatrau arbrofol a'u cyfarwyddwyr yn ceisio creu theatr arddulliedig er mwyn atal difodiant theatr wirioneddol. Her y theatr arddulliedig oedd ymwrthod â thechnegau'r theatr rithiol:

> Drwy ddefnyddio plastigrwydd cerflun, gall (theatr arddulliedig) gryfhau'r argraff a wneir gan rai grwpiau ar gof y gynulleidfa . . . Nid yw'r Theatr Ffurfiol yn ymgyrraedd at yr amrywiaeth sefyllfaoedd

> sy'n gyffredin yn Theatr Naturiolaeth – gyda chyfoeth o olygfeydd gwahanol yn creu calidosgôp o dabloau gwib.[22]

Roedd y fath fenter yn gofyn am ailddiffinio perthynas yr actor a'r *mise-en-scène* fel y'i diffiniwyd gan y realwyr, drwy ddiddymu'r goleuadau troed, drwy gyflwyno dull actio rhythmig, a thrwy annog ymwneud y gwyliwr â'r digwydd. I Meierhold, byddai hyn gam yn agosach at y theatr Roegaidd glasurol.[23]

Galwodd Meierhold actio naturiolaidd yn 'ailymgnawdoliad' am ei fod yn gofyn am allu i ddynwared. Nid oedd hyn yn gysylltiedig ag egwyddor hollbwysig Meierhold, sef hyblygrwydd corfforol (*plastika*) yr actor. Erbyn 1910 beirniadodd yr hyn a alwai yn 'actor ysbrydoledig', delfryd Stanislafsci, oherwydd nad yw'r actor hwn yn fodlon dibynnu ar dechneg, ac am ei fod yn honni iddo ailddarganfod gwaith byrfyfyr yn y theatr:

> The inspirational actor totally rejects technique of any kind. 'Technique hinders creative freedom' is what he says. For him the only valid moment is the moment of unconscious creativity born of the emotions. If such a moment comes, he succeeds; if not, he fails.[24]

Yn ôl Meierhold, nid mater mympwyol yw gwaith byrfyfyr, ond gwaith a seilir ar dechneg, fel yn achos y *Commedia dell'arte*.[25] Ac yn ei ysgrif 'Y Stondin Ffair' (1912–13), archwiliodd y syniad bod emosiwn yn effeithio ar hunanddisgyblaeth yr actor, a daeth i'r casgliad nad yw emosiwn a rheolaeth yn anghymarus gan gyfeirio eto at fodel y theatr Roegaidd: am ddynion yn dawnsio symudiadau hyblyg o gylch allor Dionysiws, eu hemosiwn yn danbaid, ond y ddefod mor rhythmig a rheoledig â phosibl.[26]

Y gallu i beri cyflwr o gyffro yn y gwyliwr oedd craidd celfyddyd yr actor yn y theatr hon. Credai Meierhold fod perfformiad corfforol yn medru creu 'pwyntiau' o gyffro, ac ymhlyg yn y pwyntiau hyn roedd rhyw fath o arwyddocâd emosiynol. Roedd actor Meierhold yn effeithio ar ei gynulleidfa mewn termau emosiynol, ond drwy ufudd-hau i batrwm o ragofynion corfforol:

> There is a whole range of questions to which psychology is incapable of supplying the answers. A theatre built on psychological

> foundations is as certain to collapse as a house built on sand. On the other hand, a theatre which relies on *physical elements* is at very least assured of clarity. All psychological states are determined by specific physiological processes. By correctly resolving this state physically, the actor reaches the point where he experiences *excitation* which communicates itself to the spectator and induces him to share in the actor's performance: what we used to call 'gripping' the spectator.[27]

Yn ei draethawd 'Ar Hanes a Thechneg y Theatr' a ysgrifennodd yn 1906/7, disgrifiodd Meierhold wreiddiau a datblygiad y theatr arddulliedig, a phwysleisiodd droeon allu'r gwyliwr i ddefnyddio'i ddychymyg i gyfrannu at yr hyn a welir ganddo ar lwyfan, egwyddor a oedd wrth wreiddyn y theatr hon. Yn hyn o beth roedd Meierhold wedi cymryd un o egwyddorion theatr Stanislafsci, sef cyfranogiad y gwyliwr, a'i wyrdroi, fel bod y gwyliwr nawr yn berson a fyddai'n *creu*'r celfyddydwaith gyda'r actor.

Ceisiodd esbonio hyn mewn ysgrif arall yn 1907, 'Y Theatr Ffurfiolaidd: Cynigion Cyntaf', lle nododd bedair elfen sylfaenol yn y theatr – yr awdur, y cyfarwyddwr, yr actor, a'r gwyliwr, ac awgrymodd mai'r modd y diffinnir y berthynas rhyngddynt sy'n gyfrifol am greu amodau gwahanol fathau o theatr. Cymharodd ddau fodel theatraidd, a dwy swyddogaeth i'r actor yng nghyd-destun yr elfennau hyn. Lluniodd y model cyntaf ar ffurf triongl gan osod y cyfarwyddwr ar ei ben uchaf, a'r awdur a'r actor ar y gwaelod. Gosododd y gwyliwr uwchben y cyfarwyddwr ar y copa uchaf, am fod y gwyliwr yn deall creadigaeth yr actor a'r awdur drwy gyfrwng creadigaeth y cyfarwyddwr, fel hyn:

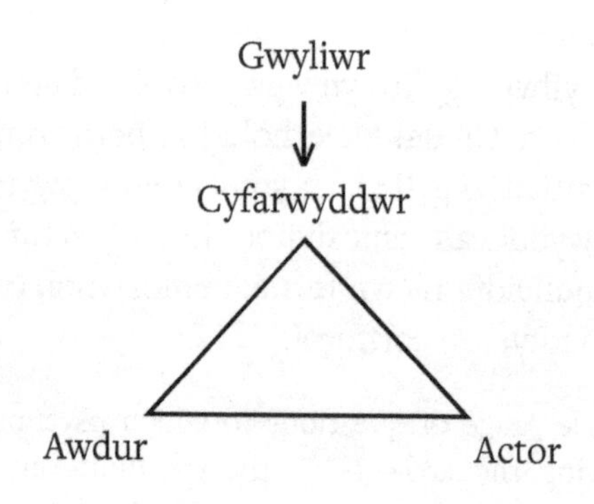

Lluniodd yr ail fodel ar ffurf llinell lorweddol, gyda'r pedair elfen theatraidd (awdur, cyfarwyddwr, actor, a gwyliwr) wedi'u marcio o'r chwith i'r dde ar hyd y llinell. Yn y theatr hon mae'r actor yn 'cyfarfod' â'r gwyliwr ar bwynt ar y llinell; dyma'r pwynt lle y bydd yr actor yn 'datgelu ei enaid' i'r gwyliwr, wedi iddo gymathu creadigaeth y cyfarwyddwr, sydd yn ei dro wedi cymathu creadigaeth yr awdur. Yma, bydd ymwybyddiaeth o gydrannu a chymuno yn y cyfarfyddiad rhwng actor a gwyliwr, gyda'r naill a'r llall yn cyfranogi:

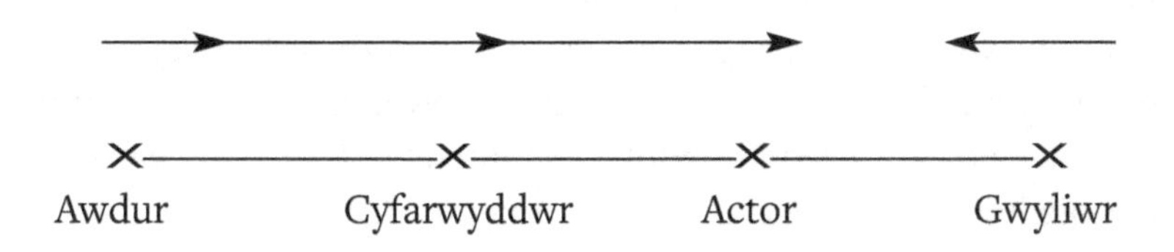

Yn ôl Meierhold, yn y model cyntaf (y triongl), byddai'r cyfarwyddwr yn esbonio'i *mise-en-scène* yn fanwl, ac yn disgrifio'r cymeriadau fel y'u gwelai ac, yn dilyn hynny, ymarferir y ddrama nes cyflawni canfyddiad y cyfarwyddwr. Credai Meierhold fod actor a ddilynai'r broses waith hon yn colli ei unigolyddiaeth am ei fod yn ysglyfaeth i ddehongliad y cyfarwyddwr. Trwy gyfrwng yr actor ei hun yn unig roedd modd effeithio ar y gwyliwr: 'Gall yr actor gyffwrdd â'r gynulleidfa yn unig os gall gymathu ysbryd yr awdur a'r cyfarwyddwr a gadael i'w enaid ei hun ymagor wedyn ar y llwyfan'.[28]

Yn theatr y llinell syth, mae'r cyfarwyddwr wedi cymathu syniadaeth yr awdur, ac yn cyfleu ei ddehongliad ei hun i'r actor. Byddai'r actor, ar ôl cymathu syniadaeth yr awdur (drwy gyfrwng y cyfarwyddwr), yn sefyll '*wyneb yn wyneb* â'r gynulleidfa, gan adael i'w ysbryd ymagor *mewn rhyddid*,' a, thrwy hynny, dwyseir y 'berthynas rhwng y ddwy elfen sylfaenol yn y theatr, yr actor a'r gynulleidfa'.[29] Er mwyn atal 'y llinell' rhag plygu (a gwyro'r broses), rhaid i'r cyfarwyddwr aros yn brif ladmerydd arddull y cynhyrchiad, ond erys celfyddyd yr actor yn *rhydd*: 'Cymell hyn y gynulleidfa i ddirnad yr awdur a'r cyfarwyddwr drwy brism gwaith creadigol yr actor. *Celfyddyd yr actor yw'r theatr*'.[30]

Yn yr erthygl hon hefyd mae Meierhold yn cyhoeddi'r angen am ffordd newydd o berfformio nad yw'n dibynnu ar y gair yn unig:

> Pe na byddai angen dim mwy na'r *gair llafar* i fynegi hanfod trasiedi, mae'n sicr ddigon y gallai unrhyw un fod yn actor. Nid ydys, o angenrheidrwydd, yn *dweud* dim, wrth draethu geiriau, hyd yn oed os traethir hwy'n dda. Gwelir bod angen cyfrwng newydd i fynegi'r hyn sy'n anrhaethol a datguddio'r hyn sy'n gudd.[31]

Eto, ymddengys y gair 'hyblyg' (*plastika*): 'yr hyn sydd gennyf mewn golwg yn awr yw *plastigrwydd nad yw'n cyfateb i'r geiriau llafar.*'[32] Nid oedd y syniad hwn ynddo'i hun yn beth newydd, ond roedd y modd o'i gyflwyno yn chwyldroadol. Esboniodd Meierhold na ddylai symudiad o reidrwydd gyd-ddigwydd neu gyd-fynd â'r gair a leferir, ymadawiad sylfaenol oddi wrth sylfaen holl system actio Stanislafsci, lle'r oedd gair a symudiad ill dau wedi eu hasio gan gymhelliad y cymeriad ar y pryd, ac yn adlewyrchiad gwrthrychol o gymeriad. Yn wir, yn namcaniaeth Stanislafsci mae perthynas annatod rhwng gair a gweithred, ac mae'r ymarferion a luniodd yn fodd o gyrraedd ac atgyfnerthu'r berthynas honno. I Stanislafsci, dylai'r actor ymddangos fel person byw sy'n gweithredu ac yn llefaru mewn undod di-dor, hynny yw, heb rwygiadau rhwng yr hyn a ddywedir ac a wneir. Gŵyr pawb sy'n ymarfer y theatr fod hyn yn beth a gyrhaeddir drwy'r cyfnod ymarfer, gan nad yw testun dramataidd yn datgan sut y dylid symud ar lwyfan trwy gydol y ddrama. Roedd Meierhold, fodd bynnag, am ddinoethi'r broses o greu strwythur perfformiadol, er mwyn dangos peirianwaith mewnol y ddrama, a'r sefyllfa ar lwyfan. Hynny yw, roedd am ddangos theatr yn digwydd.

Bwriad Meierhold oedd galluogi'r actor i symud mewn ffordd a alluogai'r gwyliwr i glywed y ddeialog a threiddio i'r 'ddeialog *fewnol*'.[33] I Meierhold, symudiad, gan gynnwys ystumiau, seibiau ac edrychiadau yw hanfod perthnasau dynol, ac roedd rhaid wrth batrwm o symud ar lwyfan fel bod y gwyliwr yn cael cyfle i weld a deall teimladau'r cymeriadau yng nghyd-destun eu perthnasau. Credai Meierhold y byddai hyn yn symbylu'r gwyliwr i fod yn sylwgar ac yn effro.

Yn Theatr Meierhold daeth 'y ffin' rhwng y llwyfan a'r gynulleidfa yn fan a groeswyd yn gyson gan actorion a fyddai'n cydnabod presenoldeb y gynulleidfa drwy gyflwyno'r perfformiad tuag atynt yn uniongyrchol. Er mwyn i'r actor gamu i flaen y llwyfan ac annog ymwneud gweithredol y gynulleidfa yn y gwaith, gwyddai Meierhold bod yn rhaid dyfeisio *mise-en-scène* i gydweddu â hynny. Roedd llwyfan bwa proseniwm a ddyfeisiwyd er mwyn creu darlun addurniedig yn annerbyniol: roedd angen *mise-en-scène* a fyddai'n hyrwyddo ymyrraeth gynulleidfaol, a chydadwaith perfformiwr â'r gynulleidfa:

> The greatest obstacle is the flat surface of the stage. If only one could mould it like a sculptor moulds his clay, the broad expanse of floor could be transformed into a compact series of surfaces on varying levels. Lines would be broken up, characters could be grouped more closely in delicate curves, beautiful chiaroscuro effects could be achieved.[34]

Cafodd wared â phopeth o'r gofod theatraidd a'i ddiffiniai mewn modd confensiynol – ffrâm y llwyfan (bwa proseniwm), y fflatiau ar ochr y llwyfan, a'r llen. Roedd hyn yn ganolog i'w ddamcaniaeth sylfaenol ar swyddogaeth y theatr a lle'r actor ynddi. Ar gyfer bron pob cynhyrchiad, esblygodd siâp newydd i'r gofod. Defnyddiai gefnlen yn achlysurol, ond fel rheol fe ddinoethai wal friciau cefn y theatr. Yn y gofod gwag hwn gosododd strwythurau megis sgaffald neu adeiladwaith bren a fyddai'n symud (er enghraifft *Y Cwcwallt Mawreddog*, 1922[35]), y math o ofod theatraidd a ddisgrifiwyd gan André Van Gyseghem (1906–79), yn y 1930au yn 'ofod-gweithredu' yn hytrach na llwyfan.[36] Beth bynnag y defnydd o'r gofod yn y cynhyrchiad dan sylw, diddymodd Meierhold ffrâm y bwa proseniwm yn ddi-ffael, oblegid dyma'r confensiwn a wahanai fyd y ddrama oddi wrth fyd y gynulleidfa.

Datblygodd Meierhold ddyfeisiau i annog y gynulleidfa i ymateb yn ystod y perfformiad. Yn aml, fel yn achos *Les Aubes* (*Y Wawr*) gan Emile Verhaeren (1855–1916), gadawyd golau'r awditoriwm ynghynn, mewn ymgais i ddiddymu diogelwch cysurus y gwyliwr ac unrhyw bosibilrwydd o dderbyniad hawdd o'r ddrama.[37] Yn bwysicach, efallai, diddymodd y defnydd o'r llen flaen yn gyfan gwbl gan gyhoeddi o ddechrau'r digwyddiad theatraidd, o'r eiliad y deuai'r gynulleidfa i mewn, nad gofod ar wahân neu diriogaeth bellenig oedd y llwyfan a'r hyn a gynrychiolir ganddo.[38] Drwy gael gwared â goleuadau troed blaen y llwyfan hefyd, roedd yn diffinio swyddogaeth gymdeithasol a chwyldroadol i'r theatr, oblegid canlyniad y pwyslais hwn ar flaen y llwyfan oedd dinistrio'r gwrthbwyntio rhwng y gwyliwr a'r gwrthrych yr edrychid arno.[39] Gweithiai naturiolaeth yn galed i gadw'r naill ochr oddi wrth y llall; roedd Meierhold yn awr yn gwneud pob ymdrech i darfu ar y berthynas gonfensiynol rhwng gwyliwr a gwrthrych. Roedd hyn yn gorfodi'r gwyliwr i gael ei gynnwys yn y digwydd theatraidd mewn ffordd newydd. Ffurfiwyd perthynas hunanymwybodol rhwng actor a gwyliwr; roedd y gynulleidfa yn gwybod ac yn cael eu hatgoffa eu bod mewn theatr.

Ond nid aeth Meierhold ati i gael gwared â'r ffin rhwng actor a gwyliwr yn gyfan gwbl oherwydd credai fod hanfod theatr, a tharddle ei hystyr yng nghyfarfyddiad y sawl sy'n *cyflwyno* a'r sawl sy'n *derbyn*. Roedd y ffin rhwng actor a chynulleidfa yn atgoffa'r ddwy garfan o'r weithred o gyfarfod:

> The task of the director in the stylized theatre is to direct the actor rather than control him (unlike the Meiningen director). He serves purely as a bridge, linking the soul of the author with the soul of the actor. Having assimilated the author's creation, the actor is left *alone*, face to face with the spectator, and from the friction between these two unadulterated elements, the actor's creativity and the spectator's imagination, a clear flame is kindled.[40]

Tynnai Meierhold ar bob math o draddodiadau perfformio poblogaidd a ddefnyddiai berfformio allblyg, ac roedd safle daearyddol Rwsia, rhwng Ewrop a'r Dwyrain, yn golygu y gallai Meierhold dynnu ar draddodiadau fel y ffair, y *Commedia*, a theatr Siapan a Tsieina fel ei gilydd. Yn Ebrill 1935, gwelodd Meierhold yr actor o Tsieina Mei Lanfang (1894–1961), yn perfformio yng Nghlwb Canolog Celfyddyd y Gweithwyr ym Mosgo.[41] Roedd y perfformiad hwnnw'n gyfareddol iddo, oherwydd defnyddiai'r actor flaen y llwyfan yn fwy nag unrhyw fan arall, yn ôl rheolau'r theatr Nō. Roedd ei symudiadau'n rhythmig, a defnyddiai ystumiau bwriadol, gofalus i gyfleu ystyr; yn 'acrobat a dawnsiwr' defnyddiai ei gorff fel grym 'barddonol', priodoleddau a gymathodd Meierhold i'w gysyniad sylfaenol ynghylch yr actor yn symud mewn modd economaidd a chwbl bwrpasol:

> Every movement is a hieroglyph with its own peculiar meaning. The theatre should employ only those movements which are immediately decipherable; anything else is superfluous.[42]

Un o'r agweddau pwysicaf i'r perwyl hwn oedd defnydd yr actor o rythm mewn perthynas â'r gofod a'i gydactorion, ac aeth Meierhold ati i ddefnyddio rhythm fel egwyddor bwysig yng nghyfansoddiad y darn theatraidd; roedd yn fodd o ddadelfennu'r deunydd a lwyfennid. Dechreuodd Meierhold feddwl am yr actor fel uned rythmig mewn grŵp neu ar ei ben ei hun, y tu mewn i ofod rhythmig y llwyfan, fel yr esbonia Sollertinsky:

> Rhythm . . . could be sensed not only in the movements but also in the frozen immobility; the chorus . . . he breaks up into stylized, sculpted groups, only all of a sudden – in a mighty contrast – they erupt in a quick, agitated movement, which, however, is still rhythmic.[43]

Nid mater ansylweddol oedd y pwyslais ar rythm; roedd yn elfen gelfyddydol bwysig, yn rhan o'r modd y cyfansoddwyd y weithred theatraidd fel cyflwyniad ffurfiolaidd. Gwelir pwysigrwydd rhythm yn ysgrifau Eisenstein (1898–1948), ac yn neilltuol yn ei ddamcaniaeth ynglŷn â *montage*.[44] Roedd rhythm yn elfen gyfansoddiadol roedd ystyr a strwythur y gelfyddyd theatraidd yn perthyn iddi'n glòs. Fel rhan o'r pwyslais ar rythm fel egwyddor adeileddol, daeth cerddoriaeth yn rhan bwysig o weithgaredd y llwyfan. Gallai cerddoriaeth gynnal ffurf y symudiadau ar lwyfan drwy gyfrwng rhythm, ac roedd hyn yn bwysig mewn theatr lle'r oedd arwyddocâd i bob gair a symudiad.

Yn Rhagfyr 1920 honnodd Meierhold fod angen hyfforddiant theatraidd newydd, er mwyn creu actor newydd brwdfrydig a allai 'weddnewid yr awditoriwm cyfan', ac erbyn Hydref 1921, roedd wedi dechrau arbrofi â dull newydd i'r actor a elwid yn 'Biomecaneg',[45] a seiliwyd ar eirfa gorfforol a gymerodd o amrywiol ffynonellau, megis y syrcas traddodiadol. Egwyddorion symud sylfaenol iawn a gafwyd, ac a ddatblygwyd er mwyn meithrin disgyblaeth gorfforol a hunan-ymwybyddiaeth yn yr actor. Strwythurwyd pob cyfres o symudiadau fel eu bod yn cynnwys unedau cymhleth o weithgareddau corfforol a edrychai'n syml. Bwriad yr ymarfer oedd bod yn rhan o system o gamau mynegiannol a gynrychiolai pob symudiad y byddai'r actor yn dod ar eu traws ar lwyfan. Nid dull actio newydd, nac arddull peiriannol oedd hyn. Gwreiddiwyd y gwaith mewn dulliau nad ydynt yn beiriannol o gwbl (fel y *Commedia dell'arte*, sydd yn ei hanfod yn arddull corfforol byrfyfyr). Serch hynny, mae'n anodd olrhain union ffurf yr ymarferion i gyd.[46]

Awgryma'r enw 'Biomecaneg' gysylltiad â damcaniaethau cynhyrchu yn gyffredinol, ac esboniodd Meierhold mewn darlith yn 1922 y berthynas rhwng Biomecaneg â'r broses gynhyrchu yn y gymdeithas arfaethedig:

> In the past the actor had always conformed with the society for which his art was intended. In future the actor must go even further in relating his technique to the industrial situation. For he will be working in a society where labour is no longer regarded as a curse but as a joyful, vital necessity. In these conditions of ideal labour art clearly requires a new foundation.
>
> Work should be made easy, congenial and uninterrupted, whilst art should be utilised by the new class not only as a means of relaxation but as something organically vital to the labour pattern of the worker. We need to change not only the forms of our art but our methods too.
>
> The work of the actor in an industrial society will be regarded as a means of production vital to the proper organisation of the labour of every citizen of that society.[47]

Ac ymhelaethodd drwy ddweud am y dyn sy'n gweithio:

> If we observe a skilled worker in action, we notice the following in his movements: (1) an absence of superfluous, unproductive movements; (2) rhythm; (3) the correct positioning of the body's centre of gravity; (4) stability. Movements based on these principles are

> distinguished by their dance-like quality; a skilled worker at work invariably reminds one of a dancer; thus work borders on art. The spectacle of a man working efficiently affords positive pleasure. This applies equally to the work of the actor of the future.[48]

Tynnodd ar fethodolegau gwyddonol cyfredol diwydiant a diwylliant Sofietaidd (Tayloristiaeth) a seicoleg ac addysg gorfforol (adweitheg), er mwyn creu seiliau gwyddonol i Fiomecaneg.[49] Torrodd Meierhold symudiad ar lwyfan i lawr i 'gylchoedd actio', ar batrwm Taylor o dorri symudiad i lawr i gylchoedd gweithio. Roedd 'cylch actio' Meierhold yn cynnwys tair rhan: y *bwriad*, y *gwireddiad*, a'r *ymateb*. Y bwriad yw'r cymhwysiad meddyliol o'r dasg a roddir i'r actor o'r tu allan gan y dramodydd, y cyfarwyddwr neu'r perfformiwr ei hun. Y gwireddiad yw'r rhediad o adweithiau ewyllysiol, gofodol a lleisiol a gyflawnir. Yr ymateb yw pegwn a difodiant yr adwaith ewyllysiol wrth iddo gael ei gyflawni yn ofodol ac yn lleisiol, yn barod ar gyfer derbyn bwriad newydd. Nid dynwarediad neu batrwm allanol a wireddai'r actor oedd hyn, ond rhan ganolog o broses y perfformiad. Nid dull yn seiliedig ar brofi oedd dull actio Meierhold, ond un a seilir ar dechneg: 'It isn't experiencing that guides us, but the constant faith in the preciseness of our technical play.'[50]

Ugain mlynedd ar ôl dechrau ei yrfa, rhyddhaodd Meierhold yr actor oddi wrth y paradocs a oedd wedi llethu gwaith Stanislafsci, drwy weithredu *theatr* y tu allan i ffiniau'r ddrama – drwy gyhoeddi theatr fel *theatr* – fel gweithgaredd cymdeithasol. Canolbwyntiodd ar yr elfen drosglwyddiadol a fu'n rhan o'r drafodaeth ers y ddeunawfed ganrif, sef y cysyniad o gelfyddyd fel proses o drosglwyddo arwyddion rhwng actor a gwyliwr. Roedd Meierhold am bwysleisio'r broses hon fel un fyw a chyfnewidiol; yn y cyswllt hwn roedd y cysyniad o rith sy'n cynnal portread credadwy o fywyd ar lwyfan yn amherthnasol ac roedd modd camu allan o grafangau paradocs yr actor o ganlyniad.

Cyfraniad anwadadwy Meierhold yw iddo gyflwyno cysyniad neilltuol am berfformiad yr actor sydd yn lleoli bodolaeth y weithred theatraidd a pherfformiadol gyda'r actor ei hun. Erbyn diwedd yr ugeinfed ganrif a throad yr unfed ganrif ar hugain mae cysyniad canolog Meierhold o gorff yr actor fel prif gyfrwng y theatr wedi treiddio i bron bob math o berfformio theatraidd. Gwelir y fath bwyslais ar berfformio corfforol yng ngwaith Jerzy Grotowski, mewn 'Digwyddiadau' (*Happenings*) ac amlygiadau eraill o theatr arbrofol ers yr 1960au.

Ond aeth ei gyfraniad yn bellach na hynny. Nodweddid theatr ar ddiwedd yr ugeinfed ganrif ac ar ddechrau'r unfed ar hugain gan nifer o'r technegau a'r syniadau theatraidd a ddatblygodd Meierhold, megis y pwyslais ar gyfraniad y gynulleidfa, a chan y syniad o'r actor yn gweithio y tu hwnt i hualau sgript neu destun drama. Fe'i nodweddid hefyd gan newid ym mherthynas gorfforol y gynulleidfa â'r perfformiwr, â'r berthynas ryngddynt yn datblygu'n sail i'r theatr a gyflwynir. Daeth perfformiadau a leolid y tu allan i ofod ffurfiol theatrau yn arfer cyffredin mewn gwaith safle-benodol. Daeth corfforoldeb a phresenoldeb yr actor yn ganolog i'r drafodaeth ar theatr yr ugenifed ganrif, a derbynnir yn ddigwestiwn y syniad bod gan yr actor rôl greadigol mewn gweithgaredd cydweithredol. Mae'r newid hwn yn swyddogaeth yr actor, ynghyd â'r safbwynt bod theatr yn cwestiynu'r cyflwr dynol, ac yn gallu herio sicrwydd y drefn sydd ohoni, oll yn bresennol yn ysgrifau a gwaith Meierhold, er i'w syniadau fod dan gêl am gyhyd.

NODIADAU

[1] Cyhoeddwyd ysgrifau Stanislafsci mewn Rwseg yn ddwy gyfrol, *Rabota aktera nad soboi, Chast I*, a *Chast II* (Mosgo: Khudozhestvennaia literatura, 1938 ac 1948) (*Gwaith yr Actor Arno'i Hun, Rhan I* a *Rhan II*). Er i'r Americanes Elizabeth Reynolds Hapgood gyfieithu'r ysgrifau hyn i'r Saesneg a'u cyhoeddi'n dair cyfrol o dan y teitlau *An Actor Prepares* (1936), *Building a Character* (1950), a *Creating a Role* (1961), mae'r cyfrolau hyn yn cwtogi'n sylweddol ar yr ysgrifau gwreiddiol ac yn gyfieithiad amwys o safbwynt terminoleg. Defnyddir cyfieithiad Jean Benedetti o'r gwaith gwreiddiol, sef *An Actor's Work* (Routledge, 2008) a *An Actor's Work on a Role* (Routledge, 2010) yn yr erthygl hon.

[2] Ceir sawl fersiwn o'r ysgrif *Paradoxe sur le comédien*. Daeth i law ar ei ffurf gyflawnaf yn 1830 ymysg casgliad yr Hermitage. Datblygodd Diderot y ddeialog ar sail ei erthygl 'Observations on a brochure entitled "Garrick or English Actors"' a gyhoeddwyd yn *Correspondence littéraire* yn 1770. Ar sail yr adolygiad hwn datblygodd Diderot y syniad bod yn rhaid i'r actor da fod yn amddifad o

synwyrusrwydd. Yn ogystal â hyn, gellir darllen y *Paradoxe* fel gwrthymateb i gyfres o destunau sy'n dechrau gyda *Le Comédien* (1748) gan Rémond de Saint-Albine, a haerodd fod teimladrwydd yn rhan hanfodol o gelfyddyd yr actor. Cyfieithwyd y testun hwn i'r Saesneg gan John Hill (*The Actor*), a thrachefn, yn ôl i'r Ffrangeg gan Sticotti (1769). Ysgogwyd llith gwrthemosiynol Diderot yn 1773 gan y fath ysgrifau.

[3] Diderot, 'The Paradox of the Actor', yn *Selected Writing on Art and Literature* (Llundain: Penguin, 1994), tt. 103–4.

[4] Stanislavsky, *An Actor's Work*, t. 154.

[5] Ibid.

[6] Yn y byd Seisnig, cyfeirir at arfer Stanislafsci o ddadansoddi a rhannu'r ddrama yn 'Units and Objectives'. Ond mae'r derminoleg hon yn dwyllodrus, ac yn awgrymu system glir a dadansoddiadol syml. Yn ôl Sharon Carnicke, mae ystyr y gair Rwsieg *zadacha*, a gyfeithir fel 'objective' (amcan) yn Saesneg, yn debycach o ran ei ystyr i 'broblem' neu sefyllfa sy'n gofyn am ddatrysiad. Ac yn ôl Stanislafsci, mae'r datrysiad hwn yn digwydd drwy gyfrwng y gweithgaredd a gyflawnir gan yr actor-gymeriad. Gwelwn fod y defnydd o'r gair 'objective' yn y Saesneg yn awgrymu canlyniad a ddymunir, yn hytrach na chynrychioli'r awydd i weithredu er mwyn *cyrraedd* amcan, sef hanfod y gair *zadacha*; gweler Sharon Carnicke, *Stanislavsky in Focus* (Llundain: Harwood Academic, 1998), t. 88.

[7] Dehonglwyd gwrthodiad Stanislafsci o *igrat* fel ymgais i wared y llwyfan o'r hyn sy'n theatraidd a hyrwyddo realaeth yn ei le. Dyna ganfyddiad Nikolai Evreinov (1879–1953), un o feirniaid mwyaf Stanislafsci, a ddiffiniai werth y theatr yn ôl ei harwahanrwydd oddi wrth realiti; dadleuodd o blaid *igrat*, y gair traddodiadol am actio, am mai chwarae oedd hanfod y weithred theatraidd iddo. Mae defnydd Stanislafsci o 'weithredu' yn lle 'actio' yn ffocysu ar ffordd newydd o gyfathrebu, ond ni olyga o reidrwydd wrthodiad o lefel ffuglennol y theatr.

[8] Stanislavsky, ibid., tt. 106–7.

[9] Gweler *An Actor's Work on a Role*, t. 78.

[10] Théodule Ribot (1839–1916) a ddatblygodd seicoleg arbrofol yn Ffrainc. Mae ei waith yn enghraifft o'r math o seicoleg ymddygiadol a afaelodd yn nychymyg Rwsia (yn wahanol i'r seicoleg Freudaidd a ddylanwadodd ar UDA). Cyfieithwyd prif lyfrau Ribot i'r Rwseg o fewn dwy flynedd i'w cyhoeddi ym Mharis. Gwyddys i Stanislafsci fod yn berchen ar chwech ohonynt, yn llawn nodiadau ar ymyl y ddalen. Safai Ribot, fel Carl Lange (1834–1900), y ffisegwr a'r seicolegydd o Ddenmarc a archwiliodd yr emosiynau fel canfyddiad newidiadau corfforol, ac Ivan Pavlov (1849–1936), y ffisiolegydd a adwaenir yn bennaf am iddo ddatblygu'r cysyniad ynghylch atgyrch cyflyredig, ar flaen y gad o safbwynt yr ymdrech i ddiffinio seicoleg fel gwyddoniaeth ac i ffurfio astudiaeth ymddygiadol o natur emosiwn. Y dylanwad mwyaf ar Stanislafsci oedd arbrawf Ribot er mwyn dargan-fod a oes gan bobl gof affeithiol (cof o emosiwn). Trafodid yn aml gan Stanislafsci y gwahaniaeth rhwng profiadau cynradd (*pervichnyi*) – rhai a brofir am y tro cyntaf, a phrofiadau eilradd (*povtornyi*). Iddo ef, tasg yr actor yw cyfleu 'rhith y profiad cyntaf', ond sylweddolodd mai'n anaml iawn y profai'r actor rywbeth am y tro cyntaf yn ystod y broses ymarfer, a bod profi am y tro cyntaf ar lwyfan yn beryglus oherwydd ei natur afreolus. Felly, croesawodd brofi cynradd fel ffordd o

deimlo emosiwn newydd, ond sefydlodd y rheol na ddylid wrth ddim ond profiadau eilradd yn ystod perfformiad (roedd teimladau eilradd yn haws i'w rheoli ac yn ennyn rhywfaint o gof o'r teimlad cynradd).

[11] Mae'r ferf *chuvstvovat* yn gallu golygu 'teimlo', 'meddu ar deimlad corfforol', 'bod yn ymwybodol', a 'deall'.

[12] David Magarshack, *Stanislavsky: A Life* (Llundain: Faber, 1986), t. 46.

[13] Dyfynnwyd yn Vasily Osipovich Toporkov, *Stanislavsky in Rehearsal: The Final Years*, cyf. Christine Edwards (Efrog Newydd: Theatre Arts, 1979), tt. 160–2.

[14] Stanislavsky, *An Actor's Work on a Role*, t. 137.

[15] Ibid., t. 136.

[16] Ibid., t. 36.

[17] Vsevolod Meierhold, 'Theatr Ffurfioldeb' (1907), yn *Meyerhold*, detholiad W. Gareth Jones, cyf. Mona Morris (Caernarfon: Y Colegiwm Cymraeg, Gwasg Gwynedd, 1987), tt. 51–8 (tt. 52–3). Ymddangosodd yr erthygl yn wreiddiol yn *Teatr, kniga o novom teatre* (Petersburg: Shipovnik, 1908); ailargraffwyd yn *O Teatre* Meierhold (Petersburg, 1913), tt. 48–55. Teitl cyfieithiad Edward Braun o'r erthygl hon yw 'The Stylised Theatre', yn *Meyerhold on Theatre* (Llundain: Methuen, 1998), tt. 58–64.

[18] Dechreuodd Meierhold gyfarwyddo yn 1902, ac fe'i hadwaenid fel ymarferydd nodedig erbyn 1905; dechreuodd ysgrifennu'n ddamcaniaethol yn 1906. Roedd ei draethawd cyntaf 'Theatr Naturiolaeth a'r Theatr o Awyrgylch' yn ddadansoddiad o waith Theatr Gelfyddyd Mosgo (ysgrifennwyd yn 1906, cyhoeddwyd yn *Teatr, kniga o novom teatre*).

[19] Diffiniad Meierhold o *stylization* oedd 'confensiwn' neu 'symbol', modd o ddatgelu 'synthesis mewnol' cyfnod neu ffenomen, a dangos y nodweddion cudd sydd ymhlyg yn arddull unrhyw gelfyddyd. Gweler nodyn Meierhold yn ei erthygl 'The Theatre-Studio', yn *Meyerhold on Theatre*, cyf. Braun, t. 43.

[20] Meierhold, 'Theatr Ffurfioldeb', yn W. Gareth Jones a Mona Morris (cyf.), *Meyerhold*, t. 54.

[21] Meierhold, 'The Stylized Theatre' yn *Meyerhold on Theatre*, cyf. Braun, t. 61. Mae troednodyn Meierhold am y bobl sy'n cynrychioli'r adwaith yn erbyn y theatr gartrefol yn cyfeirio at Theatr Gelfyddyd Mosgo, Stanislafsci (o'i gynhyrchiad *Drama Bywyd* ymlaen), Gordon Craig, Max Reinhardt, a Meierhold ei hun.

[22] Meierhold, 'Theatr Ffurfioldeb', t. 57. (The stylized theatre employs statuesque plasticity to strengthen the impression made by certain groupings on the spectator's memory . . . The Stylized theatre makes no attempt to emulate the variety of *mises-en-scènes* of the naturalistic theatre, in which an abundance of scene creates a kaleidoscope of rapidly changing tableaux.) Cyfieithiad Saesneg Braun 'The Stylized Theatre' (1907), yn *Meyerhold on Theatre*, t. 63.

[23] Roedd pwyslais Meierhold ar rythm a dawns y theatr Roegaidd yn debyg iawn i ddelfryd Edward Gordon Craig. Dywedodd Meierhold mewn erthygl ar Craig (*Zhurnal Literaturno – khudozhestvennogo obshchestva*, Petersburg, 1909–10) nad oedd yn ymwybodol o lyfr Craig *The Art of the Theatre*, yng nghyfnod y Theatr-Stiwdio (Haf 1905). Darllenodd waith Craig am y tro cyntaf yn Ebrill 1907 mewn erthygl a gyhoeddwyd yn Almaeneg, *Etwas über den Regisseur und die Bühenausstattung* a gyhoeddwyd yn *Deutsche Kunst und Dekoration*, 1904–5; gweler

Meyerhold on Theatre, cyf. Braun, t. 112. Dylanwadwyd arno hefyd gan lyfr Georg Fuchs, *Llwyfan y Dyfodol* (*Die Schaubühne der Zukunft*) (1904–05), a oedd yn galw am adfer y theatr fel defod ddygwyl, gyda pherfformwyr a gwylwyr yn rhannu profiad ystyrlon, ar lun y Theatr Roegaidd ddefodol. Pwysleisiodd Fuchs na fyddai gan y ddrama fodolaeth oni bai ei bod yn brofiad a *rennir* gan bobl, ac o ganlyniad, y dylai gofod y theatr fod yn fan cymuno. Credai Fuchs mai'r modd priodol i berfformio yn y fath amgylchiadau oedd defnyddio symudiad rhythmig y corff yn y gofod. Daeth ei waith yn apêl i gofio mai'r ddawns oedd gwreiddyn honedig y theatr, ac yr honnir i'r ddrama wreiddiol darddu o'r fath fynegiant.

[24] Meierhold, 'The Fairground Booth', *Meyerhold on Theatre*, cyf. Braun, tt. 119–43 (t. 129).

[25] *Commedia dell'arte*. Comedi'r cwmnïau actio newydd a gododd yn yr Eidal tua chanol yr unfed ganrif ar bymtheg. Llwyfennid eu perfformiadau byrfyfyr ar lwyfannau teithiol syml, a nodweddid y perfformiadau gan bortread dramataidd o sefyllfa ddigrif draddodiadol a chymeriadau o deipiau arbennig (a gynrychiolid gan fasgiau penodol). Ni wyddys yn union lle na phryd y tarddodd y traddodiad hwn. Erbyn 1600 roedd prif drwpiau'r *Commedia* wedi lledaenu i brif ddinasoedd Ewrop, ac ystyriwyd Ffrainc (Paris) yn ail gartref i'r traddodiad. Yn wir, perthyn datblygiad y traddodiad diweddarach yn gymaint i Ffrainc ag i'r Eidal. Yn 1680 sefydlwyd y Comédie-Italienne, gan ymgartrefu yn yr Hôtel de Bourgogne nes 1697 pan chwalwyd y cwmni; yn 1716 ailffurfiwyd y cwmni gan Luigi Riccoboni.

[26] Meierhold, 'The Fairground Booth', *Meyerhold on Theatre*, cyf. Braun, tt. 119–43 (t. 130).

[27] Meierhold, 'The Actor of the Future and Biomechanics' (adroddiad ar ddarlith Meierhold yn Neuadd Fach Conservatoire Mosgo, 12 Mehefin 1922, Ermitazh (Mosgo, 1922), rhif 6, tt. 10–11, cyf. Braun, yn *Meyerhold on Theatre*, t. 199.

[28] Vsevolod Meierhold, 'Y Theatr Ffurfiol: Y Cynigion Cyntaf' (1907), yn Jones a Morris, *Meyerhold*, tt. 37–50 (t. 40).

[29] Ibid., t. 41.

[30] Ibid., t. 42.

[31] Ibid., t. 45.

[32] Ibid., t. 46.

[33] Ibid., t. 46.

[34] Meierhold, 'Tristan and Isolde' (1909), a gyhoeddwyd yn wreiddiol yn *Yezhegodnik Imperatovskikh teatrov*, Petersburg, 1910, rhif 5, ailargraffwyd yn O *Teatre* Meierhold (1913), tt. 56–80, yn *Meyerhold on Theatre*, cyf. Braun, t. 92.

[35] Ystyrir cynhyrchiad Meierhold o ddrama Crommelynck, Y *Cwcwallt Mawreddog* (1922), fel yr enghraifft bennaf o gelfyddyd luniadaethol ar lwyfan. Dyluniwyd y cynhyrchiad ar ffurf llwyfannau cul o wahanol uchder, gydag ysgolion, rampiau a sleidiau yn ffurfio gofod hyblyg ag iddo bosibiliadau di-rif fel man chwarae. Ysgrifennodd E. Rakitina: 'We will not understand correctly if we regard it statically. It is not a picture to be admired. Rather, it is a kind of machine which takes on a living existence in the course of the production' (o *Russian Avant-Garde Art* (gol.), Angelica Zander Rudenstine (London: Thames & Hudson), 1981, t. 399). Roedd y set arbennig hon yn ffrâm chwarae, yn strwythur i'r actorion ei ddefnyddio er mwyn creu ystyr yn weithredol. Ar y fath strwythur gallai'r actorion ddringo,

cerdded, rhedeg, neidio, mynd i mewn ac allan – defnyddiwyd holl bosibiliadau'r set.

[36] André Van Gyseghem, *Theatre in Soviet Russia* (London: Faber, 1943), t. 25. Gwrthodiad Meierhold o ddarlun paentiedig y llwyfan a'i alluogodd i greu amgylchfyd deinamig, newydd – llwyfan a strwythurwyd o bren, metel, weiar ac amryw ddeunyddiau diwydiannol; hynny yw, llwyfan o wrthrychau. Dyma ofod oedd yn rhoi lle i gelfyddyd luniadaethol (*constructivist*), tuedd gelfyddydol a alwodd Trotsci'n asiad o gelfyddyd a thechnoleg, sy'n archwilio'r berthynas rhwng gweadau, onglau a strwythurau sy'n dadansoddi'r modd yr adlewyrchent y byd diwydiannol cyfoes.

[37] Perfformiwyd ar 7 Tachwedd 1920 yn Theatr Gyntaf y Wladwriaeth.

[38] Am y tro cyntaf yn ei gynhyrchiad o *Dychweledigion* Ibsen yn Poltava yn 1906.

[39] Gwrthodwyd y goleuadau troed gan y theatr naturiolaidd, ond oherwydd bod yr actorion i fod i chwarae i mewn i'r llwyfan, fel pe bai'n ystafell gyflawn, a'r gynulleidfa i wylio'r perfformiad fel 'tafell o fywyd', ni chafwyd gwared â hwy. Yn hytrach, fe'u defnyddiwyd er mwyn pwysleisio ffin y bedwaredd wal. Roedd y bedwaredd wal fel math o bared gwydr na fedrid symud drwyddo nac edrych drwyddo, a swyddogaeth briodol i'r goleuadau troed oedd marcio'r ffin hwnnw. Felly, yn hytrach na chael gwared â hwy, gwyrodd y theatr naturiolaidd y defnydd ohonynt; safai'r golau fel mesur o'r uniaethiad rhwng llwyfan ac awditoriwm. Gwyddai'r gynulleidfa a'r actorion mai realaeth seicolegol eu bywydau a gynrychiolwyd. Ond serch realaeth y lleoliad ar lwyfan a thebygolrwydd sefyllfa, cyfeiriwyd y theatr naturiolaidd i mewn tuag at fyd y llwyfan.

[40] Meierhold, 'The Stylized Theatre', yn *Meyerhold on Theatre*, cyf. Braun, t. 62.

[41] Roedd Bertolt Brecht hefyd yn bresennol.

[42] Meierhold, 'The Actor of the Future and Biomechanics', yn *Meyerhold on Theatre*, cyf. Braun, tt. 199–200.

[43] Sollertinsky yn cyfeirio at waith opera Meierhold cyn y Chwyldro. Dyfynnwyd yn *Directors in Perspective: Vsevolod Meyerhold* (Caergrawnt: Gwasg Prifysgol Caergrawnt, 1993), tt. 112–13.

[44] Sergei Eisenstein (1898–1948); cyfarwyddwr ffilm arloesol a ysgrifennodd lawer am ddamcaniaeth *montage* ac a ddylanwadodd yn fawr ar waith cyfarwyddwyr ffilm diweddarach. Astudiodd o dan Meierhold, a fu'n ysbrydoliaeth fawr iddo.

[45] Nid term newydd oedd Biomecaneg; roedd mewn bodolaeth fel term gwyddonol yn Rwsia a'r Gorllewin erbyn dechrau'r ganrif. Soniodd Pyotr Lesgaft, un o sylfaenwyr addysg gorfforol yn Rwsia, am Fiomecaneg yn ei gyrsiau addysg gorfforol a chyhoeddwyd o leiaf un llyfr ar Fiomecaneg yn Petersburg mor gynnar â 1910. Dechreuodd ei yrfa yn 1861 fel athro Anatomeg yn Academi Feddygol Petersburg. Yn 1874 dechreuodd hyfforddi milwyr ifanc, a datblygodd raglen addysg gorfforol ar gyfer ysgolion milwrol a dinasyddion. Sefydlodd gyrsiau addysg gorfforol i fyfyrwyr ac athrawon hefyd. Sylfaen ei raglen addysg gorfforol oedd ei ddamcaniaeth ynglŷn â pherthynas y corff a'r meddwl. Dadleuodd yn erbyn cynlluniau hyfforddiant a oedd yn seiliedig ar batrymau symud ailadroddus, gan fynnu bod cysylltiad rhwng syniad a symudiad. Yn gyffredinol, credid i Meierhold gymryd y term Biomecaneg oddi wrth Aleksei Gastev, er nad oes tystiolaeth o hyn. Mae'n bosibl bod y naill a'r llall yn tynnu ar yr un ffynonellau,

sef gwaith Bekhterev a Bernshtein. Cafwyd y defnydd cyhoeddus cyntaf o'r term gan Meierhold, mewn erthygl a ysgrifennodd gyda Valery Bebutov a Konstantin Derzhavin, 'Ar Ddramatwrgiaeth a Diwylliant y Theatr', a gyhoeddwyd yn *Vestnik teatra*, rhif 87–88 (5 Ebrill 1921), erthygl sy'n trafod creu diwylliant mynegiant corfforol yn seiliedig ar gyfraith Biomecaneg, ac sy'n ymosod ar 'led-wyddoniaeth' a 'rheolau seicoleg amwys' Theatr Gelfyddyd Mosgo – 'The worn-out, decrepit bodies of the intellectual darlings, those bath-house attendants and barefoot dancers making merry in the world of tonal-plastic nonsense.' (Gweler Mel Gordon ac Alma Law, *Meyerhold, Eisenstein and Biomechanics, Actor Training in Revolutionary Russia* (Llundain: McFarland, 1996), t. 41). Yn 1922 diystyriwyd honiad Meierhold iddo ddyfeisio Biomecaneg gan Ippolit Sokolov, a gyfeiriodd at fwy na 'chan gwaith mawr ar y pwnc', yn eu plith *Le Moteur humain et les bases scientifiques du travail professionel* gan Jules Amar (Paris, 1914). Honnodd Sokolov hefyd fod ymarferion Meierhold yn ddim mwy nag ailwampio clownio syrcas (gweler *The Theatre of Meyerhold*, cyf. Braun, t. 202). Mewn erthygl yn dwyn y teitl 'Tartuffes of Communism and Cuckolds of Morality', ni wadodd Meierhold gyhuddiadau Solokov, gan ategu nad oedd sylfaen wyddonol i'w system ac mai 'un daflen gan Coquelin' oedd gwreiddyn damcaniaethol ei waith – credid ei fod yn cyfeirio at *L'art et le comédien* (1880) neu *L'art du comédien* (1886).

46 Nid oes modd olrhain ffurf yr ymarferion, ar wahân i'r rhai sydd wedi goroesi drwy draddodiad llafar a chorfforol – drwy Nikolai Kustov, athro Biomecaneg yn Theatr Meierhold, a'i ddisgybl yntau, Gennadi Bogdanov, Athro Biomecaneg Academi Gelfyddydau Theatr Rwsia ym Mosgo. Am ragor ar ymarferion Biomecaneg gweler erthygl Mel Gordon, 'Meyerhold's Biomechanics', yn Phillip B. Zarrilli, *Acting (Re)Considered* (Llundain ac Efrog Newydd: Routledge, 1995), tt. 85–107.

47 Meierhold, 'The Actor of the Future and Biomechanics', yn *Meyerhold on Theatre*, cyf. Braun, tt. 197–200 (t. 197).

48 Ibid., t. 198.

49 Roedd Frederick Winstow Taylor (1856–1915), yn beiriannydd diwydiannol o'r Unol Daleithiau a archwiliodd bob uned neu elfen waith mewn llinell gynhyrchu, gan ddod i'r casgliad mai symudiad corfforol y gweithiwr oedd y symudiad lleiaf effeithlon yn yr holl broses waith. Casglodd fod symudiadau lletchwith a dianghenraid yn digwydd mewn ffatrïoedd a melinau gwaith, a'u bod yn achosi straen cyhyrol i'r gweithiwr ac yn lleihau maint ei gynnyrch. Gan ddadansoddi'r cyflawniad o bob tasg waith i'r symudiad lleiaf, a amserwyd ac a reolwyd o fewn eiliad, ceisiodd Taylor ddarganfod y symudiadau a'r ystumiau mwyaf effeithlon ar gyfer pob gweithgaredd. Galwodd ei waith yn 'economeg symud', astudiaeth a gwmpasai rythmau gwaith, cydbwysedd, grwpiadau cyhyrol, blinder a chyfnodau gorffwys y corff. Ar sail ei arbrofion, datblygodd system o gylchoedd gwaith, pob un ohonynt yn delio â rhwydwaith o symudiadau a seibiannau a fyddai'n caniatáu i'r gweithiwr gynhyrchu ar y gyfradd orau bosibl gyda'r straen corfforol lleiaf posibl. Cafwyd arbrofion Tayloraidd yn Rwsia wedi Chwyldro 1905.

50 Meierhold, '*Uchitel Bubus* i problema spektaklya na muzyke' (sgwrs a draddodwyd ar 1 Ionawr 1925, cyhoeddwyd yn *Stati*, II, t. 92, *Meyerhold, Eisenstein and Biomechanics*, cyf. Gordon a Law, t. 49).

LLYFRYDDIAETH

Braun, Edward, *The Theatre of Meyerhold: Revolution on the Russian Stage* (Llundain: Methuen, 1979).

Carnicke, Sharon, *Stanislavsky in Focus* (Llundain: Harwood Academic, 1998).

Diderot, Denis, 'The Paradox of the Actor', yn *Selected writings on Art and Literature* (Llundain: Penguin, 1994), tt. 100–158.

Gordon, Mel ac Alma Law, *Meyerhold, Eisenstein and Biomechanics: Actor Training in Revolutionary Russia* (Llundain: McFarland, 1996).

Leach, Robert, *Directors in Perspective: Vsevolod Meyerhold* (Caergrawnt: Gwasg Prifysgol Caergrawnt, 1993).

Magarshack, David, *Stanislavsky: A Life* (Llundain: Faber, 1986).

Meyerhold, Vsevolod, *Meyerhold on Theatre*, cyf. a gol. Edward Braun (Llundain: Methuen; argraffiad newydd, 1991).

Meyerhold, Vsevolod, *Cyfres Be Ddywedodd . . .?, 7: Meyerhold*, detholiad W. Gareth Jones, cyf. Mona Morris (Caernarfon, Gwasg Gwynedd: Y Colegiwm Cymraeg, 1987).

Stanislavski, Konstantin, *An Actor's Work, a Student's Diary*, cyf. a gol. Jean Benedetti (Llundain: Routledge, 2008).

Stanislavski, Konstantin, *An Actor's Work on a Role*, cyf. a gol. Jean Benedetti (Llundain: Routledge, 2010).

Stanislavski, Konstantin, *My Life in Art*, cyf. a gol. Jean Benedetti (Llundain: Routledge, 2008).

Stanislavsky, Konstantin, *Stanislavsky on the Art of the Stage*, cyf. gyda chyflwyniad gan David Magarshack (Llundain: Faber & Faber, 1950).

Stanislavsky, Constantin, *Selected Works*, gol. Oksana Korneva (Mosgo: Radugago, 1984).

Toporkov, Vasily Osipovich, *Stanislavsky in Rehearsal: The Final Years*, cyf. Christine Edwards (Efrog Newydd: Theatre Arts, 1979).

Van Gyseghem, André, *Theatre in Soviet Russia* (Llundain: Faber, 1943).

Zarrilli, Phillip B., *Acting (Re)Considered* (Llundain ac Efrog Newydd: Routledge, 1995).

5

CYMRU, CENEDLIGRWYDD A THEATR GENEDLAETHOL: DILYN Y GWYS NEU DORRI CWYS NEWYDD?

Anwen Jones

Yng Nghymru'r unfed ganrif ar hugain, mae'r theatr genedlaethol yn mwynhau cyfnod o lewyrch ac o ddatblygiad digon rhyfeddol. Yn 2004, torrodd gwawr newydd ar fyd y theatr yng Nghymru pan benderfynodd Cyngor y Celfyddydau glustnodi £750,000 tuag at sefydlu cwmni theatr cenedlaethol newydd Cymraeg ei iaith. Llwyfannwyd cynhyrchiad teithiol cyntaf Theatr Genedlaethol Cymru, *Yn Debyg iawn i Ti a Fi* gan Meic Povey, rhwng Ebrill a Mai 2004. Aeth y cwmni ymlaen i lwyfannu cynyrchiadau teithiol blynyddol, yn cynnwys clasuron Cymraeg fel *Esther* gan Saunders Lewis (1893–1985), gweithiau gwreiddiol gan ddramodwyr adnabyddus eraill a chynnyrch diweddaraf talentau newydd megis Gwyneth Glyn a Manon Wyn. Mewn datganiad yn y Cynulliad ar 9 Hydref 2007, dywedodd Rhodri Glyn Thomas, y Gweinidog dros Dreftadaeth:

> Un o'r mentrau diwylliannol mwyaf cyffrous yn ein rhaglen 'Cymru'n Un' yw ein haddewid i sefydlu theatr Saesneg i Gymru. Dyma gyfle bendigedig inni adeiladu ar lwyddiant Theatr Genedlaethol Cymru. Mae hefyd yn pwysleisio ein hymroddiad llwyr i ddatblygu'r theatr ac, yn wir, bob ffurf ar y celfyddydau yn y ddwy iaith genedlaethol.[1]

Ar 4 Mawrth 2008, cyhoeddwyd enwau aelodau bwrdd cwmni cenedlaethol newydd Saesneg ei iaith. Yn fuan wedi hynny, ar

28 Gorffennaf 2008, cafwyd datganiad i'r wasg yn cyhoeddi penodiad John E. McGrath yn gyfarwyddwr artistig y cwmni. Ym mis Chwefror 2009, penodwyd Catherine Paskell a Mathilde Lopez yn bartneriaid creadigol yn y cwmni. Yna, ym mis Mawrth 2010, cyhoeddodd National Theatre Wales raglen o dri chynhyrchiad ar ddeg i'w perfformio mewn amrywiol leoliadau ledled Cymru gyfan. Mae'r cyfryw gynyrchiadau, oll i'w perfformio yn ystod deunaw mis cyntaf oes y cwmni, bellach wedi eu cwblhau. Mae cymoedd y de, Abertawe, Caerdydd, Cilieni, Abermaw, Pen-y-bont ar Ogwr, Casnewydd, Wrecsam, Aberystwyth a Phort Talbot ymhlith y rheiny a hawliodd eu lle ar dirlun y perfformiadau a esblygodd yn ystod rhaglen agoriadol y cwmni cenedlaethol cyfrwng Saesneg.

Mae'r cyffro yn heintus ond pa ffurf ar genedligrwydd Cymreig a daniodd, ac sydd bellach yn gyrru'r creadigrwydd hwn? Cysyniad dadleuol fu'r cysyniad o genedligrwydd erioed. Yn ystod ail hanner yr ugeinfed ganrif, bathwyd categorïau newydd megis cenedligrwydd dinesig neu ethnig fel rhan o ymgais i ddiweddaru'r derminoleg a ddefnyddid wrth fynd i'r afael â thrafodaeth o'r genedl. Yn ei astudiaeth o'r drafodaeth gyfoes o genedlaetholdeb, mae Umut Özkirimli (1970–), yn dadlau fod y broses o bennu categorïau cynhwysfawr wrth ddiffinio cenedligrwydd yn ymdrech i ddianc rhag diffiniadau gwrthgyferbyniol megis y gwrthrychol/goddrychol, neu'r diwylliannol/gwleidyddol.[2] Dywed Özkirimli i Hans Kohn (1891–1971), gyfrannu at y broses yma o ailfrandio wrth wahaniaethu rhwng cenedligrwydd dinesig ar y naill law ac ethnig ar y llall. Dadleuodd Kohn fod y cyntaf wedi ei nodweddu gan dueddiadau unigolyddol, gwirfoddol a gwleidyddol, tra bod yr olaf wedi'i wreiddio mewn ymdeimlad o berthyn a saernïwyd gan gysyniadau ynghylch hiliogaeth gyffredin a chydweddiad diwylliannol.[3]

Yn *The Taliesin Tradition*,[4] mae'r nofelydd a'r beirniad llenyddol Emyr Humphreys (1919–), yn cyflwyno syniad o genedligrwydd Cymreig fel un ethnig, wedi ei ddiffinio yn ôl meini prawf diwylliannol ac organig. Mae Humphreys yn honni bod modd olrhain trywydd cyson o hanes cynnar Cymru hyd at ddegawdau olaf yr ugeinfed ganrif. Mae'n gwbl argyhoeddedig bod yma amlygiad cynyddol o deimlad o arwahanrwydd cenedlaethol a ganfyddir ac a fynegir trwy gyfrwng gweithgarwch diwylliannol. Mae ymddangosiad diweddar dwy theatr genedlaethol newydd yn awgrymu bod Cymru'r unfed ganrif ar hugain yn arddel y math o genedligrwydd a ddiffinnir gan Humphreys a Kohn fel cenedligrwydd ethnig. Yn eironig ddigon, cynigir y cyfryw ddiffiniadau gan Kohn yng nghyd-destun y gwrthgyferbyniad rhwng cenedligrwydd Dwyreiniol a Gorllewinol; y cyntaf yn arddangos cenedligrwydd ethnig a'r olaf yn dangos y math dinesig. Ystyrir cenedligrwydd dinesig yn gyfoes, oherwydd ei fod yn gysylltiedig ag ymrwymiad i hawliau'r unigolyn, amrywioldeb a democratiaeth. Os ydyw dadansoddiad Humphreys o orffennol Cymru yn berthnasol o hyd i'w phresennol, yna mae'n ofynnol esbonio ymrwymiad y genedl i ganfyddiad o genedligrwydd a allai ymddangos yn hen ffasiwn yng nghyd-destun fframwaith gwybyddol bywyd modern. Rhaid gofyn a ydyw dwy theatr genedlaethol newydd Cymru yn ailadrodd y gorffennol yn nhermau eu mynegiant a'u hymgorfforiad o genedligrwydd Cymreig? Neu, yn hytrach, a oes modd dadlau eu bod yn ymarfer y math o genedligrwydd modern a ddisgrifir gan Eley a Suny fel 'a complex, uneven, and unpredictable process, forged from an interaction of cultural coalescence and specific political intervention, which cannot be reduced to static criteria of language, territory, ethnicity, or culture'.[5]

Mae dadansoddiad o genedligrwydd Cymreig yn ystod y bedwaredd ganrif ar bymtheg yn darbwyllo'r darllenydd o ddilysrwydd dadl Humphreys. Mae'n bur amlwg nad ydyw'n briodol ei ddisgrifio yn ôl meddylfryd Hechteraidd fel ymdrech hanfodol wleidyddol. Wrth drafod cyflwr cymdeithas Cymru yn y cyfnod hwn, mae Glanmor Williams (1920–2005), yn dadlau fod dadeni deallusol ymysg carfannau newydd o'r boblogaeth Gymreig. Â yn ei flaen i ddisgrifio'r ymwybyddiaeth newydd hwn o genedligrwydd fel ffenomenon cyfansawdd a oedd yn cymathu, 'an awareness of political, social and cultural issues for the first time.'[6] Yn bennaf, priodolir y deffroad hwn i boblogrwydd a llwyddiant y wasg Gymreig. Erbyn 1870 roedd deg ar hugain o gyfnodolion Cymreig a nifer fawr o bapurau newydd. Roedd llawer o'r cyfnodolion cynnar yn enwadol eu natur ac wedi eu hysbrydoli gan flaenoriaethau a rhaglen grefyddol, anghydffurfiol ei natur gan amlaf. Eto, roeddent oll yn ymrafael â chwestiynau o ddiddordeb cenedlaethol mewn ffordd ysgolheigaidd, sydd yn bwrw'r wasg gyfoes Gymreig i'r cysgod. Mae'n wir fod cylch eu darllen yn gyfyng, ond lledaenwyd y deunydd ar lafar gwlad i gynulleidfa lawer ehangach na'r llythrennog rai. Mae engrafiad T. H. Thomas yn 1883 o dan y teitl 'Llywelyn Pugh addresses his friends at the Smithy on the rise and virtues of Welsh Nonconformity',[7] yn cadarnhau'r ffaith fod sffêr gyhoeddus Ewrop gyfan a ddisgrifiwyd gan Jürgen Habermas (1929–), fel cadarnle trafodaeth gyhoeddus, resymegol a chydraddol, yn raddol ymgofleidio Cymru yn ystod y cyfnod hwn. Arweiniodd hyn, yn ôl Williams at deimlad cryf o ymlyniad ideolegol ac undod ymysg y Cymry. Wedi dweud hynny, yr hyn oedd ar goll, meddai, oedd trefniadaeth wleidyddol effeithiol.

Drysir Williams gan ddiffyg gweithgarwch gwleidyddol ac absenoldeb unrhyw strwythurau gwleidyddol i hwyluso mynegiant cenedligrwydd Cymreig yn y bedwaredd ganrif ar bymtheg. Cytuna fod yng Nghymru

> an articulate, self-conscious public opinion finding expression through its own vernacular; sustaining and in turn being sustained by a thriving press; often sharply critical of a landowning class and an established church speaking a different language and upholding different cultural modes.[8]

Roedd bodolaeth y math hwn ar farn gyhoeddus gyfoes yn cyffelybu'r Cymry i genhedloedd Ewrop yn yr un cyfnod, yn enwedig Iwerddon. Er hyn, mae Cymru'n unigryw o ganlyniad i'w diffyg cymhelliant gwleidyddol a chwyldroadol. Gofynna Williams pam nad oedd unrhyw alwad am annibyniaeth yn y cyfnod hwn. Yn fy marn i, canfyddir yr ateb yn ymrwymiad Cymru'r cyfnod hwn i ymdeimlad o genedligrwydd a oedd yn ethnig, yn nhermau ei wreiddiau ideolegol, yn ogystal â'i fynegiant cysyniadol ac ymarferol o'r cyfryw ideoleg.

Mae cymhariaeth â'r profiad Gwyddelig yn yr un cyfnod yn awgrymu bod gan y ddwy wlad anawsterau cymdeithasol, economaidd a gwleidyddol cyffredin ond eu bod yn ymateb i'r cyfryw rwystrau mewn ffyrdd tra gwahanol. Yn Iwerddon, o'r cychwyn cyntaf, ffurfiwyd gweledigaeth a rhaglen o weithredu gwleidyddol a ganolbwyntiai ar y cysyniad o annibyniaeth wleidyddol, genedlaethol. Ar droad y bedwaredd ganrif ar bymtheg, ymddangosodd Daniel

O'Connell (1775–1847), fel arwr yr Iwerddon Gatholig. Erbyn 1828, roedd wedi canoli sylw ar yr angen am newidiadau ym maes cynrychiolaeth genedlaethol trwy sefyll fel ymgeisydd yn isetholiad Clare.[9] Cynyddu a wnaeth gweithgarwch gwleidyddol yn Iwerddon wedi marwolaeth O'Connell yn 1847. Erbyn 1858 roedd y Frawdoliaeth Fenian wedi ei sefydlu yn yr Unol Daleithiau, rhuai'r Rhyfeloedd Tir o 1879 ymlaen ac erbyn 1880 roedd Plaid Seneddol Iwerddon yn galw am hunanreolaeth. Yn ddiau, roedd hefyd adfywiad llenyddol yn Iwerddon o ganol y bedwaredd ganrif ar bymtheg ymlaen. Gellid dadlau i'r Irish Literary Theatre a'i olynydd yr Irish National Theatre gyfrannu at boblogeiddio gweledigaeth genedlaethol, wleidyddol-ymosodol a ddaeth i'w hanterth gyda gwrthryfel y Pasg, 1916. Saernïr delwedd rymus o'r genedl yn y ddrama *The Countess Kathleen* gan William Butler Yeats (1865–1939), a lwyfannwyd yn yr Irish Literary Theatre yn 1899 gan Yeats, Lady Augusta Gregory (1852–1932), George Moore (1852–1933), ac Edward Martyn (1859–1923). Ar y llaw arall, diddorol nodi dadl Lionel Pilkington fod a wnelo'r Irish Literary Theatre yn yr 1890au hwyr lai â chenedligrwydd Gwyddelig nag â'r weinyddiaeth Brydeinig yn Iwerddon a'i pholisïau o ddiwygio a chymodi.[10] Beth bynnag oedd union gymhelliad gwleidyddol mentrau theatraidd amlycaf troad yr ugeinfed ganrif yn yr Iwerddon, mae'n deg dweud na ddewisodd y genedl weithgaredd celfyddydol ar draul gweithredu gwleidyddol ar unrhyw adeg.

Mae cofnod Kenneth O. Morgan (1934–), o'r anawsterau a oedd yn wynebu Cymru yn yr un cyfnod yn cadarnhau'r syniad bod y wlad yn llafurio o dan nifer o'r un beichiau ag Iwerddon. Mae Morgan yn cyfrif diwygiad tir, mater rhyddfreinio a diffyg addysg ganolradd fel drain yn ystlys Cymru. Wedi dweud hynny â yn ei flaen i ddadlau nad gwlad chwyldroadol oedd Cymru'r bedwaredd ganrif ar bymtheg na'r ugeinfed ganrif. Gwlad, yn hytrach, a ystyriai 'politics as a compassionate, civilizing force' a chenedl a droes ymaith rhag 'the futile chimera of pseudo- or quasi-revolutionary activity, opting instead for artistry in its use of political power'.[11] Cefnogir ei honiadau gan hanes gyrfaoedd gwleidyddion ifanc addawol megis Thomas Edward Ellis (1859–1899), a David Lloyd George (1863–1945), a ddaeth i'r amlwg yn y cyfnod rhwng yr etholiadau mawrion yn 1868 a diwedd y Rhyfel Byd

Cyntaf. Teimla Morgan fod llais Cymreig i'w glywed o fewn i'r blaid Ryddfrydol, yn dilyn sefydlu'r Blaid Ryddfrydol Seneddol Gymreig yn 1888. Cadarnheir yr argraff hon yn nhudalennau *Young Wales*,[12] lle y portreadir aelodau seneddol rhyddfrydol o Gymru a oedd wedi codi i enwogrwydd o fewn y blaid Brydeinig fel Cymry ifanc blaengar a unwyd yn y frwydr am annibyniaeth wleidyddol Gymreig. Noda'r un cyfnodolyn dderbyniad ffafriol T. E. Ellis a Lloyd George o anerchiad Michael Davitt (1846–1906), o blaid hunanreolaeth i Iwerddon ym Mlaenau Ffestiniog yn 1885.[13]

Mewn papur diweddar nas cyhoeddwyd eto, dadleua'r Athro Wynn Thomas fod cyfnodolion fel *Young Wales*, a ffynnai yn y 1890au o dan nawdd ymgyrch Cymru Fydd, wedi eu hysbrydoli gan eu rhagflaenydd Gwyddelig, *Nation*, Gavan Duffy (1882–1951). Wedi dweud hynny, mae Thomas ei hun yn disgrifio'r diddordeb yng Nghymru mewn materion Gwyddelig yn y bedwaredd ganrif ar bymtheg fel un gochelgar. Noda fod gagendor rhwng rhyddfrydwyr blaengar a alwai am fesur o hunanreolaeth o fewn yr ymerodraeth Brydeinig a'r rheini a oedd yn blaenoriaethu'r genhadaeth ddiwylliannol o feithrin ymdeimlad cenedlaethol drwy gyfrwng addysg a chelfyddyd. Mae'n amlwg fod anerchiad adnabyddus Ellis, 'The Memory of the Kymric Dead', yn argymell meithrin celfyddyd genedlaethol i'r un graddau ag annibyniaeth genedlaethol. Yn wir, mae Ellis yn ymddieithrio Cymru rhag cysyniad dinesig o genedligrwydd gan ddadlau, 'Though Wales is, in modern times, largely individualist, we cannot but feel that it has been the land of *cyfraith*, *cyfar*, *cyfnawdd*, *cymorthau* and *cymanfaoedd*, the land of social co-operation, of associative effort'.[14]

Er gwaethaf hyn, roedd gwleidyddion yng Nghymru a oedd am dynnu sylw at y tebygrwydd rhwng sefyllfaoedd Iwerddon a Chymru a hynny ar berwyl gwleidyddol. Mewn traethawd ar daith fuddugoliaethus William Ewart Gladstone (1809–1998), o amgylch Abertawe a'r fro ym 1887, awgryma Richard Shannon fod Gladstone yn ymdrechu i drawsffurfio dathliad o genedligrwydd Cymreig yn rhywbeth amgen.[15] Yn ôl Shannon, deisyfai Gladstone gyfuno egnïon y cyhoedd a oedd wedi eu cyniwair gan fesurau diwygio diwedd y bedwaredd ganrif ar bymtheg er mwyn gwthio mesur hunanreolaeth trwy Dŷ'r Cyffredin a

Thŷ'r Arglwyddi. Yn y diwedd, methodd cynllun Gladstone. Yn wir, mae Shannon yn mynd cyn belled ag awgrymu i'r gwladweinydd mawr gamgymryd dathlu ymwybyddiaeth newydd o genedligrwydd yng Nghymru am lasbrint ar gyfer hydreiddiad Rhyddfrydiaeth Brydeinig ym Mhrydain a thu hwnt. Os methodd ymweliad Gladstone ag Abertawe danio fflam wleidyddol fwy deifiol ar lefel genedlaethol yng Nghymru, tystiodd i fodolaeth a gorfoledd ymdeimlad newydd o genedligrwydd ymhlith y cyhoedd. Mae disgrifiad Shannon o gyffro theatraidd taith Gladstone a drama'r orymdaith o 49,000 yn Abertawe ar ddydd Sadwrn, 4 Mehefin 1887 yn afaelgar. Wrth i'r miloedd ffrydio am gyfnod o dros bedair awr, 'through the Abbey gate on the Mumbles road and swung round across the great sward in front of the South terrace of the Abbey and marched out by the lower gate further down the road',[16] datganwyd ymdeimlad newydd o genedligrwydd gorfoleddus.

Mae'n amlwg mai achlysur theatraidd oedd gorymdaith Abertawe: achlysur sy'n ein harwain at yr arddangosfa fwyaf theatrig o ymffrost cenedlaethol a welwyd yn yr ugeinfed ganrif yng Nghymru, sef Pasiant Cenedlaethol Caerdydd, 1909. Digwyddiad rhwysgfawr oedd hwn a ddisgrifiwyd gan Hywel Teifi Edwards (1934–2010), fel 'the only attempt of its kind, to this day, to present a mass audience with a version of Welsh history from Caradoc's defiance of the Roman Empire to the Act of Union in 1536'.[17] Yn hytrach na dilyn yn ôl troed Iwerddon wrthryfelgar, trodd Cymru'r ugeinfed ganrif at gelfyddyd er mwyn mynegi ymdeimlad newydd o genedligrwydd trwy gyfrwng pasiant cenedlaethol. Bron hanner canrif yn gynharach, ceir tystiolaeth o ymateb tebyg i achlysur hollbwysig arall yn y broses o greu neu ganfod hunaniaeth genedlaethol Gymraeg – Brad y Llyfrau Gleision, 1847.[18] Arweiniodd yr ymosodiad hwn ar foesau, addysg a diwylliant Cymru at gyhoeddi anterliwt gan Robert Jones Derfel (1824–1905), yn 1854.[19] Ynddi, ceir Beelzebub yn eistedd ar orsedd drygioni wedi ei amgylchynu gan ei brif gynghorwyr, Dialedd, Eiddigedd, Difenwad, Llid, Anwireddau, Rhagrith, Sarhad a Thristwch, oll wedi eu modelu ar gomisiynwyr ac arweinyddion yr adroddiad damniol hwn. Comisiynwyr sydd, yn ôl Derfel, yn casáu'r genedl Gymreig gymaint ag y maent yn casáu Duw ei hun!

Mae'r ddau ddatganiad artistig hwn yn dystiolaeth o'r duedd i fynegi cenedligrwydd Cymreig trwy gyfrwng celfyddyd yn hytrach na gwleidyddiaeth. Mae'r ddau hefyd yn dangos anaeddfedrwydd y gelfyddyd theatrig yng Nghymru yn y cyfnod hwn. Er na ellir ystyried anterliwt R. J. Derfel yn greadigaeth anturus yn nhermau theatr, dichon ei bod, o leiaf, yn gynnyrch dramatig mwy cynhenid Gymreig nag oedd Pasiant Cenedlaethol Caerdydd. Medrai Derfel wreiddio ei ddrama mewn gorffennol pan oedd anterliwtiau Cymraeg Twm o'r Nant yn eu hanterth. Rhaid oedd i basiant Caerdydd edrych tua Lloegr am draddodiad a hanes a hynny'n draddodiad go elfennol yn nhermau'r grefft theatraidd. Lleolwyd Pasiant Cenedlaethol Caerdydd mewn cyd-destun Prydeinig, imperialaidd ac ynddo dangosodd Cymru deyrngarwch i gredoau a gwerthoedd Prydeinig, yn hytrach nag i unrhyw annibyniaeth genedlaethol, flaengar. Yn wir, llwyfannwyd y pasiant o dan arweinyddiaeth Arthur Owen Vaughan neu Owen Rhoscomyl (1863–1919), Cymro angerddol ond un a oedd yn gyfan gwbl ffyddiog ynghylch haeddiant Cymru i'w rhan yn hanes gorfoleddus Prydain imperialaidd.

Mae'n ddiddorol nodi'r gwrthgyferbyniad rhwng y diffyg ymateb i alwad Tom Jones yn 1894[20] am theatr genedlaethol broffesiynol, ac ymroddiad twymgalon y brifddinas i'r pasiant cenedlaethol. Er na fu ymateb i alwad Jones yn 1894, mae'n ddigwyddiad o bwys am ei fod yn lleoli'r ymgyrch am theatr genedlaethol yng Nghymru yng nghyd-destun patrwm o weithgaredd diwylliannol a oedd yn neilltuol i Gymru – yr Eisteddfod Genedlaethol. Galwodd Jones am gefnogaeth yr Eisteddfod Genedlaethol i'r fenter ac awgrymodd y gellid cynnig 'a grand prize, leave the subject open, and give one Eisteddfod night to have the prize drama acted and staged'.[21] Roedd yn gwbl argyhoeddedig mai'r Eisteddfod Genedlaethol oedd y sefydliad diwylliannol delfrydol i feithrin theatr genedlaethol yng Nghymru. Rai blynyddoedd yn ddiweddarach, awgrymodd Lloyd George y gallai rhyddhau'r genedl o'r cadwynau eisteddfodol ehangu ei gorwelion. Er gwaethaf hyn, roedd gwerth yr ŵyl fel fforwm cenedlaethol a allai feithrin diwylliant theatrig y genedl yn amhrisiadwy.

Un a wnaeth yn fawr o'r cyfleoedd a gynigiwyd gan yr Eisteddfod Genedlaethol oedd Iolo Morganwg, neu Edward Williams (1747–

1826). Wrth roi lle blaenllaw i'r Orsedd yn yr Eisteddfod, cyfreithlonwyd actio fel gweithgaredd diwylliannol dilys. Mae'r berthynas rhwng seremoni'r Orsedd a theatr genedlaethol, pan ystyrir y ddau fel gweithgaredd cymunedol, diwylliannol a luniwyd er mwyn cryfhau hunaniaeth gyffredin, yn esbonio pam fod yr Eisteddfod mor bwysig yn nhermau datblygiad theatr genedlaethol yng Nghymru. Yn gyntaf, darganfu'r Cymry eu bod yn meddu ar y gallu i'w trawsffurfio eu hunain, neu mewn geiriau eraill, eu bod yn genedl theatraidd. Yn ail, daethant i sylweddoli y gallai hyn eu rhyddhau, am ennyd o leiaf, rhag cyfyngiadau bywyd go iawn a rhoi iddynt fynediad i fyd lle y gallent archwilio a mynegi eu hunaniaeth genedlaethol trwy gyfrwng proses o ddarganfyddiad dramataidd. Gellir dadlau bod sefydlu'r Orsedd yn rhan ganolog o'r Eisteddfod yn dynodi cyfnewid y cyd-destun Prydeinig a fu'n gadarnle i basiant Rhoscomyl, am fformiwla wahanol, Geltaidd lle roedd Primrose Hill, Llundain, man geni Gorsedd y Beirdd, yn chwarae rhan yr un mor bwysig â'r cynefinoedd Cymreig.

Byddai'n amhriodol dadlau i Iolo fwriadu i'w ddyfeisgarwch gael effaith uniongyrchol ar statws a rôl y theatr yng Nghymru. Roedd hi'n sefyllfa gwbl wahanol ar droad yr ugeinfed ganrif, pan gysegrodd un unigolyn ei holl ymdrechion i sefydlu theatr genedlaethol – yr unigolyn hwn oedd yr Arglwydd Howard de Walden (1880–1946). Roedd Howard de Walden yn awyddus i feithrin ysgol newydd o ddramodwyr ifainc Cymreig a fyddai'n gallu dramateiddio'r gwrthdaro chwyrn rhwng 'the old and the new value systems . . . [T]he most common confrontation . . . that between the formalistic Calvinism of the narrow-minded and often hypocritical Nonconformist deacon and the broader, humanitarian theology of the younger generation.'[22] Yn wir, llwyddodd i ysbrydoli llu o ddramodwyr newydd dosbarth canol addysgedig fel D. T. Davies (1876–1962), J. O. Francis (1882–1956), ac R. G. Berry (1869–1945), a ymatebodd yn frwdfrydig i'r wobr o gan punt a gynigiwyd gan Howard de Walden yn Eisteddfod 1911 mewn cystadleuaeth i ddarganfod 'the best play, in Welsh or English, suitable for the repertory of a Welsh national dramatic company touring in Wales'.[23]

Roedd Howard de Walden yr un mor ymroddedig i'r ymdrech i weddnewid y grefft o gynhyrchu theatr ar lefel genedlaethol ac i safon genedlaethol ag yr oedd i feithrin sgiliau dramodwyr Cymreig.

Dyma'r weledigaeth a'i ysbrydolodd i gael grŵp bychan o actorion i sefydlu'r Welsh National Drama Company a berfformiodd yn gyhoeddus am y tro cyntaf yn y New Theatre, Caerdydd rhwng 11 a 16 Mai 1914. Mae lliaws o adroddiadau positif yn y wasg yn cofnodi llwyddiant ymdrech flaengar Howard de Walden. Er gwaethaf hyn, ni fu'n hir cyn i'r cwmni ddod wyneb yn wyneb â chwestiwn anodd yr iaith Gymraeg a'i pherthynas â Chymru a hunaniaeth genedlaethol Cymru. Tanlinellodd apêl Tom Jones yn 1894 y gwrthdaro mewnol wrth galon cymdeithas Cymru, wrth iddo nodi y byddai'n rhaid i unrhyw theatr genedlaethol a fynnai ddarparu ar gyfer y genedl gyfan fod yn ddwyieithog. Er bod cynulleidfa Abertawe yn Neuadd Albert yn ddigon parod i gymeradwyo tipyn Cymraeg yr Arglwydd Howard de Walden, 'Mr Cadeirydd, Foneddigesau a Boneddigion',[24] gwelai eraill y berthynas rhwng eu Theatr Genedlaethol a'u hiaith genedlaethol yn un dyrys ar y naw. Cyn hir, cyhuddwyd cwmni Howard de Walden o ymarfer ac o hysbysebu yn Saesneg, ac yn waeth byth, o flaenoriaethu cynyrchiadau Saesneg eu hiaith.

Mewn gwirionedd, nid oedd y meini ieithyddol a fu'n dramgwydd i ymdrechion Howard de Walden ond yn un agwedd ar wrthdaro amlochrog a oedd wrth wraidd cysyniad y genedl ohoni hi'i hun. Yng Nghymru, daeth y gwrthdaro rhwng amcanion a gobeithion y theatr genedlaethol, ar y naill law, a'r traddodiad amatur, ar y llall i gynrychioli'r gagendor rhwng traddodiad o hunanddiogelu cymdeithasol a chwant newydd i dderbyn ac efelychu dylanwadau Ewropeaidd er mwyn cyrraedd safonau rhyngwladol. Bu peth cydweithio a chynigiodd Dan Matthews, cyfarwyddwr amatur adnabyddus, fôr o brofiad ymarferol i'r newydd-ddyfodiaid proffesiynol. Ond yn y diwedd, enillodd gwrthdaro'r blaen ar gydweithio. Siarsiwyd Howard de Walden i ailwampio ei bolisi a mynd ati i sicrhau bod 'every village, every remote rural hamlet' yn cael cymdeithas ddrama amatur, 'as much as a matter of course as its local choir'.[25] Digon posibl fod cyngor Beriah Gwynfe Evans i'r cwmni theatr cenedlaethol gefnogi'r mudiad amatur trwy ddarparu setiau, gwisgoedd, posteri hysbysebu, a chyfarwyddiadau ynghylch sut i 'fit up a model in the village schoolroom'[26] yn gam am yn ôl yng nghyd-destun datblygiad y gelfyddyd theatrig yng Nghymru. Beth bynnag am hynny, roedd yn amlwg bod Evans yn gwbl argyhoeddedig mai dyna'r unig ffordd i gynnal y diwylliant Cymreig a oedd yn anadl einioes iddo ef a llawer o Gymry eraill.

Y cwestiwn sylfaenol oedd a ddylai theatr genedlaethol Gymreig fod yn gyfrwng i ddiogelu a dathlu hynodrwydd diwylliannol y genedl? Neu a ddylai hi, yn hytrach, gyflwyno'r wlad i werthoedd a safonau a fewnforiwyd ac a fyddai'n pontio rhwng Cymru a'r byd y tu hwnt? Roedd ymdrechion Saunders Lewis a'i ffrind R. O. F. Wynne (1901–1993), i sefydlu theatr ar ystad Wynne yng Ngarthewin yn gyfraniad i'r cyfryw drafodaeth. Wedi methiant ymgais i sefydlu theatr genedlaethol yng Nghaerdydd yn yr ugeiniau, gobeithiai Lewis a Wynne greu theatr arbrofol yng Ngarthewin a fyddai'n cynnal y safonau proffesiynol uchaf a symud y theatr yng Nghymru ymlaen i uchelfannau newydd. Bu'r fenter yn llwyddiannus a chynhaliwyd nifer o berfformiadau, gwyliau a chynadleddau yng Ngarthewin o dan arweiniad y ddau arloeswr. Er gwaethaf hyn, arbrawf oedd menter Garthewin. Ni fwriadwyd erioed i'r fenter fod yn ymgais i sefydlu'r math o theatr genedlaethol, safonol sydd fwyaf cyfarwydd i gynulleidfaoedd a chyrff cyllido cyhoeddus y cyfnod modern. Wrth i gefnogwyr Garthewin ymroi i arbrofi â'r cysyniad o theatr genedlaethol, roedd datblygiadau eraill mwy prif-ffrwd ar waith. Un o'r rhain oedd sefydlu The Welsh Theatre Company gan Gyngor y Celfyddydau yn 1962, cwmni a oedd i sicrhau darpariaeth ar lefel broffesiynol, briodol er gwaethaf anawsterau daearyddol a diffyg adeiladau addas – ffactorau a oedd yn dân ar groen y cyngor a'r cyhoedd yng Nghymru.

Roedd y cwmni i fod yn ddwyieithog ond ni fu'n gymesur â'r her. Yn ddiymdroi, ymddangosodd chwaer-gwmni cyfrwng Cymraeg, Cwmni Theatr Cymru – cwmni theatr cenedlaethol mwyaf llwyddiannus Cymru hyd yn hyn – i wneud yn iawn am ffaeleddau ieithyddol The Welsh Theatre Company. Mae gwrthgyferbyniad trawiadol rhwng hanes y ddau gwmni. Ar un llaw, ceir hanes go simsan i'r Welsh Theatre Company. Erbyn y saithdegau cynnar, aethai i drybini a chollodd ei annibyniaeth. Fe'i cyfunwyd gyda'r cwmni opera cenedlaethol a'i ailenwi yn Welsh Drama Company cyn iddo ddarfod yn gyfan gwbl yn 1978. Ar y llaw arall, ffynnodd Cwmni Theatr Cymru o dan reolaeth Wilbert Lloyd Roberts (1925–1996), o'r BBC ac erbyn 1965, roedd yn cyflogi chwe actor llawn amser ar gyflog o £600 y flwyddyn. Ddegawd yn ddiweddarach, roedd yn gwmni annibynnol gyda'i fwrdd rheoli ei hunan a oedd yn teithio yn rheolaidd o amgylch y wlad, yn ogystal â rheoli Theatr Gwynedd. Mwynhaodd y cwmni bron ugain mlynedd o lwyddiant a phoblogrwydd ond erbyn 1982, daethai i derfyn ei deyrnasiad a gorfu iddo gau er gwaethaf ymdrechion glew Emily Davies i hwyhau ei einioes.

Cyd-darodd tynged Cwmni Theatr Cymru â chychwyn cyfnod ôl-fodernaidd, pan fynnodd Brith Gof ganol llwyfan ym maes y theatr yng Nghymru. Mae'r gwahaniaeth rhwng y ddau gwmni yn amlwg – Cwmni Theatr Cymru, yn gwmni theatr traddodiadol[27] â phwyslais ar destun, a Brith Gof yn gasgliad o arbenigwyr theatr a ganolbwyntiai ar waith corfforol, arbrofol. Er gwaethaf hyn, gellir dehongli ysfa Brith Gof i ddefnyddio theatr fel ffordd o weithredu 'a satisfying, dignified, personal-political arrangement'[28] fel fersiwn ôl-fodernaidd o'r cysyniad o theatr genedlaethol. Gellir hefyd ei ddehongli fel arwydd o wrthod cenedligrwydd ethnig o blaid cysyniad mwy dinesig o hunaniaeth genedlaethol. Yn ôl Roger Owen, daeth cyfnod o weithgaredd theatraidd cenedlaethol, cyfrwng Cymraeg, cyffrous i ben ar ddiwedd yr ugeinfed ganrif yng Nghymru. Dadleua Owen fod llwyddiant yr ymgyrch 'Ie dros Gymru' wedi caniatáu i'r theatr Gymraeg ddiosg baich y cyfrifoldeb gwleidyddol a ysgwyddodd yn ystod cyfnod goruchafiaeth llywodraeth Geidwadol ym Mhrydain yn negawdau olaf yr ugeinfed ganrif.[29] Ategir argraff Owen o'r bwlch rhwng ewyllys gwleidyddol Cymru a realaeth ei sefyllfa wleidyddol yn y cyfnod hwn gan honiadau David Adams nad oedd, yn y cyfnod cyn datganoli, fforwm ar gyfer trafodaeth o natur wleidyddol lle y gellid mynegi cyfoeth a chymhlethdod hunaniaeth genedlaethol Cymru.[30] Rhoddodd agoriad swyddogol y Cynulliad Cenedlaethol ym mis Mai 1999 i Gymru 'a democratically elected, representative institution' a datganwyd geni'r 'political nation'.[31] O ganlyniad, yn ôl Owen, collwyd rôl wleidyddol y cwmnïau ymylol a ffynnodd yn y bwlch a adawyd gan ddiflaniad Cwmni Theatr Cymru. Wrth i'r cyfryw ddyletswyddau gael eu trosglwyddo i'r corff etholedig newydd a oedd i arwain Cymru i'r unfed ganrif ar hugain, collodd y theatr Gymraeg gyfeiriad a chenhadaeth.

Sut felly y gallwn ni esbonio ymddangosiad dwy theatr genedlaethol newydd ar droad yr unfed ganrif ar hugain? A yw hi'n deg dadlau fod dwy theatr genedlaethol newydd Cymru yn ymarfer y gorffennol yn nhermau eu datganiad a'u hymgorfforiad o genedligrwydd Cymreig? Ar un llaw, mae bodolaeth dwy theatr genedlaethol, newydd, wedi eu hariannu gan asiantaethau annibynnol, led braich o'r llywodraeth, yn rhoi gwawr gyfoes i genedligrwydd Cymreig. Onid dyma esiampl o gynghreirio gwleidyddol/diwylliannol sydd yn herio ymgais Hans Kohn i osod y naill elfen mewn gwrthgyferbyniad â'r llall yn ei drafodaeth ef o natur cenedligrwydd? Ar y llaw arall, mae sefyllfa gyfredol y ddau gwmni cenedlaethol yn awgrymu na fydd dyfodiad yr unfed ganrif ar hugain yn gweddnewid hanes y theatr genedlaethol yng Nghymru. Ychydig iawn o dystiolaeth ddiweddar sy'n awgrymu y gellid cyfnewid y traddodiad cyson o ddiwygio, adnewyddu ac aileni sydd wedi nodweddu hanes y theatr genedlaethol yng Nghymru trwy gydol yr ugeinfed ganrif, am batrwm gwahanol.

Eto, efallai taw dyma'r cyfnod tyngedfennol yn hanes y ddau gwmni a hynny am fod y broses o sefydlogi gwleidyddol sy'n agwedd ar bresennol a dyfodol gwleidyddiaeth datganoli yn yr unfed ganrif ar hugain yn cynnig llwyfan sefydlog i'r ddau gwmni theatr cenedlaethol am y tro cyntaf yn eu hanes. Mae'r cwmni cyfrwng Cymraeg newydd oroesi cyfnod o adolygiad a sbardunwyd gan arolwg trylwyr o gyllido'r celfyddydau yng Nghymru gan Gyngor y Celfyddydau. O ganlyniad, gellir edrych ymlaen at gyfnod o frwdfrydedd a gweithgarwch ffres o dan arweiniad y cyfarwyddwr artistig cyfredol, Arwel Gruffydd. Mae'r cwmni cyfrwng Saesneg yn mynd o nerth i nerth ac yn symud yn agosach at gynllun hirdymor, cynaliadwy. Yn sicr, bydd y blynyddoedd a'r degawdau nesaf yn gyfnod dadlennol wrth i ni ddarganfod a ydyw'r sefydlogi gwleidyddol a addawyd gan bleidlais refferendwm 4 Mawrth 2011, pan bleidleisiodd Cymru o blaid trosglwyddo pwerau deddfu dethol i lywodraeth y Cynulliad, am arwain at gyfnod o sefydlogrwydd cynhyrchiol i ddwy theatr genedlaethol Cymru wrth iddynt gyfrannu at y broses gyfoes a ddisgrifir gan Eley a Suny fel, 'an interaction of cultural coalescence and specific political intervention.'[32]

NODIADAU

[1] *http://www.cynulliadcymru.org/bus-home/bus-chamber/bus-chamber-third-assembly-rop.htm?act=dis&id=60494&ds=11/2007#rhif4.*

[2] Gweler Umut Özkirimli, *Contemporary Debates on Nationalism: A Critical Engagement* (Basingstoke: Palgrave Macmillan, 2005), t. 22.

[3] Gweler Hans Kohn, *The Idea of Nationalism: A study in its Origins and Background* (Efrog Newydd: Macmillan Company, 1945), gweler tt. 329–31.

[4] Emyr Humphreys, *The Taliesin Tradition* (Llundain: Gwasg Black Raven, 1983).

[5] Geoff Eley a Ronald Grigor Suny, 'Introduction: From the Moment of Social History to the Work of Cultural Representation', yn *Becoming National: A Reader*, goln Geoff Eley a Ronald Grigor Suny (Rhydychen: Gwasg Prifysgol Rhydychen, 1996), t. 8.

[6] Glanmor Williams, *Religion, Language, and Nationality in Wales: Historical Essays* (Caerdydd: Gwasg Prifysgol Cymru, 1979), t. 143.

[7] Cyfeirir at yr engrafiad yng nghyfrol Peter Lord, *Gwenllian: Essays on Visual Culture* (Llandysul: Gwasg Gomer, 1994), t. 65.

[8] Williams, *Religion, Language, and Nationality in Wales*, t. 143.

[9] Er gwaethaf y ffaith i Daniel O'Connell gael ei ethol i gynrychioli Clare yn Nhŷ'r Cyffredin yn 1828, ni allai gymryd ei sedd am y byddai'n rhaid iddo dyngu Llw Goruchafiaeth a oedd yn anghydnaws â Chatholigiaeth. Newidiwyd y drefn hon yn 1829.

[10] Gweler Lionel Pilkington, *Theatre and the State in twentieth-century Ireland: cultivating the people* (Llundain a Chaerdydd: Routledge, 2001), t. 7.

[11] Kenneth O. Morgan, 'The Welsh in English Politics, 1868–1982', yn *Welsh Society and Nationhood: Historical Essays Presented to Glanmor Williams*, goln R. R. Davies, Ralph A. Griffiths, Ieuan Gwynedd Jones a Kenneth O. Morgan (Caerdydd: Gwasg Prifysgol Cymru, 1984), t. 250.

[12] Cyhoeddwyd *Young Wales: A National Periodical for Wales* fel cyfnodolyn misol o dan olygyddiaeth John Hugh Edwards o 1895 hyd 1902. Mae'r cyhoeddwyr yn amrywio ond cyhoeddwyd y cyfrolau a geir ar silffoedd agored y Llyfrgell Genedlaethol gan The Welsh National Press Company (Ltd): Caernarfon.

[13] Gweler 'Leading Young Welshmen: Thomas Ellis M.P.' yn *Young Wales: A National Periodical for Wales*, John Hugh Edwards (gol.) (Caernarfon: The Welsh National Press Company Ltd, 1896), t. 93.

[14] Thomas E. Ellis, 'The Memory of the Kymric Dead', yn *Speeches and Addresses by the Late T. E. Ellis, M.P.* (Wrecsam: Hughes a'i Fab, 1912), t. 22.

[15] Richard Shannon, 'Mr Gladstone and Swansea, 1887', darlith a draddodwyd ar 18 Tachwedd 1980 (Abertawe: Prifysgol Abertawe, 1982).

[16] Ibid., t. 6.

[17] Hywel Teifi Edwards, *The National Pageant of Wales* (Llandysul: Gwasg Gomer, 2009), t. ix.

[18] Adroddiad ar gyflwr addysg yng Nghymru a gomisiynwyd gan senedd San Steffan ac a gyflwynwyd yn 1847 oedd hwn. Mae'n debyg taw R. J. Derfel a fathodd iddo'r enw 'Brad y Llyfrau Gleision' a oedd yn gyfeiriad at chwedl Brad y Cyllyll Hirion. Dyma hefyd oedd teitl anterliwt R. J. Derfel ar y pwnc.

[19] Robert Jones (R. J. Derfel) *Brad y Llyfrau Gleision* (Rhuthyn: I. Clarke, 1854).
[20] Yn 1894, gwnaethpwyd apêl gan Tom Jones i ddarllenwyr *Wales: A national Magazine for the English speaking parts of Wales* i ddod at ei gilydd yn enw celfyddyd a sefydlu cwmni theatr cenedlaethol proffesiynol. Am fanylion pellach, gweler Anwen Jones, *National Theatres in Context: France, Germany, England and Wales* (Caerdydd: Gwasg Prifysgol Cymru, 2007), tt. 143, 167 a 183.
[21] 'The Welsh Drama', *Wales*, 1/8, Rhagfyr, 1894, 374.
[22] Ioan Williams, 'Towards national identities: Welsh theatres', yn Baz Kershaw (gol.), *The Cambridge History of British Theatre*, 3 (Rhydychen: Gwasg Prifysgol Rhydychen, 2004), tt. 247–8.
[23] Owen Rhoscomyl, 'National Drama', *Western Mail*, 6 Rhagfyr 1913, 6.
[24] 'A Masterpiece Coming', *The Cambria Daily Leader*, 24 Hydref 1919, 1.
[25] Beriah Gwynfe Evans, 'Welsh National Drama: Lord Howard de Walden's Mistake and How it may be rectified, II', *Wales: The National Magazine*, VI (1914), 98.
[26] Evans, 'Welsh national drama', t. 100.
[27] Sefydlwyd Adran Antur Cwmni Theatr Cymru yn 1965. Am fanylion pellach, gweler Jones, *National Theatres in Context*, 2007), t. 207. Amcan yr adran oedd dilyn trywydd mwy arbrofol a bu'n llwyddiannus. Bu hefyd peth cydweithio rhwng Cwmni Theatr Cymru a Brith Gof. Er gwaethaf y cyfryw ddatblygiadau, teg diffinio'r cyntaf fel sefydliad traddodiadol o'i gymharu â'r olaf.
[28] Charmian Savill, 'A Critical Study of the history of the Welsh Theatre company Brith Gof' (traethawd MPhil heb ei gyhoeddi, Prifysgol Cymru, Aberystwyth, 1993), t. 1.
[29] Gweler Roger Owen, *Ar Wasgar: Theatr a Chenedligrwydd yn y Gymru Gymraeg, 1979–1997* (Caerdydd: Gwasg Prifysgol Cymru, 2003), tt. 219–20.
[30] Gweler David Adams, *Stage Welsh, Nation, nationalism and theatre: the search for cultural identity* (Llandysul: Gwasg Gomer, 1996), t. 9.
[31] Denis Balsom, 'No Going Back', yn *Birth of Welsh Democracy: The First Term of the National Assembly for Wales*, goln John Osmond a J. Barry Jones (Caerdydd: Sefydliad Materion Cymreig, 2003), t. 305.
[32] Eley a Suny, 'Introduction: From the Moment of Social History to the Work of Cultural Representation', t. 8.

LLYFRYDDIAETH

'A Masterpiece Coming', *The Cambria Daily Leader*, 24 Hydref 1919, t. 1 (dim awdur).

Adams, David, *Stage Welsh, Nation, nationalism and theatre: the search for cultural identity* (Llandysul: Gwasg Gomer, 1996).

Balsom, Denis, 'No Going Back', yn *Birth of Welsh Democracy: The First Term of the National Assembly for Wales*, goln John Osmond a J. Barry Jones (Caerdydd: Sefydliad Materion Cymreig, 2003), tt. 305–14.

Edwards, Hywel Teifi, *The National Pageant of Wales* (Llandysul: Gwasg Gomer, 2009).

Eley, Geoff a Suny, Ronald Grigor, 'Introduction: From the Moment of Social History to the Work of Cultural Representation', yn *Becoming National: A Reader*, goln

Geoff Eley a Ronald Grigor Suny (Rhydychen: Gwasg Prifysgol Rhydychen, 1996), tt. 3–37.

Ellis, Thomas M.P., 'Leading Young Welshmen', yn *Young Wales: A National Periodical for Wales*, gol. John Hugh Edwards, vol. II, no. 16, April 1896 (Caernarfon: The Welsh National Press Company Ltd, 1896), 89–94.

Ellis, Thomas E., 'The Memory of the Kymric Dead', yn *Speeches and Addresses by the Late T. E. Ellis, M.P.* (Wrecsam: Hughes a'i Fab, 1912), tt. 3–26.

Evans, Beriah Gwynfe, 'Welsh National Drama: Lord Howard de Walden's Mistake and How it may be rectified, II', *Wales: The National Magazine*, VI (1914), 97–101.

Humphreys, Emyr, *The Taliesin Tradition* (Llundain: Gwasg Black Raven, 1983).

Jones, Anwen, *National Theatres in Context: France, Germany, England and Wales* (Caerdydd: Gwasg Prifysgol Cymru, 2007).

Jones, Robert (R. J. Derfel), *Brad y Llyfrau Gleision* (I. Clarke, Rhuthyn, 1854).

Kohn, Hans, *The Idea of Nationalism: A study in its Origins and Background* (Efrog Newydd: Macmillan Company, 1945).

Lord, Peter, *Gwenllian: Essays on Visual Culture* (Llandysul: Gwasg Gomer, 1994).

Morgan, Kenneth O., 'The Welsh in English Politics, 1868–1982', yn *Welsh Society and Nationhood: Historical Essays Presented to Glanmor Williams*, goln R. R. Davies, Ralph A. Griffiths, Ieuan Gwynedd Jones a Kenneth O. Morgan (Caerdydd: Gwasg Prifysgol Cymru, 1984), tt. 232–50.

Owen, Roger, *Ar Wasgar: Theatr a Chenedligrwydd yn y Gymru Gymraeg, 1979–1997* (Caerdydd: Gwasg Prifysgol Cymru, 2003).

Özkirimli, Umut, *Contemporary Debates on Nationalism: A Critical Engagement* (Basingstoke: Palgrave Macmillan, 2005).

Pilkington, Lionel, *Theatre and the State in twentieth-century Ireland: cultivating the people* (Llundain a Chaerdydd: Routledge, 2001).

Rhoscomyl, Owen, 'National Drama', *Western Mail*, 6 Rhagfyr 1913.

Savill, Charmian, 'A Critical Study of the history of the Welsh Theatre company Brith Gof' (traethawd MPhil heb ei gyhoeddi, Prifysgol Cymru, Aberystwyth, 1993).

Shannon, Richard, 'Mr Gladstone and Swansea, 1887', darlith a draddodwyd ar 18 Tachwedd 1980 (Abertawe: Prifysgol Abertawe, 1982).

'The Welsh Drama', *Wales*, 1/8, Rhagfyr 1894, 374.

Williams, Glanmor, *Religion, Language, and Nationality in Wales: Historical Essays* (Caerdydd: Gwasg Prifysgol Cymru, 1979).

Williams, Ioan, 'Towards national identities: Welsh theatres', yn Baz Kershaw (gol.), *The Cambridge History of British Theatre*, 3 (Rhydychen: Gwasg Prifysgol Rhydychen, 2004), tt. 242–72.

http://www.cynulliadcymru.org/bus-home/bus-chamber/bus-chamber-third-assembly-rop.htm?act=dis&id=60494&ds=11/2007#rhif4, cyrchwyd 22 Mehefin 2010.

6

THEATR ÔL-DDRAMATAIDD

Gareth Evans

SUT BETH YW THEATR ÔL-DDRAMATAIDD?

Cyn cychwyn: nid oes y fath beth â theatr ôl-ddramataidd. Nid yw'n bodoli. Nid label ydyw ar gyfer math penodol o theatr; nid *genre* yw'r ôl-ddramataidd. Nid oes modd ei ddefnyddio fel term cynhwysfawr a thaclus er mwyn disgrifio arddull theatraidd penodol, gan fod modd ystyried nifer o wahanol fathau o berfformiadau fel rhai sy'n amlygu elfennau y gellir eu galw'n ôl-ddramataidd. Yn hytrach, optig damcaniaethol ydyw; ffordd o werthuso ac o ddehongli moddau ac esthetig theatraidd sydd wedi'u hamlygu ers y 1970au. Cydnabyddir yr Almaenwr Hans-Thies Lehmann fel yr un a fathodd y term, gan gyhoeddi ymdriniaeth estynedig o'i syniadau yn y gyfrol *Postdramatisches Theater*[1] am y tro cyntaf yn 1999. Cyhoeddwyd y cyfieithiad Saesneg, *Postdramatic Theatre*, saith mlynedd yn ddiweddarach.[2] Er i eraill ddefnyddio'r term yn flaenorol, Lehmann oedd y cyntaf i droi'r syniad o 'theatr ar ôl drama' yn gysyniad.[3]

Mae'r cysyniad felly'n cyfeirio at weithgarwch theatraidd a ddatblygodd (ac sy'n parhau i ddatblygu) tros gyfnod o ddeng mlynedd ar hugain. Gan mai yn ystod y degawd diwethaf y poblogeiddiwyd y term, nid oedd ymarferwyr nac artistiaid a ddaeth i amlygu ac i ymgorffori dulliau ôl-ddramataidd yn gwneud hynny'n fwriadol ar y pryd. Hyd heddiw, er pwysigrwydd cydnabyddedig a defnyddioldeb polemig Lehmann, pur anaml y clywir y term yn cael ei ddefnyddio'r tu hwnt i waliau academaidd, yn enwedig ym Mhrydain. Rhaid pwysleisio mai gweithred feirniadol yw dehongli digwyddiadau theatraidd fel rhai ôl-ddramataidd.

Mae'r bennod hon wedi'i rhannu'n fras yn ddau ddarn, gyda'r hanner cyntaf yn trafod rhai o brif syniadau cenadwri Lehmann. Neilltuir ail hanner y bennod ar gyfer cyfres o astudiaethau achos byr a fydd yn ymhelaethu ar ymdriniaeth benodol ôl-ddramataidd â phum elfen angenrheidiol y theatr.

CYSYNIADAU'R THEATR ÔL-DDRAMATAIDD

Fel y caiff ei awgrymu trwy ddefnyddio'r rhagddodiad 'ôl', prif ystyriaeth y theatr ôl-ddramataidd yw theatr sy'n bodoli ar ôl drama. Nid theatr heb ddrama nac ychwaith theatr wrth-ddrama, ond yn hytrach theatr nad yw'n ymlynu at rinweddau ffurfiol drama. Mae cydnabyddiaeth o'r ymwrthodiad uniongyrchol i ddilyn y rhinweddau hynny yn rhan ddiymwad o'r theatr newydd. Er bod gweithiau y gellir eu hystyried yn ôl-ddramataidd yn amrywio'n eang yn ôl ffurf a chynnwys, yr hyn sy'n gyffredin rhyngddynt yw amharodrwydd y theatr i freinio'r testun dramataidd ac i beidio â'i flaenoriaethu fel sylfaen ar gyfer ffurfio'r ddelwedd ar lwyfan. Nid yw hyn yn diddymu nac yn diystyru presenoldeb testun, boed hynny'n destun neilltuol ddramataidd neu beidio. Yn ogystal â hyn, yng nghyd-destun theatr gyfoes ac yn enwedig ym maes Astudiaethau Perfformio, mae gan destun arwyddocâd lluosog; y testun ieithyddol, testun y llwyfannu a'r *mise-en-scène*, ac yn olaf, testun y perfformiad. Wrth gyfuno testun ieithyddol â thestun y llwyfannu crëir testun y perfformiad, ac yn ôl y diffiniad newydd o destun mae'n arglwyddiaethu dros y digwyddiad gan ei fod yn gyfystyr â'r weithred berfformiadol yn ei chyfanrwydd. 'The mode of relationship of the performance to the spectators, the temporal and spatial situaton, and the place and function of the theatrical process within the social field, all of which constitute the "performance text", will "overdetermine" the other two levels.'[4]

O ganlyniad i hyn, mae arwyddocâd elfennau unigol y broses theatraidd yn dibynnu ar y modd yr ystyrir y digwyddiad yn llawn yn hytrach na chymryd yn ganiataol bod unrhyw effaith gyffredinol a grëir gan y digwyddiad yn gyfuniad o'r elfennau cyfansoddol.

> Hence, for postdramatic theatre . . . the written and/or verbal text transferred onto theatre, as well as the 'text' of the staging understood in the widest sense (including the performers, their 'paralingusitic additons, reductions or deformations of the linguistic material; costumes, lighting, space, peculiar temporality, etc.) are all cast into a new light through *a changed conception of the performance text*.'[5]

Yn hytrach na breinio'r testun ieithyddol fel y gwneir mewn theatr ddramataidd, fe'i lleolir mewn hierarchaeth ochr yn ochr â'r holl elfennau cyfansoddol gan alluogi iddynt i gyd gael eu hystyried yn gydradd yn nhestun y perfformiad. Felly, y cysyniad beirniadol sy'n sail i'r theatr sy'n newydd; nid y theatr ei hun. Â Lehmann rhagddo:

> [P]ostdramatic theatre is *not simply a new kind of text of staging* – and even less a new type of theatre text, but rather a type of sign usage in the theatre that turns both of these levels of theatre upside down through the structurally changed quality of the performance text: it becomes more presence than representation, more shared than communicated experience, more process than product, more manifestation than signification, more energetic impulse than information.[6]

Rhestrir gan Lehmann un ar ddeg rhinwedd arddulliadol gwahanol sy'n rhan o arddull y theatr ôl-ddramataidd, ac sy'n sgil-effeithiau uniongyrchol ailgloriannu arwyddocâd y testun perfformio. Rhoddir isod grynodeb byr o'r rhinweddau hynny.[7]

1. *Paratacsis*/di-hierarchaeth (*Parataxis/non-hierarchy* | *Parataxis/Non-Hierarchie*)

Di-hierarchaeth yw prif nodwedd yr ôl-ddramataidd. Tra bod theatr ddramataidd yn dilyn traddodiad dibynnol (*hypotactic*) o drefnu arwyddion y digwyddiad mewn modd sy'n dynodi deallusrwydd eglur, gwyrdroir hynny yn atgyflead (*parataxis*) y theatr ôl-ddramataidd. Nid oes modd bellach derbyn bod arwyddocâd y digwyddiad yn cael ei gynnal gan gysylltiadau amwys rhwng yr arwyddion. Yn hanfodol, mae hyn yn newid rôl y gynulleidfa. Yn hytrach na bod ystyr yn cael ei gyfleu fel neges ganolog gyda'r holl arwyddion yn bodoli er mwyn ategu'r neges, rhaid i gynulleidfa'r theatr ôl-ddramataidd fod yn barod i chwilio a chreu cysylltiadau rhwng yr arwyddion eu hunain.

2. Cydamseroldeb (*Simultaneity* | *Simultaneität*)

O ganlyniad i natur atgyfleol yr ôl-ddramataidd, mae arwyddion nawr yn ymddangos yn gydamserol yn y *mise-en-scène* gan wneud dehongliad dramataidd yn amhosibl. Yn ôl Lehmann, 'Parataxis and simultaneity result in the failure of the classical aesthetic ideal of an "organic" connection of the elements in an artefact.'[8] Crëir estheteg o 'enciliad ystyr', ond pwysleisir gan yr awdur na ddylai hynny gael ei ystyried yn ddiffyg, ond bod yma bosibilrwydd i ail-greu ac i ailystyried ystyr o'r newydd.

3. Chwarae gyda dwysedd arwyddion (*Play with the density of signs* | *Spiel mit der Dichte der Zeichen*)

Mae hyblygrwydd dwysedd arwyddion yn un o bosibiliadau ffurfiol mwyaf trawiadol a phellgyrhaeddol yr ôl-ddramataidd. Wrth eu cymharu â dwysedd normal arwyddion (sydd, er enghraifft, yn ein galluogi i adnabod theatr naturiolaidd fel adlewyrchiad mimetig o'n profiad o fod yn y byd), mae modd i arwyddion nawr orlethu neu encilio yn y digwyddiad fel bo'r angen. Dywed Lehmann bod hyn yn arwain theatr ôl-ddramataidd i efelychu celfyddyd gyfryngol; gan ein bod bellach yn byw mewn byd lle cawn ein llethu gan arwyddion yn ddyddiol. Mae gan theatr ôl-ddramataidd fodd o allu gwrthsefyll neu atgyfnerthu a gwthio hynny trwy weithredu economeg arwyddion; gall orlethu'r gynulleidfa â dwysedd uchel o arwyddion, neu gall leihau amlder yr arwyddion trwy ddwysedd isel fel bod yn rhaid i'r gynulleidfa ddefnyddio'u dychymyg wrth ymateb i brinder arwyddion.

4. *Plethora* (*Plethora* | *Überfülle*)

I'r gwrthwyneb, pan gynyddir dwyster yr arwyddion cynigir *plethora* o ddeunydd gan chwyddo'r digwyddiad theatraidd. Wrth i nifer y deunyddiau sydd ar gael i gynulleidfa gynyddu, cynyddir amhosibilrwydd prosesu popeth sydd ar y llwyfan a chreu unrhyw synnwyr o undod. Canlyniad hyn yw anhrefn ac erchylltra.

5. Gosodiad cerddorol

Wrth i destun ieithyddol gael ei droi'n arwydd ac yn ddim byd mwy nag effaith soniarus, mae ystyr semanteg a ystyrir gan amlaf yn rhinwedd gynhenid mewn iaith yn medru diflannu. Rhaid, felly, cydnabod arwyddion ieithyddol (ac eraill) fel cerddoriaeth; fel synau, fel rhythmau, ac fel patrymau.

6. Senograffi, dramatwrgiaeth weledol (*Scenography, visual dramaturgy* | *Szenographie, visuelle Dramaturgie*)

Yn yr un modd, nid arwyddion clywedol yn unig a gaiff eu newid gan theatr atgyfleol a di-hierarchaidd, ond arwyddion gweledol hefyd. Ac eto, rhaid darllen yr arwyddion gweledol hynny ar eu telerau eu hunain yn y cyd-destun newydd. Nid yw hyn yn dynodi mai dramatwrgiaeth a drefnir yn weledol yn unig sydd yma, ond yn hytrach dyrchafir y gweledol i lefel lle nad yw bellach yn israddol i'r testun. Yn y theatr ddramataidd, trefnir yr elfennau gweledol fel eu bod yn atgyfnerthiad o resymeg y testun. Mae'r theatr newydd ar y llaw arall yn galluogi'r hyn a elwir gan Lehmann yn 'theatr senograffi', sy'n rhydd i greu ei rhesymeg gweledol ei hun.

7. Cynhesrwydd ac oerni (*Warmth and coldnes* | *Wärme und Kälte*)

I gynulleidfa sy'n disgwyl i theatr gyfleu rhyw led-realaeth – yn gorfforol ac yn seicolegol – gall y theatr ôl-ddramataidd o bosibl ymddangos braidd yn oeraidd gan nad yw'n cynnig naratif cyfarwydd a chysurus. Gall hyn fod yn ysgytwol wrth ystyried bod theatr yn parhau i fod yn sylfaenol yn weithred sy'n ymwneud â bodau dynol mewn gofod. Mae cynhesrwydd yn rhan annatod o unrhyw brofiad theatraidd. I'r gwrthwyneb, mae Lehmann yn cyplysu cynhesrwydd yr ôl-ddramataidd â'r *plethora* a grybwyllwyd uchod; bydd gormod o arwyddion cydamserol yn arwain at orgynhesu.

8. Corfforoldeb (*Physicality* | *Körperlichkeit*)

Mae presenoldeb y corff yn arbennig o arwyddocaol yng nghyd-destun yr ôl-ddramataidd. Hyd yn oed mewn theatr sydd y tu hwnt i arwyddion, mae'r corff yn parhau i fod yn bresennol. Er nad yw'r corff bellach yn arwyddair i resymeg neu rethreg, mae awra'r corff (y cynhesrwydd uchod, efallai?) yn goroesi. Trawsffurfir y corff yn ganolbwynt ar gyfer sylw'r gynulleidfa; nid er mwyn trosglwyddo ystyr ond i fodoli fel corfforoldeb hunan-ddigonol (*auto-sufficient physicality*).[9] Ceir yma gorff absoliwt – ond mae'r corff absoliwt hefyd yn creu paradocs: gan nad yw'r corff bellach yn dynodi unrhyw beth ond ei gyflwr ei hun o fewn y gwirionedd cymdeithasol, mae'r corff yna'n dod i ddynodi ac i arwyddocáu pob corff.

9. 'Theatr goncrit' (*'Concrete theatre'* | *» Konkretes Theater «*)

Yn hanfodol, felly, nid yw theatr ôl-ddramataidd yn theatr haniaethol gan fod cydnabod materoliaeth y digwyddiad yn amod sylfaenol ar gyfer ei ddehongli. Ceir yma theatr gadarn; theatr goncrit. Ond rhaid cydnabod bod y theatr i raddau yn parhau i fod yn seiliedig ar yr hyn y gellir ei ddeall a'i adnabod; hyn yn oed yn absenoldeb hierarchaeth, arwyddocâd a synnwyr, er na chynigir synthesis fel y'i ceir mewn theatr ddramataidd, ni ellir gwadu bod arwyddion yn bodoli ac 'they can still be assimilated through the labyrinthine associative work'.[10] Ond heb arwyddion y gellir eu hadnabod, os yw'r cyfeirnodau'n hollol ddisynnwyr heb gynnig unrhyw fodd o greu unrhyw berthynas gysylltiadol, yr unig beth a adewir ar ôl yw strwythur. Mae'r digwyddiad yn troi'n fud ac yn 'arwynebol'.

Mae canfyddiad yn methu'n llwyr, gan orfodi cynulleidfa i ymgymryd â phroses canfyddiad yn ei hanfod; ar ei orau, rhithiol ac anghyflawn fydd canfyddiad cynulleidfa. Er ymdrechu, parhau i fod y tu hwnt i gyrhaeddiad canfyddiad fydd ystyr y digwyddiad, ac felly mae'r theatr ôl-ddramataidd yn theatr o botensial canfyddiad.

10. Ymyriad y real (*Interruption of the real* | *Einbruch des Realen*)

Mewn theatr ddramataidd, fframir byd y llwyfan fel byd sydd â'i reolau a'i synnwyr ei hun, yn fyd ffuglennol wedi'i ddynodi fel gofod sydd ar wahân i wirionedd y gynulleidfa. Troir hyn ar ei ben yn y theatr ôl-ddramataidd, gan fod y byd ffuglennol yn cael ei drawsffurfio i fod yn fyd sy'n gydradd â chosmos ffuglennol y llwyfan. Mae theatr (dramataidd ac ôl-ddramataidd) yn broses faterol sy'n arwyddo ac ar yr un pryd yn hollol real, ond a gedwir ar wahân gan syniad mai rhywbeth i'w wylio ydyw sy'n cael ei greu ar gyfer ac o flaen cynulleidfa. Mae diddymu sicrwydd y gwahaniaeth hwnnw yn hanfodol ar gyfer y theatr ôl-ddramataidd; mae pawb, perfformwyr a chynulleidfa ynghyd, yn gyd-chwaraewyr cydnabyddedig yn y digwyddiad. O ganlyniad, mae'r theatr ôl-ddramataidd yn mynnu dealltwriaeth foesol newydd gan ei chynulleidfa. Nid oes modd cuddio'r tu ôl i naratif ffuglennol gysurus. Nid gêm yw hyn bellach.

11. Digwyddiad/sefyllfa (*Event/situation* | *Ereignis/Situation*)

Uwchlaw popeth arall yn y theatr ôl-ddramataidd, pwysleisir pwysigrwydd y digwyddiad. Nid yw'r fframwaith sy'n dynodi arwyddocâd arwyddion bellach yn olrhain y perfformiad, ac nid oes modd gwahanu'r arwyddion hynny oddi wrth eu harwyddocâd yn y realaeth gymdeithasol lle y perfformir y perfformiad. Yr hyn a gawn yn sylfaenol, felly, yw'r posibilrwydd o greu digwyddiad cyfathrebol. Diffinnir y theatr newydd fel proses ac nid fel canlyniad gorffenedig. Nid yw'r ôl-ddramataidd yn gadael cofadail gelfyddydol. Rhaid cydnabod hefyd y berthynas glòs sy'n bodoli rhwng theatr ôl-ddramatidd â'r *avant-garde* clasurol;[11] diffiniwyd *Happenings* cyntaf yn Unol Daleithiau'r Amerig yn y 1950au fel digwyddiad a oedd yn ymyrru â'r real, â bywyd pob dydd. Wrth i theatr *avant-garde* ddod yn gynyddol wleidyddol yn ystod yr 1960au (eto, yn enwedig yn yr UDA) daeth y digwyddiad i ymgorffori cenadwri wleidyddol ynddo'i hun. Yn hytrach na chyflwyno gogwydd gwleidyddol fel safiad gorffenedig a oedd yn wynebu cynulleidfa, roedd y pwyslais ar ddigwyddiad fel digwyddiad ac fel rhan o broses gyfathrebol yn creu sefyllfaoedd a oedd yn galluogi proses o hunanholi, hunanarchwiliad, a hunanymwybyddiaeth ar gyfer holl gyfranogwyr y digwyddiad; yn grewyr neu'n gynulleidfa. Mae'r ystyriaeth gydrannol hon yn parhau i fod yn rhinwedd o'r ôl-ddramataidd.

Er i Lehmann gynnig y rhestr uchod er mwyn dadansoddi prif rinweddau'r ôl-ddramataidd, rhaid cofio nad ydynt ynddynt eu hunain yn cynnig system daclus ar gyfer dehongli'r theatr newydd; alegori yw eu statws yn y digwyddiad: 'Even when they can be classed into the respective type, category or procedure in many or all traits, in principle they only demonstrate a trait more obviously which could be extracted in other works of theatre where it may be more hidden.'[12]

Yn ychwanegol at hynny, aneffeithiol, efallai, fyddai ceisio gwerthuso digwyddiad byw yn erbyn y meini prawf sydd yn ymddangos yn systemataidd ac yn gymhleth. Serch hynny, er cyffredinoli, gellir crynhoi prif rinweddau arddulliadol y theatr ôl-ddramataidd yn dri phwynt, fel a ganlyn:

1) Ymwrthod â'r angen i gyfleu naratif, yn enwedig trwy gyfrwng gweithredoedd dramataidd mimetig.
2) Ni freinir iaith na deialog fel canolbwynt y weithred theatraidd.
3) Ni anwybyddir y real ac nid yw'r digwyddiad yn cyfleu byd ffug-lennol.

ASTUDIAETHAU ACHOS: ENGHREIFFTIAU O'R ÔL-DDRAMATAIDD

Wrth ystyried bod yn rhaid gwerthfawrogi'r digwyddiad ôl-ddramataidd yn ei gyfanrwydd trwy fod yn ymwybodol o'r un maen prawf ar ddeg uchod, anodd fyddai ceisio dehongli a gwerthuso pob un ohonynt yn eu tro yn ennyd y perfformiad; yn enwedig efallai i rai sy'n ymrafael â'r cysyniad am y tro cyntaf. Yn *Postdramatic Theatre*, ar ôl disgrifio'r 'panorama' o rinweddau'r theatr newydd, mae Lehmann yn eu gosod a'u dehongli yn ôl pum elfen gyfansoddol theatr: testun; gofod; amser; corff a chyfrwng. Yn dilyn y categorïau hyn, bydd gweddill y bennod hon yn cynnig pum astudiaeth achos sydd yn amlygu un elfen unigol o blith y pump uchod. Mae amrywiaeth eang rhwng y gwahanol gynyrchiadau, nid yn unig yn ôl cynnwys a ffurf ond hefyd yn eu hoed a'r cyd-destunau a'r lleoliadau lle cawsant eu llwyfannu yn gyntaf.

Er i'r astudiaethau achos canlynol ganolbwyntio ar bob un o'r elfennau yn unigol yn eu tro, rhaid pwysleisio nad oes modd eu hystyried fel elfen unigol o fewn y perfformiad. Amod o'r digwyddiad theatraidd yw eu bod i gyd yn cyd-fodoli; yn wir, nid oes modd i'r digwyddiad fodoli heb destun (yn ôl yr ystyriaeth o destun a amlinellwyd ar y cychwyn), heb ofod, heb amser, heb gorff (hyd yn oed os yw'r corff yn absennol), a heb gyfrwng. Er bod un elfen unigol yn cael ei hamlygu gan bob un o'r cynyrchiadau isod, dim ond ar gyfer dibenion y bennod hon y cânt eu gwahanu.

Un: Testun. Heiner Müller, *Hamletmaschine* (1977)

Amhosibl yw gwerthuso theatricalrwydd cynhenid unrhyw destun ar gyfer y llwyfan wrth ddarllen geiriau printiedig. Ni fwriedir i destunau ar gyfer y llwyfan fodoli ar y dudalen yn unig; rhaid iddynt gael eu perfformio. Serch hynny mae testunau ar gyfer y theatr, yn enwedig rhai dramataidd, wedi eu hargraffu a'u gosod mewn modd priodol gan ddynodi'n union sut y dylai'r testun gael ei fynegi mewn modd theatraidd. Fel arfer, trwy osod enw cymeriad ar gychwyn brawddeg, nodir yn eglur pa berfformiwr sydd i ynganu'r geiriau sy'n dilyn. Gwahenir y geiriau sydd i'w siarad oddi wrth y cyfarwyddiadau llwyfan, o ddisgrifiadau o'r senograffi, ac oddi wrth unrhyw nodiadau ar gyfer cyd-destunoli'r deunydd, ynghyd â chonfensiynau arferol a geir mewn deunydd printiedig, megis rhifau tudalennau. Cyfarwydd-iadau yw popeth sydd ar y dudalen ar wahân i'r ddeialog sydd i'w siarad; cyfarwyddiadau sy'n bwrpasol yn cyfoethogi ac yn cefnogi ystyr ac amcanion y geiriau. Yn anaml ceir unrhyw gydnabyddiaeth o'r confensiynau hyn, ac anwybyddir materoliaeth destunol y testun ar draul y mynegiant dramataidd canolog.

Yn gyffredinol, derbynnir y confensiwn uchod yn ddiamod ac yn ddigwestiwn, ond nid yw'r berthynas rhwng y testun a'r llwyfan o reidrwydd yn un gydseiniol. Yn wir, dywed Lehmann, 'The new theatre confirms the not so new insight that there is never a harmonious relationship but rather a perpetual conflict between text and scene.'[13] Awgrymir yma fod dilyniant amlwg rhwng y theatr ddramataidd â'r theatr newydd, ond bod pwyslais cynyddol ar fateroliaeth y testun fel rhan o'r weithred o berfformio yn hytrach na modd i drosglwyddo ystyr semanteg.

Yn y theatr ôl-ddramataidd,

> breath, rhythm and the present actuality of the body's visceral presence take precedence over the logos. An opening and dispersal of the logos develop in such a way that it is no longer necessarily the case that a meaning is communicated from A (stage) to B (spectator) but instead is a specifically theatrical, 'magical' transmission and connection happened by means of language.[14]

Gelwir ailarwyddocáu'r testun theatraidd gan Lehmann yn *chora-graphy*, gan fod y theatr newydd yn adfer y *chora* (a nodwyd gan Plato (424/423 CC–348/347 CC) fel gofod sy'n bodoli'n gyn-gysyniadol, a brofwyd yn y groth, lle gwahaniaethir rhwng elfennau strwythurol a deublyg y logos am y tro cyntaf). Mae *chora-graphy* felly yn dynodi math o theatr sy'n ôl-gyfeiriad tuag at y cyflwr dechreuol hwn, yn dadadeiladu disgwrs sy'n wastadol yn ceisio cyfleu ystyr, ac yn hytrach yn caniatáu gofod sy'n osgoi rheolau a hierarchaeth undod ystyriol a *telos*.[15]

Yr ymwrthod â hierarchaeth a'r rhagdybiaeth o fodolaeth unrhyw ystyr cynhenid yw prif syniad yr ôl-ddramataidd, ac fel y nodir yn yr astudiaethau achos canlynol amlygir y syniad hwn trwy wahanol foddau ac elfennau o'r *mise-en-scène*. At hynny, gan fod theatr ddramataidd gan amlaf yn mynegi ystyr bwriadol trwy gyfrwng testun ieithyddol, gellir nodi'r gwahaniaeth amlycaf rhwng yr hen theatr â'r theatr newydd trwy'r modd y defnyddir testun ieithyddol. Rhaid pwysleisio nad ymdrech i wahanu'r theatr destunol oddi wrth yr *avant garde* yw gwahaniaethau rhwng y ddau, gan fod modd defnyddio testunau dramataidd mewn modd sy'n ôl-ddramataidd. Trwy wneud hynny wrth gwrs, gwahenir y dramataidd a'r ôl-ddramataidd. Troir mynegiant yn sŵn, a thensiwn ieithyddol rhwng cymeriadau yn gystadleuaeth soniarus rhwng cymeriadau mewn gofod.

Yn ychwanegol at hyn, ysgrifennir rhai testunau'n benodol ar gyfer theatr sy'n ystyried y *logos* yn elfen atodol. Mae *Hamletmaschine* gan yr Almaenwr Heiner Müller (1929–1995) yn destun o'r fath.[16]

Fel lled-addasiad o *Hamlet* gan William Shakespeare (1564–1616), mae yma gymeriadau, lleoliadau a gweithredoedd sy'n cyfeirio at naratif dramataidd y ddrama wreiddiol. Ond ni cheir plot yma. Nid oes yma gymeriadau. Nid oes yma densiwn nac uchafbwynt na chatharsis. Mae cyfeiriadau rhyngdestunol y testun yn oesol ac yn gyfoes: atseinir geiriau Shakespeare yn eglur trwy'r testun ('SOMETHING IS ROTTEN IN THIS STATE OF HOPE').[17] Mae llinellau olaf y ddrama a adroddir gan Ophelia, 'When she walks through your bedrooms carrying butcher knives you'll know the truth'[18] yn cyfeirio at Susan Atkins, un o aelodau 'teulu' Charles Manson.

Ni roddir *dramatis personae* ar ddechrau'r testun, ond cyfeirir at gymeriadau, gan ddynodi rôl, megis THE ACTOR PLAYING HAMLET,[19] ac ni nodir lleoliad y digwyddiad. Trwy gyfrwng penawdau wedi'u rhifo, awgrymir strwythur trwy gyfres o olygfeydd er nad oes strwythuro dramataidd na naratif amlwg yn rhedeg o un adran i'r llall. Rhoddir ychydig o gyfarwyddiadau llwyfan (a hynny'n amlwg trwy'u cynnwys mewn cromfachau). Ond ni lynir at y confensiynau, a chwaraeir â hwy'n gyson trwy'r testun gan i'r hyn sy'n swnio fel cyfarwyddiadau llwyfan ymddangos fel rhan o'r testun i'w siarad ('Enters Horatio'[20]) ac amhosibl fyddai dilyn y cyfarwyddiadau llwyfan mewn modd mimetig neu real. Wrth ddisgrifio Ophelia, dywed Müller, 'Her Heart is a clock'[21] a 'The breast cancer radiates likes a sun'.[22]

Nid yw'r testun yn atebol i ofynion dramataidd, ac fel testun ar gyfer ei berfformio mae *Hamletmaschine* yn hynod o hyblyg o safbwynt y modd y gellir ei lwyfannu; yn fynegiant o botensial theatr, ys dywed Lehmann. Fel y nodwyd eisoes, yn y theatr ôl-ddramataidd mae pwysigrwydd y testun fel sylfaen ar gyfer y llwyfan yn encilio, gan greu potensial i elfennau eraill y digwyddiad fod yr un mor arwyddocaol (neu yn hytrach, yr un mor ddi-arwyddocâd). Gellir ystyried cynhyrchiad y cyfarwyddwr Americanaidd Robert Wilson (1941–), o *Hamletmaschine* (1984), fel enghraifft o sut yr ymgorfforir rhinweddau ôl-ddramataidd y testun mewn llwyfaniad.

Talfyrrwyd testun Müller yng nghynhyrchiad Wilson, gan wneud nifer y llinellau a adroddwyd gan Hamlet ac Ophelia yn fwy cyfartal nag yn yr Almaeneg gwreiddiol, gyda gweddill y testun yn cael ei rannu yn gyffredinol yn gyfartal rhwng gweddill y cast. Ym mhob perfformiad, yn hytrach na pherfformio'r addasiad yn ei gyfanrwydd unwaith yn unig, ailadroddir ef bedair gwaith, gyda'r perfformiad yn cael ei 'droi' nawdeg gradd o ogwydd y gynulleidfa ar ddiwedd pob rhediad o'r testun. Yn nodweddiadol o weithiau theatr Wilson, ceir pwyslais ar rythm ac amser, yn enwedig mewn perthynas â choreograffi cysáct a manwl y perfformwyr. Mae llonyddwch yn rhinwedd amlwg a chanolog, gyda rhai o'r perfformwyr yn sefyll neu'n dal ystumiau llonydd (yn aml yn rhai ymdrechgar ac anodd) trwy gydol pob ynganiad o'r testun.

O ganlyniad i ddiffyg hierarchaeth, plot a chymeriadau, o safbwynt beirniadol rhaid gwerthfawrogi llwyfaniad o'r fath yn ei gyfanrwydd. Yn debyg i gelf osodiadol, byddai gwerthuso neu geisio deall arwyddocâd un elfen ar ei phen ei hun heb ei hystyried yn rhan o gyfanwaith yn bradychu'r ffurf. Ceir *plethora* cydamserol dwys o arwyddion sydd yn aml yn gorlethu ein gallu i ddiffinio'r profiad. Fel y dywed Lehmann, 'The paratactical valency and ordering of post-dramatic theatre lead to the experience of simultaneity. This often – and we have to add: frequently with systematic intent – overstrains the perceptive apparatus.'[23] Mae hyn, efallai, yn cynnig cyfiawnhad cysyniadol dros 'ailadrodd' y perfformiad o destun *Hamletmaschine* bedair gwaith yn ystod y cynhyrchiad.

Dau: Gofod. Brith Gof a Test Dept, *Gododdin* (1988)

Seiliwyd y perfformiad safle-benodol graddfa-eang *Gododdin* gan Brith Gof a Test Dept ar y gerdd a briodolir gan amlaf i'r bardd Aneirin, sy'n olrhain tranc tri chant o filwyr y Gododdin a fu farw yn dilyn Brwydr Catraeth oddeutu'r flwyddyn 600. Er bod y gerdd wedi'i strwythuro fel cyfres o farwnadau i aelodau'r fyddin, nid cerdd naratif mohoni fel y cyfryw; serch hynny trowyd y gerdd yn rhyw fath o naratif ar gyfer y perfformiad. Nodwyd uchod fod theatr ôl-ddramataidd fel arfer yn hepgor unrhyw ddibyniaeth ar naratif, ond yn *Gododdin* (ac mewn nifer o gynyrchiadau graddfa-eang gan y cwmni hefyd[24]) defnyddir naratif fel modd o strwythuro deunydd crai. Nid oedd yma ddrama. Roedd graddfa'r cynhyrchiad yn gwneud hynny'n amhosibl gan na fyddai modd cynnal rhyng-berthnasedd angenrheidiol drama yn y senograffi. Ond ar y llaw arall, am fod y senograffi mor fawr, roedd angen rhyw fath o ddyfais ar gyfer trefnu'r perfformiad; roedd angen rhoi digon o gliwiau i gynulleidfa fel bod modd iddynt allu ymwneud â'r 'labyrinthine associative work'[25] a sicrhau nad trwy arwyneb y digwyddiad yn unig yr oedd modd amgyffred ag ef.

Perfformiwyd y cynhyrchiad am y tro cyntaf yng Nghaerdydd ym mis Rhagfyr 1988 yn hen ffatri geir Rover, ac yn ystod y flwyddyn ganlynol mewn pedwar lleoliad arall: mewn chwarel yn Polverigi yn yr Eidal, ffatri graeniau yn Hambwrg yn yr Almaen, mewn canolfan sglefrio iâ yn Leeuwarden yn yr Iseldiroedd ac yn y Tramway yn Glasgow. Oherwydd amrywiaeth y lleoliadau, roedd anghenion y cynhyrchiad yn newid o un lleoliad i'r llall. Roedd yn rhaid, felly, datblygu strwythur a oedd yn caniatáu hyblygrwydd ac yn ymateb i bosibiliadau'r safleoedd unigol. Wrth deithio, 'all of the production elements were regarded as a kit of parts, a repertoire of scenographic elements and performance sequences, to be reworked, reconceived, relocated for each separate architecture according to the specifics of the location'.[26]

Strwythurwyd a chynlluniwyd elfennau'r sioe yn ôl yr anghenion hynny, gan alluogi i'r elfennau gael eu datblygu'n annibynnol o'r prif strwythur ac yna'u gosod gyda'i gilydd wrth greu'r cynhyrchiad. Ond mae hynodrwydd ymdriniaeth ôl-ddramataidd o ofod yn ddeublyg yn *Gododdin*, ac yng nghynyrchiadau safle-benodol eraill Brith Gof. Mae'r safle yn pennu deunydd a strwythur yr elfennau yn y cynhyrchiad, ond hefyd yn cynnig sylwedd i'r cynhyrchiad. Trwy osod brwydr aflwyddiannus byddin Geltaidd mewn lleoliad a oedd yn arwydd o ddiweithdra a phroblemau economaidd, a hynny ar ddiwedd degawd lle bu ymosodiad gwleidyddol uniongyrchol o Lundain yn erbyn y dosbarth gweithiol, roedd yma atsain real o farwnadau Aneirin. Os nad oedd yma ymyrraeth â'r real, roedd y real yn ymyrryd â'r perfformiad. Cyn i'r lleoliad gael ei ddewis hyd yn oed, roedd gogwydd gwleidyddol amlwg yn perthyn i *Gododdin*, gan ei fod yn gynhyrchiad ar y cyd rhwng Brith Gof a'r grŵp offerynnol Test Dept, a oedd yn nodedig am eu gwleidyddiaeth sosialaidd radical a'u defnydd o wrthrychau diwydiannol fel offerynnau taro. Ategwyd arwyddocâd y lleoliad yng nghynllun Clifford McLucas (1945–2002) ar gyfer y sioe; gosodwyd wyth o hen geir yn y gofod, defnyddiwyd bonedi ceir fel tariannau a theiars ar raffau fel offer a oedd yn rhan o goreograffi llafurus y milwyr. Wrth reswm, roedd llwyfannu'r perfformiad mewn safleoedd gwahanol yn newid goblygiadau themataidd y gwaith gan eu troi'n gynhennus. Dywed Pearson na fu'r perfformiad yn llwyddiant yn yr Almaen, a hynny'n rhannol oherwydd delweddau milwrol y cynhyrchiad: 'when you get semi-naked men and fire in Germany it means one thing. And that's where our problems lay.'[27]

Byddai cynulleidfa Caerdydd yn rhannol ymwybodol o'i arwyddocâd, gan y byddai cynulleidfa leol o bosibl yn cofio'r safle pan oedd y ffatri yn dal i fod ar agor ac yn cynhyrchu ceir, gan drawsnewid arwyddocâd y safle yn un cyfrannol rhwng y perfformwyr a'r gynulleidfa. Diffinnir theatr safle-benodol gan Lehmann fel digwyddiadau sy'n creu 'a level of commonality between performers and spectators. All of them are guests of the same place: they are all strangers in the world of the factory.'[28] Mae'r syniad o westai yn ddiddorol, yn enwedig yng nghyd-destun gwaith Brith Gof, gan i'r cysyniad o lety ac ysbryd ddiffinio gwaith McLucas yn y cwmni. Cyfeiria'r llety at y strwythurau parhaol lle y lleolir y perfformiad, a'r ysbryd yw'r strwythur dros dro a osodir yn y llety ar gyfer y perfformiad. 'The Host and the Ghost, of different origins, are co-existent but, crucially, are not congruent.'[29]

Tri: Amser. Gob Squad, *Super Night Shot* (2003)

Yn *Super Night Shot*[30] gan y cwmni Eingl-Almaenig Gob Squad, amser yw'r elfen a gaiff ei hamlygu gan ddramatwrgiaeth y perfformiad. Mae'r gynulleidfa yn ymgynnull yng nghyntedd y theatr ac yn eu dwylo rhoddir nwyddau sy'n addas ar gyfer dathliad, megis *party poppers* a *streamers.* Daw pedwar cymeriad hanner noeth i mewn, pob un ohonynt yn cario camera fideo. Mae'r gynulleidfa'n tanio'r *party poppers*, yn cymeradwyo ac yn gorfoleddu wrth eu croesawu. Cerdda'r pedwar i mewn i'r awditoriwm, ac mae'r perfformiad yn cychwyn. Ni fydd perfformiad byw i'w weld yn ystod yr awr olynol. Yn hytrach, taflunnir ffilmiau'r pedwar camera yn gydamserol ochr yn ochr â'i gilydd, tra cymysgir y pedwar trac sain unigol yn fyw yn y gofod i greu un trac sain. Awr yn gynharach, cychwynnodd y pedwar ffilmio ar lwyfan yr awditoriwm cyn iddynt fentro allan i'r ddinas anhysbys: disgrifir y perfformiad fel rhan o'r 'frwydr yn erbyn y ddinas anhysbys'. Mae'r camerâu wedyn yn parhau i ffilmio am awr nes iddynt ailymgynnull a dychwelyd i'r theatr i gymeradwyaeth y gynulleidfa.

Er i'r pedwar perfformiwr gyflwyno'i hunain trwy ddefnyddio'u henwau iawn, mae gan bob un ei rôl i'w chwarae a rhestr o amcanion sydd angen eu cyflawni o fewn chwedeg munud. Mae un am fod yn arwr ac am achub y ddinas trwy gusanu dieithryn. Swyddogaeth un arall yw darganfod dieithryn sy'n fodlon cael ei chusanu neu'i gusanu. Rôl un arall yw bod yn *location scout* ar gyfer darganfod lleoliad addas a thrawiadol ar gyfer y weithred o gusanu, gan adael un perfformiwr yn gyfrifol am y cysylltiadau cyhoeddus. Wedi'r cyfan, pa ddiben achub dinas os nad yw'n hysbys iddi fod achubiaeth ar ei ffordd?

Defnyddir nifer o rinweddau arddulliadol nodweddiadol y theatr ôl-ddramataidd yn *Super Night Shot*, yn ogystal ag mewn nifer o'u cynyrchiadau eraill. Nid yw aelodau'r cwmni byth yn chwarae cymeriadau er iddynt fabwysiadu rôl neu ffugenw, mae defnydd o dechnoleg yn gynsail gysyniadol angenrheidiol, a chwaraeir yn gyson gydag elfen fyw'r digwyddiad perfformiadol. Yn *Gob Squad's Kitchen* (2007) perfformir y cynhyrchiad yn fyw y tu ôl i dair sgrîn sy'n ymestyn ar hyd y llwyfan, gyda'r perfformiad yn cael ei ffilmio'r tu ôl i'r sgrîn a'i daflunio'n fyw ar gyfer y gynulleidfa. Yn *Revolution Now!* (2010) taflunnir delweddau byw o du mewn ac o du allan i'r theatr ar y llwyfan. Fel yn *Super Night Shot*, mae'r ddau gynhyrchiad yma'n hollol ddibynnol ar barodrwydd aelodau o'r gynulleidfa i gymryd rhan er mwyn cyrraedd eu huchafbwynt.

Mae'r perfformwyr yn gweithio'n annibynnol am y rhan fwyaf o'r awr maent allan yn cerdded strydoedd y ddinas, gan gysylltu â'i gilydd trwy ffonau symudol er mwyn eu hysbysu o'r lleoliad lle y cynhelir y gusan fuddugoliaethus. Yn ogystal, treulir rhan helaeth o'r awr yn siarad ag aelodau o'r cyhoedd, yn eu holi am y ddinas, am gariad ac am eu cariadon, am ffilmiau ('I'm making a film' yw'r ateb arferol pan ofynnir iddynt beth yn union maent yn ei wneud), ac am ddyfodiad yr arwr. Yn ychwanegol at hynny, mae testun y perfformiad yn ymddangos yn un byrfyfyr ac ymddengys fod popeth yn digwydd ar hap gan fod y pedwar perfformiwr ar eu pennau eu hunain yn siarad â dieithriaid. Fodd bynnag, er bod dramatwrgiaeth y perfformiad yn ddibynnol ar ddiffyg strwythur dramataidd amlwg, ac er y mynegir y testun trwy gyfrwng technegau byrfyfyr, tric mwyaf effeithiol *Super Night Shot* yw'r adegau hynny yn ystod y perfformiad pan ddatgelir, yn hytrach, mai'r hyn a geir mewn gwirionedd yw dawns estynedig wedi'i choreograffu'n dynn. Er enghraifft, am un funud yng nghanol y perfformiad, er i'r pedwar aelod o'r grŵp fod mewn lleoliadau gwahanol, efallai hyd yn oed yn siarad â phobl eraill, maent i gyd gyda'i gilydd yn dechrau troi yn araf mewn cylchoedd. Mae'r pedwar yn syllu i'r camera, tra bod y sain byw yn pylu ac yn cael ei gyfnewid am gerddoriaeth biano araf. Mae'r ennyd yn un godidog.

Trwy lynu'r perfformiad mor dynn at fframwaith chwedeg munud o hyd (a hynny oherwydd mai dyna yw hyd y tâp), trwy sicrhau mai saethiad cyntaf pob camera yw oriawr pob un o'r perfformwyr, a thrwy orffen yn union cyn cychwyn, yr ymdriniaeth ôl-ddramataidd ag amser sy'n gwneud *Super Night Shot* yn nodedig. Nid amser ffuglennol sydd yma; nid amser dramataidd sy'n mynnu bod y gynulleidfa yn mentro i 'amser breuddwydiol', ac yn 'abandoning their own sphere of time and enter into another'.[31] Trwy amlygu estheteg amser real ni ellir gwahaniaethu rhwng amser y perfformiad ac amser y gynulleidfa (*'the time of the performance text'*[32]), gan greu un o ffenomenau amlycaf estheteg y theatr newydd: 'the intention of utilizing the specificity of theatre as a mode of presentation to turn *time as such* into an object of the aesthetic experience.'[33]

Wrth rannu ei brofiad o wylio *Super Night Shot*, dywed Robin Arthur (sy'n aelod o'r grŵp Forced Entertainment):

> And you do look. You do look to make sure that you're there in that crowd of sparkler-waving streamer-throwing people, just to be sure that no tricks have been played, that this hour was a real hour, and of course you pick yourself out on the screen.[34]

Pedwar: Corff. Eddie Ladd, *Ras Goffa Bobby Sands* (2010)

Perfformir *Ras Goffa Bobby Sands* ar beiriant rhedeg. Am awr, mae Eddie Ladd yn rhedeg ac yn perfformio coreograffi ar y peiriant sydd o dan ei thraed ac yn erbyn ei yriant. Mae'r teitl yn seiliedig ar ras o'r un enw, y 'Bobby Sands Memorial 2.6 Miler' a redir yn Massachusetts. Fel yr awgrymir gan yr enw, mae'r ras yn coffáu Bobby Sands, a aeth ar streic newyn ar 1 Mawrth 1981 mewn protest yn erbyn ymdriniaeth carcharorion gweriniaethol yng Ngharchar y Maze. Bu farw ar 5 Mai, chwe deg chwech diwrnod ar ôl cychwyn y streic a mis ar ôl iddo gael ei ethol yn Aelod Seneddol dros Fermanagh a De Tyrone.

Perfformir y rhedeg a'r coreograffi yn bennaf ar y peiriant rhedeg. Wedi eu gosod o amgylch y peiriant mae synwyryddion; bob tro y torrir un o'r llinellau laser gan y perfformiwr, caiff adwaith sain ei chwarae. Trwy gymysgu trefniant y samplau sain, y gerddoriaeth, recordiau lleisiol o farddoniaeth, pytiau o ddyddiadur Sands, atgofion pobl o'r cyfnod, ynghyd â sŵn mecanyddol y peiriant rhedeg, ceir byd sain sy'n amgylchynu'r elfennau corfforol.

Trwy gydol y perfformiad ceir delweddau y gellir eu dehongli fel atseiniau o'r naratif a'r hanes sy'n gefndir i'r cynhyrchiad. Efelychir ras, mae goleuadau laser y synwyryddion yn edrych fel bariau carchar ac fel carcharor yn dianc, rhaid i'r berfformwraig eu croesi neu sleifio o danynt heb eu torri. Ar lefel ymddangosiadol ac arwynebol, ceir yma luniad dramataidd a symbolaidd o garchar, o ddianc, ac o frwydro (yn llythrennol) yn erbyn grymoedd sy'n fwy ac yn gryfach na'r unigolyn.

Serch hynny, yr hyn sy'n gwneud *Ras Goffa Bobby Sands* yn wirioneddol drawiadol yw'r ymdriniaeth ôl-ddramataidd o'r corff sydd yn y perfformiad. Er i'r coreograffi a'r testun ategu ei gilydd yn themataidd, nid ar lefel drosiannol yn unig y cyflëir hynny. Yn hytrach, defnyddir y corff fel corff real; nid cynrychiolaeth o gorff sydd yma. Dywed Lehmann, 'The dramatic process occurred *between* the bodies; the postdramatic process occurs *with/on/to* the body.'[35] Dyma yw sail grym y weithred o berfformio; ceir yma gydymdeimlad a theyrnged wrth i'r corff ar y llwyfan gyflawni gweithredoedd sy'n mynnu dioddefaint, dyfalbarhad, poendod ac aberth.

Tra bod y theatr ddramataidd yn cuddio prosesau'r corff y tu ôl i rôl neu gymeriad, mae'r theatr ôl-ddramataidd yn eu gwneud yn gyhoeddus, gan bwysleiso 'its deterioration in an act that does not allow for a clear separation of art and reality. It does not conceal the fact that the body is moribund but rather emphasizes it.'[36] Wrth i Eddie Ladd orfod tynnu siaced ei thracwisg gan ei bod yn chwysu, wrth iddi orfod yfed dŵr gan ei bod yn sychedig, wrth iddi fwyta halen gan ei bod hi'n llwglyd, gwelir nid yn unig allu'r corff i wneud campau corfforol egnïol ond hefyd freuder y corff. Wrth fod yn dyst i ddŵr a halen yn troi'n chwys ac yn anadl, ceir gwefr o sylweddoli ein bod ninnau, yn ystod yr un ennyd, yn ymwneud â'r un prosesau yn union.

Pump: Cyfrwng. Aled Jones Williams, *Sundance* (1999)

Cyfrwng yw theatr. Felly, anorfod, efallai, yw ceisio dynodi defnydd arbennig o gyfrwng yng nghyd-destun yr ôl-ddramataidd gan ei fod eisoes yn hunangyfeiriol. Dywed Lehmann 'Theatre *per se* is already an art form of signifying, not of mimetic copying.'[37] Serch hynny, mae gan y term hynodrwydd arbennig o fewn y theatr gyfoes.

Mae cysyniad o gyfrwng yn yr ôl-ddramataidd yn dynodi tuedd y theatr newydd i wneud defnydd o dechnoleg gyfryngol megis fideo, y rhyngrwyd, ynghyd ag amharodrwydd i guddio unrhyw dechnoleg a ddefnyddir. At hynny, chwaraeir yn uniongyrchol â'r cwestiwn o berfformiad byw gan fod theatr ôl-ddramataidd, trwy wneud defnydd helaeth o dechnoleg, yn cynnig posibilrwydd o allu dadrithio'r berthynas annatod sydd yn bodoli rhwng y gwneuthurwyr (yr artist/y perfformiwr) a'r derbynnydd (y gynulleidfa) yn y theatr. Yn sylfaenol mae'n sbarduno'r digwyddiad theatraidd, wrth i'r ddwy garfan rannu'r un amser a'r un gofod:

> Theatre . . . in as much as within it sender and receiver age together, is a kind of 'intimation of mortality' . . . In media communication technology the hiatus of mathematization separates the subjects from each other, so that their proximity and distance become irrelevant. The theatre, however, consisting of a shared time-space of mortality, articulates as a performative act the necessity of engaging with death, i.e. with the (a) liveness of life.'[38]

Mae'r corff yn arwyddair canolog yn y theatr; ni fodola dim y tu hwnt i'r corff. Ond trwy droi'r corff yn ddelwedd ddigidol, troir ef yn ddim mwy na chynrychiolaeth arwynebol.

Mae modd crynhoi *Sundance* gan y dramodydd Aled Jones Williams fel astudiaeth theatraidd o fywyd a marwolaeth yng nghysgod y ddelwedd ddigidol gyfryngol. Fel sy'n nodweddiadol o destunau llwyfan Williams, mae *Sundance* wedi'i ysgrifennu mewn Cymraeg tafodieithol cryf tra bod y cyfeiriadau celfyddydol ynddi yn perthyn yn aml i ddisgwrs y tu hwnt i'r lled-wirionedd a lunnir ar lwyfan. Dywed yr awdur bod ei 'ddaearyddiaeth yn gysáct iawn. Rhyw ddwy filltir sgwâr ydyw, ac mae cerflun Lloyd George (ar y sgwâr yng Nghaernarfon) yn y canol.'[39] Eithriad yw lleoliad daearyddol penodol yn ei ddramâu, ond ni ellir gwadu eu bod bron i gyd i'w clywed fel petaent wedi'u lleoli yn nalgylch Caernarfon. Rhaid pwysleisio, fodd bynnag, mai rhinwedd arddulliadol yw'r defnydd o dafodiaith; nid yw 'lleoliad' y testun o bwys dramataidd, ac ni ellid cyhuddo'r gweithiau o fod yn blwyfol mewn unrhyw ffordd. Yn wir, mae sylwedd theatraidd *Sundance* fel nifer o destunau llwyfan eraill yr awdur yn aml yn deillio o'r tensiwn rhwng y defnydd rhwydd o dafodiaith ddiriaethol a'r modd y'i defnyddir i fynegi'r hyn sy'n haniaethol ac amhendant; yn cydnabod y cyfarwydd ac eto'n dyheu am ysfa a themtasiwn peryglus yr anghyfarwydd. Yn *Sundance*, ffilmiau cowbois Americanaidd a brandiau tuniau sŵp yw'r cyfeiriadau estron. Mae'r cyfarwyddiadau llwyfan yn nodi y dylid dangos darnau o'r ffilm *High Plains Drifter* ar deledu, yn troi un o nodweddion themataidd y testun yn ddelwedd ddigidol gan fynnu sylw'r gynulleidfa. Lleolir y ddelwedd y tu hwnt i fodolaeth y digwyddiad real, gan ei throi'n bleserus: 'The gaze liberates desire from the bothersome "other-circumstance" of real, really producing bodies and transports it to a dream vision.'[40] Fel testun ôl-ddramataidd, mae'r cyfryngol yn *Sundance* yn arwyddocaol gan iddo droi'r digwyddiad yn ddyhead amhosibl am bleser sy'n bodoli'r tu hwnt i weithred sydd bob amser yn ddibynnol ar bresenoldeb y corff. Mae'r dyhead yn cael ei ddal mewn paradocs.

Er ei bod yn arwyddocaol yng nghyd-destun y perfformiad, addurn themataidd yw'r sgrîn ac nid yw'n ailddiffinio'r perfformiad yn gysyniadol. Yn hytrach mae'r defnydd o gyfryngau yn *Sundance* yn ymestyn ymhellach gan eu bod hefyd yn treiddio trwy ffurf a gwead y testun. Mae sgript y perfformiad yn *bricolage*[41] o wahanol ddisgyrsiau a chyweirnodau ieithyddol gwahanol, yn creu rhwydwaith eang sy'n sail i'r perfformiad.

Tuag at derfyn y testun, dywed Sundance, 'Ddudas i w'tha ti dwa' mod i 'di mynd at seciwriti gard a medda fi wrtho fo . . . "You are in the ecstasy of communication."'[42] Daw'r dyfyniad o waith y cymdeithasegydd a'r athronydd Jean Baudrillard (1929–2007) o erthygl o'r un teitl sy'n dadansoddi goblygiadau ar gyfer yr unigolyn wrth fyw yng nghanol rhwydwaith technolegol. Felly, nid yn unig mae'r cysyniad o rwydwaith yn elfen arddulliadol yn *Sundance*, ond mae'r arddull gyfranogol hwnnw yn symptom o sefyllfa cymeriad yn y ddrama. Er bod y 'cymeriad' i bob pwrpas yn un ffuglennol (mimetig) mae'r ffaith ein bod ninnau fel cynulleidfa ar yr un pryd yn rhan o'r rhwydwaith hwnnw yn chwyddo'r ddyfais arddulliadol i fod yn un sy'n diffinio'r holl ddigwyddiad. Atgyfnerthir rhybuddion Baudrillard trwy'r weithred o berfformio'r testun, gan wefru'r perfformiad â thensiwn trasig. Dywed Baudrillard, 'scene and mirror no longer exist; instead there is a screen and network. In place of reflexive transendence of mirror and scene, there is a nonreflecting surface, an immanent surface where operations unfold – the smooth operational surface of communication.'[43] Ac eto mae *Sundance* a Sundance yn mynnu bodolaeth, ac yn mynnu mynegiant trwy fod yn gorff mewn gofod, gyda chynulleidfa yn dyst i'w hymdrechion.

Nid wyf yn awgrymu fod theatr ôl-ddramataidd, o ganlyniad i'w defnydd cyson o gyfryngau, yn bodoli'n unig yn y cyflwr arwynebol hwn. Yn wir, er i'r theatr newydd wrthod ymlynu wrth naratif cyfarwydd a chysurus (sydd yn aml yn ffug) mae gwefr a grym y theatr ôl-ddramataidd yn deillio o'r ffaith ei bod yn cynnig posibiliadau newydd ac amgen; nid yn unig yn gelfyddydol ond hefyd yn gymdeithasol ac yn wleidyddol. Ond eto, gan gyfeirio'n ôl at y cychwyn, fel yr awgrymir gan y rhagddodiad 'ôl', mae'r ôl-ddramataidd yn cyfeirio at theatr sy'n cydnabod ei pherthynas a'i dyled i ddrama. Parhau i oleuo'r gwirioneddau hynaf mae'r ôl-ddramataidd:

> To the degree in which it does not represent a fictive figure . . . but instead exposes the body of a performer in its temporality, the themes of the oldest theatre traditions reappear, albeit certainly in a new light: enigma, death, decline, parting, old age, guilt, sacrifice, tragedy and Eros.[44]

Yr hyn sydd wedi newid yw'r modd y'u mynegir ac o ganlyniad, y modd y darllenir y gwirioneddau hynny.

Tuag at derfyn *Ychydig Is Na'r Angylion*,[45] nofel gyntaf Aled Jones Williams, mae'r cymeriad Elliw yn cael ei hanafu mewn ffrwydrad bom pan fydd ar wyliau yn Rwsia, gan achosi iddi golli ei llaw dde. Ar ôl dychwelyd i Gymru, mae'n ceisio ailafael yn ei gyrfa fel arlunydd, ond nawr rhaid iddi orfod dysgu gwneud hynny â'i llaw chwith: 'Teimlodd y chwithdod. Y gwrthwynebiad yn ei chorff. Dieithrwch y gafael. A'r diffyg cynghanedd rhwng llygaid a brwsh a llaw a chynfas.'[46]

Er gwaethaf y newid yn ei gallu a'r modd sydd ganddi ar gyfer mynegi gweledigaeth gelfyddydol, ac er gwaethaf yr anawsterau ac – ar y cychwyn – annigonolrwydd defnyddio'i llaw chwith, mae Elliw yn ymdrechu i ailffurfio'i chrefft o'r newydd. Nid yw'n anghofio'r teimlad o ddefnyddio'i llaw dde, nid yw'n anwybyddu'r absenoldeb. Ond yn hytrach mae'n ailafael yn ei chrefft gan ddefnyddio gogwydd a phwyslais newydd. Pery'r weithred yn ei hanfod yr un fath; yn ymddangosiadol nid ydynt yn annhebyg.

Peth fel hyn yw'r ôl-ddramataidd.

NODIADAU

1. Hans-Thies Lehmann, *Postdramatisches Theater* (Frankfurt: Verlag der Autoren, 1999).
2. Hans-Thies Lehmann, *Postdramatic Theatre*, cyf. Karen-Jürs Munby (Llundain ac Efrog Newydd: Routledge, 2006).
3. Defnyddir 'post-dramatic' gan Richard Schechner, *Performance Theory* (Llundain ac Efrog Newydd: Routledge, 1988), t. 21.
4. Lehmann, *Postdramatic Theatre*, t. 85.
5. Ibid.
6. Ibid. Italeiddiwyd yn y gwreiddiol.
7. Ibid., tt. 86–107. Daw'r termau Almaeneg o Lehmann, *Postdramatisches Theater*, tt. 146–84
8. Ibid., t. 88.

[9] Ibid., t. 95.
[10] Ibid., t. 98.
[11] Fel arfer, defnyddir y term *avant garde* er mwyn disgrifio'r hyn sy'n newydd ac yn arloesol; i gyfeirio'n llythrennol at hynny sydd 'o flaen y gad'. O fewn trafodaethau ynglŷn â chelf fe'i defnyddir yn gyfystyrol i ddisgrifio gweithiau ac arferiadau newydd ac arbrofol, rhai sy'n aml yn deillio o safbwynt ymylol. Wrth gwrs, nid oes modd i unrhyw arddull celfyddydol barhau i fod yn arloesol am byth, a maes o law disodlir popeth *avant garde* gan ddulliau mwy newydd, mwy arborofol, a mwy *avant garde*. Mae 'avant garde clasurol' felly yn cyfeirio at gyfnod hanesyddol lle ymddangosodd a datblygodd gwahanol fudiadau celfyddydol arloesol ac arbrofol, yn hytrach nac at gyflwr o arloesedd barhaus. Gan ymestyn o ddiwedd y bedwaredd ganrif ar bymtheg a thrwy ddegawdau cynnar yr ugeinfed ganrif, mae'r *avant garde* clasurol yn cynnwys nifer o fudiadau celfyddydol gwahanol, megis argraffiadaeth, swrealaeth, dadaistiaeth, a theatr epig Brecht.
[12] Lehmann, *Postdramatic Theatre*, t. 86.
[13] Ibid., t. 145.
[14] Ibid.
[15] Ibid., t. 146.
[16] Heiner Müller, *Hamletmachine and Other Texts for the Stage*, cyf. Carl Weber. Mae rhifau'r tudalennau yn cyfeirio at yr argraffiad yn Daniel Fischlin a Mark Fortier (gol.), *Adaptations of Shakespeare: A Critical Anthology* (Llundain ac Efrog Newydd: Routledge, 2000), tt. 211–16.
[17] Müller, *Hamletmachine and Other Texts for the Stage*, t. 211. Ysgrifennwyd y llinell yn Saesneg yn y fersiwn Almaeneg gwreiddiol.
[18] Ibid., t. 214.
[19] Ibid., t. 212.
[20] Ibid., t. 211.
[21] Ibid., t. 212.
[22] Ibid., t. 212.
[23] Lehmann, *Postdramatic Theatre*, t. 87.
[24] Gweler PAX (1990–91) *Haearn* (1992), *Tri Bywyd* (1995) a *Prydain* (1996).
[25] Lehmann, *Postdramatic Theatre*, t. 98.
[26] Mike Pearson a Michael Shanks, *Theatre/Archaeology* (Llundain: Routledge, 2001) tt. 106–7.
[27] Pearson yn Nick Kaye, *Art into Theatre: Performance Interviews and Documents* (Amsterdam: Hardwood Academic Publishers, 1996), t. 215.
[28] Lehmann, *Postdramatic Theatre*, t. 152.
[29] Clifford McLucas yn Kaye, *Art into Theatre*. t. 220.
[30] Daw'r dyfyniadau i gyd o DVD Gob Squad, *Super Night Shot* (Nottingham/Berlin: Gob Squad, 2007).
[31] Lehmann, *Postdramatic Theatre*, t. 155.
[32] Ibid., t. 154.
[33] Ibid., t. 156.
[34] Robin Arthur yn Gob Squad ac Aenne Quiñones, *The Making of a Memory: 10 Years of Gob Squad Remembered in Words and Pictures* (Berlin: Synwolt Verlag, 2005), t. 126.

[35] Lehmann, *Postdramatic Theatre*, t. 163.
[36] Ibid., t. 166.
[37] Ibid., t. 167.
[38] Ibid.
[39] Cyfweliad â'r awdur yn *Disgwyl Bŵs yn Stafell Mam: Chwech o Ddramâu Aled Jones Williams*, Nic Ros (gol.) (Caernarfon: Gwasg y Bwthyn, 2006), t. 11.
[40] Lehmann, *Postdramatic Theatre*, t. 170.
[41] Mae'r term '*bricolage*' yn cyfeirio at wrthrych sydd wedi'i greu trwy gyfuno gwahanol ddeunyddiau o wahanol ffynonellau. Fe'i ddefnyddir yn bennaf yn y celfyddydau gweledol i ddisgrifio gweithiau celf sydd wedi'u creu gan gyfuno amrywiol ddeunyddiau a gwrthrychau, yn aml trwy gyfuno gwrthrychau hapgael. O fewn y drafodaeth bresennol, gellir ystyried testun *Sundance* fel *bricolage* ieithyddol, wedi'u lunio o'r detritws ieithyddol sy'n amgylchynu Sundance.
[42] Aled Jones Williams, *Sundance* (Caernarfon: Theatr Bara Caws, 1999), t. 18.
[43] Jean Baudrillard, 'The Ecstasy of Communication', cyf. John Johnson, yn Hal Foster (gol.), *The Anti-Aesthetic* (Seattle: Gwasg Bay, 1983), tt. 126–7.
[44] Lehmann, *Postdramatic Theatre*, t. 181.
[45] Aled Jones Williams, *Ychydig Is Na'r Angylion* (Caernarfon: Gwasg y Bwthyn, 2006), t. 192.
[46] Williams, *Ychydig Is Na'r Angylion*, t. 192.

LLYFRYDDIAETH

Fischlin, Daniel a Fortier, Mark (goln), *Adaptations of Shakespeare: A Critical Anthology* (Llundain ac Efrog Newydd: Routledge, 2000).
Gob Squad, *Super Night Shot* (DVD) (Nottingham/Berlin: Gob Squad, 2006).
Gob Squad a Quiñones, Aenne, *The Making of a Memory: 10 Years of Gob Squad Remembered in Words and Pictures* (Berlin: Synwolt Verlag Berlin, 2005).
Kaye, Nick, *Art into Theatre* (Amsterdam: Hardwood Academic Publishers, 1996).
Ladd, Eddie, *Ras Goffa Bobby Sands* (DVD) (Caerdydd: Eddie Ladd, 2010).
Lehmann, Hans-Thies, *Postdramatic Theatre*, cyf. Jürs-Munby, Karen (Llundain ac Efrog Newydd: Routledge, 2006).
Pearson, Mike a Shanks, Michael, *Theatre/Archaeology* (Llundain ac Efrog Newydd: Routledge, 2001).
Ros, Nic (gol.), *Disgwyl Bŵs yn Stafell Mam: Chwech o Ddramâu Aled Jones Williams* (Caernarfon: Gwasg y Bwthyn, 2006).
Schechner, Richard, *Performance Theory* (Llundain ac Efrog Newydd: Routledge, 1988).
Williams, Aled Jones, *Sundance* (Caernarfon: Bara Caws, 1999).
Williams, Aled Jones, *Ychydig Is Na'r Angylion* (Caernarfon: Gwasg y Bwthyn, 2006).

7

PERFFORMIO SAFLE-BENODOL

Mike Pearson

Rhagdybiaethau sylfaenol i gychwyn . . .[1]

Mae perfformiadau safle-benodol yn cael eu creu a'u seilio ar amodau materol ac amgylcheddol y gofod a *ganfyddir*. Maent yn cael eu creu yn y lleoliadau a'u ffurfio ganddynt. Dyma leoliadau neu sefyllfaoedd cymdeithasol sydd eisoes yn bodoli, rhai naturiol a rhai gwneud, rhai hynafol a rhai modern, rhai'n drigfannau ac eraill yn adfeilion – safleoedd gwaith, chwarae ac addoli. Marchnad, capel, ffatri, eglwys gadeiriol, gorsaf drenau, amgueddfa . . .

Maent yn golygu ymateb *penodol* i safle *penodol* a datblygu perthynas arbennig rhwng yr hyn a *ddarganfuwyd* a'r hyn a *ddyfeisiwyd* (perfformiad). Mae eu cyfansoddiad artistig, eu derbyniad a'u dehongliad yn dibynnu ar gydfodoli cymhleth, arosodiad (*superimposition*) a chyd-dreiddiad cymhleth dwy drefn sylfaenol o ddeunyddiau, sef yr hyn sydd yn *rhan o'r* safle, ei hanes, ei wneuthuriad, ei osodiadau a'i fân bethau, a'r hyn *a gludir i'r* safle, y perfformiad a'i senograffi; yr hyn sydd eisoes yn bodoli *cyn* y gwaith a'r hyn sy'n deillio *o'r* gwaith; o'r gorffennol a'r presennol. O'u cyfosod a'u gwrthbwyntio, mae cyfuno'r ddwy drefn yn cynhyrchu ystyr dramataidd sy'n unigryw i bob darn o waith.

Ni ellir gwahanu perfformiadau safle-benodol oddi wrth eu safleoedd, yr unig gyd-destun lle maent yn ddealladwy. Maent yn cydnabod ac yn defnyddio manylion eu safleoedd: er mwyn symbylu a darparu sail i destun y perfformiad, ei strwythur dramataidd, ei ddefnydd o ofod a'r drefn gynulleidfaol. A gellid gwneud hyn ar raddfeydd amrywiol, a chan amrywio sylw ac ymglymiad creadigol.

Gall y safle gynnig nifer o bethau i berfformiad: hanes unigryw ac anochel, megis yn Nhryweryn; swyddogaeth arbennig, megis mewn sinema neu ladd-dy; ffurfioldeb arbennig o ran ffurf, cyfran, uchder, hyd, a threfn elfennau pensaernïol megis mewn eglwys gadeiriol neu ffatri; cyd-destun gwleidyddol, diwylliannol neu gymdeithasol arbennig, megis mewn carchar neu lyfrgell. A gall hyn ddarparu man cychwyn i ddyfeisio perfformiad.

Gallai'r defnydd - yr un blaenorol neu'r un cyfredol - neu'r bensaernïaeth awgrymu thema neu gysyniad dramataidd, megis perfformiad am rywun wedi'i glwyfo yn y rhyfel mewn ysbyty, neu berfformiad ar ffurf gwasanaeth crefyddol mewn capel, neu gyfarfod gwleidyddol yn siambr y cyngor. Neu gallai olygu dulliau o berfformio bob-dydd y gellid eu hefelychu a'u defnyddio, megis pregethu mewn capel.

Gellid mabwysiadu'r drefn sefydliadol neu'r un sy'n bodoli i drefnu'r gynulleidfa a'r perfformwyr, gan effeithio ar wasgariad a lleoliad y gweithgaredd, megis ffurf arena'r farchnad wartheg neu'r pulpud, y sedd fawr a'r rhesi meinciau mewn capel.

Y safle ei hun, felly, sy'n cynnig yr amgylchedd, yr offer a'r prosesau gweithio a allai gynnal perfformiad - gan awgrymu beth i'w ddefnyddio, sut i'w ddefnyddio a lle i'w osod. Ond hefyd gall herio ymarfer theatraidd confensiynol, gan alw am ddulliau gwahanol o fynd ati - technegau anghyfarwydd yn yr awditoriwm, arddulliau perfformio a dulliau llwyfannu.

O ganlyniad i hyn, gall perfformiad ddadlennu, amlygu, dathlu, gwrthwynebu neu feirniadu safle neu leoliad. Mae perfformiad yn rhoi cyd-destun newydd i safle: dyma'r peth diweddaraf i feddiannu safle lle mae ei nodweddion eraill yn dal i fod yn amlwg ac yn wybyddol weithredol - boed y rheiny'n bensaernïaeth, yn olion materol neu'n hanesyddol. Nid yw safle yn cael ei weld yn gefnlen ddiddorol a diduedd yn unig.

Gall y berthynas rhwng y safle a pherfformiad *gydgordio* neu fod yn *gymesur*, sefyllfa lle mae'r ddwy ochr yn dibynnu ar ei gilydd, yn effeithio ar ei gilydd mewn modd cyflenwol ac yn cyflyru bodolaeth ei gilydd.

Yn yr 1980au creodd Brith Gof gyfres o berfformiadau lle'r oedd y safle a'r perfformiad yn gweddu i'w gilydd mewn modd ffurfiol.[2] Mewn gwlad nad yw'n gyforiog o awditoria, roedd hi'n ymddangos yn naturiol creu theatr mewn mannau lle y byddai cynulleidfaoedd Cymru yn ymgynnull yn arferol – yr ysgubor, y capel, y cartref. Perfformiwyd *Branwen* (1981), yng nghastell Harlech, ar y safle lle edrychai Bendigeidfran draw tuag at Iwerddon, a'r brain crawclyd a chwyrlïai o gwmpas yn y gwyll yn galw i gof ei enw arall – Brân.

Llwyfannwyd *Rhydcymerau* (1984), mewn marchnad wartheg fach segur yn Llanbedr Pont Steffan. Rhyddiaith a cherddi D. J. Williams (1885–1970), a David James Jones, neu Gwenallt (1899–1968), am ddirywiad a choedwigo cefn gwlad oedd y cefndir, a gweithiodd dau berfformiwr ar lawr yr hen le gwerthu i lunio arch plentyn, gan ddefnyddio technegau gwaith coed Fictoraidd yn unig – gan greu cefndir o lifio a morthwylio a llwch.

Roedd *Boris* (1985), yn cynnwys sgript wedi'i haddasu'n arbennig gan yr awdur John Berger o'i stori am fugail, claf o serch yng nghefn gwlad Ffrainc. Perfformiwyd y darn mewn ysgubor a oedd wedi'i hailgodi yn Amgueddfa Werin Cymru yn Sain Ffagan, a'r gynulleidfa yn eistedd ar resi o fyrnau ar hyd y waliau yn debyg i'r hyn sy'n digwydd mewn noson lawen, a'r golygfeydd yn digwydd bob pen i'r ysgubor. Roedd fel gwylio gêm o dennis gyda pherfformwyr tri dimensiwn yn agos iawn at y gynulleidfa ac yn siarad yn uniongyrchol ag aelodau'r gynulleidfa. Roedd y safle yn *addas* i'r cynnwys ac roedd ei ddefnydd arferol yn caniatáu cynnwys ceffyl, ci, a phraidd o ddefaid a ymddangosodd yn sydyn ac yn ddi-drefn.

Comisiynwyd *Oherwydd y mae'r amser yn agos* (1986), i ddathlu pedwar can mlynedd ers cyfieithu'r Beibl i'r Gymraeg yn Eglwys Gadeiriol Tyddewi. Wedi'i seilio ar Lyfr y Datguddiad, roedd y cynhyrchiad yn cynnig cyfle a phroblem. Sut y gallai'r gynulleidfa a oedd yn eistedd ar yr un lefel weld unrhyw beth? Cafodd hyn ei ddatrys drwy roi'r perfformwyr ar goesau bandi (*stilts*), dyfais ddramataidd effeithiol i gymeriadu Pedwar Marchog yr Apocalyps, a thrwy ddefnyddio'r grisiau a'r codiad bach ar y llawr o flaen sgrîn y gangell a oedd ei hun yn fframio'r gweithgaredd ac yn ei adleisio â'i res o ffurfiau crefyddol cerfiedig. Y cyfle: gan mai dim ond dau berfformiad yn unig a gafwyd gwnaethpwyd y gwisgoedd o bapur.

Llwyfannwyd *Pandaemonium: Gwir Gost Glo* (1987), yng Nghapel y Tabernacl, Treforys; ei thema oedd trychineb pwll glo Senghennydd yn 1913. Y syniad dramataidd oedd bod y danchwa eisoes wedi digwydd ac roedd gwasanaeth yn cael ei gynnal tra bod y dynion yn gaeth dan ddaear, a neb yn gwybod eu tynged. Felly, dechreuodd y perfformiad gyda'r gynulleidfa fel cynulleidfa capel – yn canu emynau gyda'r tri chôr a oedd yn bresennol. Yn raddol, torrodd tensiwn y sefyllfa hanesyddol y confensiwn hwn, wrth i gymeriadau gofidus a chyhuddgar, yn eu gwisgoedd, ddatgelu eu hunain yn y gynulleidfa.

Yn yr enghreifftiau cynnar hyn, mae safle a pherfformiad yn cyfeirio at ei gilydd, yn gytbwys, ond hyd yn oed yma ni cheisiodd y perfformiad *ail-greu'r* llu o bethau a oedd wedi digwydd yn y safle hwnnw.

Yna, yn 1988, creodd Brith Gof *Gododdin* yn un o weithdai mawr ffatri segur Rover yng Nghaerdydd – marwnad o'r chweched ganrif ar safle diwydiannol modern gwag. Ceir paradocs bwriadol fan hyn, a thensiwn creadigol a grewyd drwy gyflwyno ac arosod trefn o ddeunyddiau sy'n ymddangos yn anarferol, yn anaddas neu'n groes i'r safle hwn: un o gerddi cynharaf yr iaith Gymraeg mewn ffatri gwneud ceir.

Mae'r berthynas yn *anghymesur*: mae safle a pherfformiad yn weithredol annibynnol ar ei gilydd. Efallai eu bod yn *gwrthdaro* â'i gilydd neu fod y naill yn *ddi-hid* o'r llall. Efallai bod gwrthdaro rhwng y cyfoes a'r hanesyddol.

Mae perfformiad yn yr achos hwn yn debyg i ddaliadaeth dros dro sy'n gwrthsefyll 'pwyntio at' neu 'bwyntio allan' y lleoliad, neu 'godi ohono': gall *amwysedd* ddatgelu pethau am y naill a'r llall. Ond p'un a ydym yn cyfeirio ato'n benodol neu beidio, bydd safle bob amser yn cynnwys gorwel dealladwy. Caiff gorchfygiad milwrol a dirywiad diwydiannol eu gosod mewn perthynas drosiadol.

Roedd senograffi Cliff McLucas (1945–2002), ar gyfer *Gododdin* yn gyfansoddiad ffurfiol o filoedd o dunelli o dywod, dwsinau o goed a cheir drylliedig, a miloedd o alwyni o ddŵr yn graddol orlifo dros yr ardal berfformio yn ystod y perfformiad.[3] Yn arwyddocaol, roedd yn cyrraedd y muriau. Roedd mor fawr â'r safle ei hun: senograffi ar raddfa'r adeilad ei hun. Dyma bensaernïaeth arall, wedi'i hadeiladu o fewn pensaernïaeth a oedd eisoes yn bodoli, yn gosod ôl troed, cynllun llawr, map neu gyfeiriadaeth arall a oedd yn cymhlethu'r hierarchaeth a fodolai ynglŷn â lle a phatrymau symudiad.

Mae'r ffaith nad yw lleoliad fel hwn yn amlwg o briodol nac yn ei gyflwr gwreiddiol yn caniatáu i reolau penodedig y theatr gael eu hatal a'u tramgwyddo. Mae'n golygu y gellir defnyddio adnoddau, technegau, deunyddiau a ffenomena a fyddai'n anweledig neu'n anghyfreithlon hyd yn oed mewn awditoriwm – yr anarferol, yr annerbyniol, yr hyn a allai fod yn beryglus: tân, mwg, trydan, peirianwaith, anifeiliaid, gwynt, glaw, eira, gormodedd o olau. Dyma drefniadau golygfaol lle gall arwynebedd a hinsawdd newid o un funud i'r llall, gan beri problemau i'r perfformwyr. Mae angen gwaith cynllunio ac addasu byrfyfyr i ymateb i'r problemau hynny. Gall amgylchedd 'byw' perfformiad fod yn lle ergonomig sy'n anodd gweithio ynddo. Gallai orfodi'r defnydd o dechnegau arbennig i oresgyn anawsterau materol y safle. Wrth i berfformwyr ddringo rhaffau a llif o wasgedd uchel o ddŵr yn cael ei chwistrellu atynt, gallai'r gynulleidfa fod yn gwylio *symptomau* eu hymgais i fynegi eu hunain yn ogystal ag arwyddion o'u mynegiant, mewn patrymau gweithgaredd corfforol deinamig nad ydynt yn gwneud unrhyw ymdrech i 'adrodd stori' sydd, wedi'r cyfan, yn farwnad.

Gallai cynnwys pethau o'r byd bob-dydd, nad ydynt yn cael eu hystyried yn 'theatraidd', megis offer diwydiannol neu offer meddygol, ddrysu disgwyliadau'r gynulleidfa, rhoi sioc iddynt, peri syndod neu bleser a drysu patrymau arferol gwerthusiad beirniadol. Yn *Gododdin*, er enghraifft, defnyddiwyd bonedi ceir fel tariannau a lampau blaen ceir sgrap i oleuo.

Ar y raddfa hon, mudodd y testun oddi wrth y perfformwyr corfforol, a datblygu'n elfen ar gân ac ar lafar o fewn y trac sain uchel a chwaraewyd yn fyw ac ar dâp. Datblygodd y trac sain yn brif gludydd a gyrrwr deinameg y cynhyrchiad, gyda threfniant yr uchelseinyddion yn galluogi panio'r sain o gwmpas y gynulleidfa, drostynt a thrwyddynt.

Roedd *Pax* (1990–1991), yn ymwneud â disgyniad angylion. Petaent yn dychwelyd heddiw, a fyddem yn eu hadnabod ac a allent oroesi mewn amodau amgylcheddol sydd wedi newid; dyna gwestiwn y perfformiad. Roedd cynllun gwreiddiol McLucas ar gyfer perfformiad yn Neuadd Dewi Sant. Dyma leoliad annhebygol, yn cynnwys adran gyfan o eglwys gadeiriol Gothig wedi'i hadeiladu wrth raddfa mewn sgaffaldiau; dyma berfformiad ar lefel peirianneg sifil. Ailgynhyrchwyd y perfformiad yng ngorsaf drenau Aberystwyth, gyda'r gynulleidfa ar y cychwyn ar un platfform yn gwylio perfformwyr gyferbyn wrth i drên yr Amwythig gychwyn allan o'r orsaf, cyn symud i'r cyntedd lle y disgynnodd yr angylion crog o'r trawstiau haearn.

Gyda'r gynulleidfa'n rhydd i symud o gwmpas, a chyda llawer yn digwydd ar yr un pryd, roedd yn rhaid ystyried y perfformiad fel strwythur tri dimensiwn – fel cyfaint – a luniwyd mewn hyd, lled ac uchder.

Gan dynnu ar y profiad o gynllunio sgerbwd yr eglwys gadeiriol, dechreuodd McLucas ystyried perfformiad mewn safle penodol o safbwynt dwy bensaernïaeth yn cydfodoli: y *llety* (y safle) a'r *ysbryd* (perfformiad). Er y gallai'r ddwy fod yn wahanol eu natur gan anwybyddu presenoldeb y naill a'r llall; maent yn *cydfodoli* heb fod o reidrwydd mewn cytgord. Gwelir un bob amser drwy'r llall, fodd bynnag; mae'n amhosibl eu gwahanu.

Llwyfannwyd *Haearn* (1992), mewn ffowndri haearn segur yn Nhredegar yng nghwm Sirhywi.[4] Wedi'i hadeiladu yn 1913, y flwyddyn pan oedd cynnyrch meysydd glo de Cymru ar ei anterth, troes yn llety ar gyfer y perfformiad *Haearn* yn ystod yr wythnos pan gyhoeddodd y llywodraeth ei bod am gau pob pwll glo yn ne Cymru ag eithrio un. Roedd yn cynnwys cantores, côr, band pres, archif ffilm, storm o law a pherfformwyr yn crogi ar graen symudol uwchben y gynulleidfa, ac yn ymwneud â chreu'r dyn a'r fenyw ddiwydiannol, gyda deunydd testunol a delweddol o chwedlau Prometheus a Hephaestus a bywyd a gwaith Mary Shelley. Ceid hefyd adroddiadau am arbrofion a dyfeisiadau newydd diwydiannol a meddygol y ddeunawfed a'r bedwaredd ganrif ar bymtheg.

Roedd yr adeilad yn hir ac yn gul iawn. Tra eisteddai'r gynulleidfa ar un pen, roedd hi'n bosibl defnyddio dyfnder a chreu dwy effaith yn yr awditoriwm: llwyfannu digwyddiadau gwahanol ar yr un pryd ar bellterau gwahanol oddi wrth y gynulleidfa, a threfnu bod y chwarae yn dynesu at y gynulleidfa ac yn ymbellhau oddi wrthynt – ar y craen a allai deithio hyd yr adeilad cyfan, hyd yn oed dros ben y gynulleidfa; ar beiriannau codi symudol ac ar draciau rheilffordd a osodwyd yn arbennig ar y llawr.

Crewyd *Tri Bywyd* (1995), yn Esgair Fraith, adfail o dŷ gyda chytiau fferm sylweddol yn ddwfn ym Mhlanhigfa Clywedog a sefydlwyd gan y Comisiwn Coedwigaeth ym mhlwyfi Llanfair Clydogau a Chynwyl Gaeo, ger Llanbedr Pont Steffan rhwng 1956 ac 1959.[5] Adeiladwyd y fferm tua 1860 – ar ddarn o laswelltir a gwlypdir a ddisgrifir weithiau, ar gam, yn bentref bach – ei waliau, ei lwybrau a'i elfennau pensaernïol yn ymddangos yn rhy niferus ar gyfer annedd amaethyddol mynyddig. Yn wir, o'r cychwyn cyntaf, gallai fod mwy iddo: gwehydd lleol oedd y preswylydd cyntaf, gweithiwr yn yr awyr agored yn niwydiant gwlân sir Aberteifi.

Roedd *Tri Bywyd* yn berfformiad am dair marwolaeth ac am yr elfen ddomestig yn y tirlun. I adeiladu'r senograffi, cludodd Cliff McLucas dair tunnell o sgaffaldiau i fyny i Esgair Fraith. Yn hytrach na chyfeirio yn uniongyrchol at y lle a'i hanes, neu ei ail-greu, adeiladodd ddau ddarn pensaernïol newydd ar y safle – ac yn wir drwyddo – a thrwy ei gilydd. Roedd pob adeiladwaith yn cynnwys ciwb wedi'i rannu'n bedair 'ystafell' ar ddeg ar wahân, yn wyth troedfedd sgwâr. Daeth â ffurfioldeb i'r goedwig – pren a dur, syth a chrwm, goleuadau stribed – yn 'rhithiol' eu presenoldeb.

Roedd pob ffrâm yn cynrychioli adeilad penodol – 7 James Street yng Nghaerdydd lle llofruddiwyd Lynette White yn 1988, a Llethrneuadd Uchaf, lle newynodd Sarah Jacob, 'the fasting girl of Llandysul', i farwolaeth. Saernïwyd yr holl gelfi – y gwelyau, y cadeiriau, y byrddau – o sgaffaldiau. Wedi'u lleoli yn y tri darn pensaernïol a gydfodolai roedd tair stori wahanol. Gan gymryd 1860 yn ddatwm, roedd un stori yn perthyn i gyfnod ond nid i leoliad – Sarah Jacob; yr ail stori yn perthyn i leoliad ond nid cyfnod – stori gyfoes am hunanladdiad a leolid yn yr adfeilion; a'r drydedd stori heb berthynas â'r cyfnod na'r lleoliad – Lynette White. Yn y perfformiad, roedd y naratifau yn cael eu datgelu ar y cyd, y naill bob amser i'w weld drwy neu mewn perthynas â'r lleill, er nad oeddent yn cydnabod bodolaeth ei gilydd.

Hyfforddwyd Cliff McLucas fel pensaer; mae ffurf bensaernïol i'r enghreifftiau hyn o'i waith. Yn y 1990au hwyr newidiodd fy ngwaith fy hun fel fy mod i'n rhoi llai o bwyslais ar ymwneud ag adeiladwaith safle: newid o'r syniad o'r safle ei hun i'r syniad o le, lle mae profiad, cof a gwybodaeth leol y rhai a oedd yn byw ac yn gweithio yno yn gyfeirbwyntiau.

Perfformiad ar gyfer darllediad radio a pherfformwyr byw oedd *The first five miles* (1998). Wrth i mi gerdded pum milltir ar draws Mynydd Bach, ger Trefenter, wedi fy ngwisgo fel bonheddwr Sioraidd, darlledodd Radio Ceredigion ddrama ddogfen ddwyieithog, a wnaethpwyd o flaen llaw, am ymateb treisgar i ymdrechion i gau tiroedd yr ardal honno yn yr 1820au – gan Augustus Brackenbury a aned yn Swydd Lincoln – ymateb a ddaeth yn enwog fel 'Rhyfel y Sais Bach'. Yma, ystyriwyd holl ofnau ac ansicrwydd pobl Prydain a ddaeth yn sgil gweithred y Senedd o gau tiroedd – y newid yn natur lle, a dileu topograffi cyfarwydd. O dro i dro trosglwyddwyd fy llais – fel Brackenbury – o'r bryniau i'r stiwdio i'w gymysgu â'r darllediad. Er ei fod yn bosibl ymuno â mi ar Fynydd Bach, yr unig fodd i glywed fy llais oedd ar y radio – ar dderbynnydd symudol, wrth eistedd yn y car neu ar yr aelwyd. Felly, roedd hi'n bosibl cael cynulleidfaoedd amrywiol. Roedd y rhaglen ei hun mewn stereo, gyda geiriau Cymraeg yn panio at y chwith a'r geiriau Saesneg at y dde.

Yn anffodus, ni allai hofrennydd yr heddlu hedfan. Y bwriad oedd iddo dracio taith Brackenbury gyda chylch o olau yn pwyntio tuag ataf i ond ar yr un pryd yn symud yn ei flaen, heb wneud y tirlun yn gefndir darluniol ar gyfer y perfformiad, heb ei feddiannu, heb ei oleuo'n llawn, heb gymryd arno bod y stori hon o wladychiaeth yn perthyn *i'r* lle. Pwynt yw tirwedd yn hytrach na safbwynt, lle i fod *ynddo* yw'r dirwedd yn hytrach na bod yn *ei erbyn*.

Yn *The first five miles* mae dau gwestiwn yn codi. Yn gyntaf, ble roedd yn cael ei gynhyrchu? Mewn un lle, neu mewn amryw leoedd – ar y mynydd, yn y stiwdio, yn yr amgylchedd gwrando? Yn ail, sut roedd e'n cael ei amgyffred? Sut roedd y gynulleidfa'n penderfynu eu cynnwys eu hunain; trwy benderfynu eistedd yn gysurus gartref neu fod allan ar y mynydd; trwy ddewis Cymraeg neu Saesneg? Mae'r perfformiad yn gymaint o ddarllen 'ar' ac i 'mewn' i stori benodol mewn lle, yn hytrach na darllen 'o' fanylion y dirwedd. Ac mae'n ategu yn hytrach na chynnwys gwybodaeth leol a thraddodiadau dehongli. Mae'n cyffroi atgofion o'r gorffennol, meddyliau am yr hyn a fu.

Seiliwyd *Bubbling Tom* (2000), ar gysylltiad personol â lleoliad: taith dywysiedig o gwmpas fy 'milltir sgwâr', tirwedd yr oeddwn yn ei hadnabod yn saith mlwydd oed.[6] Dros gyfnod o ddwy awr ymwelsom â deg lleoliad yn fy mhentref genedigol: yr ysgol, yr eglwys, y nant a lleoedd eraill llai nodedig, heb eu nodi; lleoedd, serch hynny, lle'r oedd nifer o ddigwyddiadau arwyddocaol wedi digwydd *i mi:* cerrig milltir bywgraffiadol a phersonol.

Cofiais am berthnasau, ffrindiau a chymeriadau wedi hen fynd, anturiaethau plentyndod a dathliadau cymunedol. Dangosais rai o'r pethau eraill roeddwn yn gallu cofio'u gwneud yn 1956 – dringo wal iard yr ysgol, sefyll yn y nant mewn 'welintons'. Nodais *yr hyn* sy'n dal i fodoli, bedd fy hen hen fam-gu; a'r pethau *hynny* sydd wedi diflannu, y bompren dros y nant, neuadd 'sinc' yr eglwys; a'r pethau *hynny* sydd wedi newid, gât yr ysgol sydd wedi'i chau â brics. Datgelais ambell gyfrinach deuluol. Dangosais arwynebau: carreg galch feddal wal fferm, pren ffens bwdr â chen yn gramen drosto. Cynhwysais hefyd ambell fyfyrdod damcaniaethol gan Gaston Bachelard (1884–1962), Georges Perec (1936–82), a D. J. Williams (1885–1970). Datblygodd fy acen yn un drwchus ac ar brydiau – yn efelychiad o'm mam-gu – mae darnau o dafodiaith yn brigo i'r wyneb. Dynwaredais ac ystumio a sefyllian, gan ddramateiddio'r gorffennol cyfarwydd: gan ailymweld â thirwedd gyfarwydd â'i hanimeiddio – er ar raddfa wahanol ac yn aml gan godi gwên. Ac roedd ambell eiliad lle mai ond dau neu dri o'r rhai a oedd yn bresennol a oedd yn deall yn llwyr: gwybodaeth leol.

Roeddwn wedi ysgrifennu ac wedi dysgu testun hir, camp cof ynddi'i hun, ac eto ar brydiau doedd dim cyfle i mi ddweud dim. Roedd eraill yn torri ar fy nhraws yn gyson – gan ychwanegu at fy stori, ei chywiro a'i gwrth-ddweud. Oherwydd mae rhai sydd bob amser yn ein cofio, yn cofio drosom ni, yn well na ni ein hunain.

A chyn gynted ag yr oeddwn i'n tewi, roedd eraill yn cychwyn – gydag atgofion o'r un lleoedd ar gyfnodau eraill, oherwydd hwn oedd tirlun plentyndod llawer ohonynt hefyd.

Mae'r fath berfformiad *safle-benodol* yn amlygu dwysedd amlamserol profiad mewn lleoliad arbennig, gan ddefnyddio manylion topograffigol fel *cofrif.* Mae'r lleoedd gwahanol hyn yn gweithredu fel 'cynwysyddion' (atgofion, storïau a chwedlau), fel 'crynhoad o haenau trosiadol a ffisegol', fel 'palimpsest' wedi'u henwi a'u nodi gan weithredoedd hynafiaid. Mae perfformiad o'r fath yn ysgogi ac yn mynnu straeon eraill, a straeon am straeon. Mae'n ysgogi myfyrdod personol a dymuniad ar ran y gwrandawr i ddatgelu a chynnwys ei brofiadau personol ei hun, ac i ailymweld â phrofiadau cymunedol. Mae'n gweithio gyda'r cof: yn adalw hen atgofion sy'n parhau, yn cyffroi atgofion sydd yn hanner angof; yn aml mae'n troi yn *ymddiddan.* Mae natur fyrhoedlog perfformiad a materoldeb lleoliad yn cydblethu ac yn dadlennu pethau am ei gilydd; mae natur dros dro'r digwyddiad yn gorchuddio natur barhaol y dirwedd; y dadleniad cyfoes yw'r haen ddiweddaraf yn hanes y lle.

Mae perfformiad yn creu ymdeimlad amodol a dros dro o'r gymuned ar draws y cenedlaethau. Oni wnaethon ni i gyd sefyll yn erbyn yr un wal ysgol i gael tynnu'n lluniau, p'un ai yn 1935, 1955 neu yn 1975? Onid oedden ni i gyd yn blant yn yr un lle? O gofio nad oedden ni'n symud lawer o'n cymuned, heb fodd i ddianc, roedden ni'n byw ein bywydau ar yr un strydoedd. Mae Fiona Wilkie yn nodi'r gofal a gymerir i ddod o hyd i'r union leoedd lle digwyddodd pethau yn *Bubbling Tom*: 'In this window', 'on that door over there', 'here', 'there';[7] iddi hi, mae lleoedd fel 'containers (of memories, stories, and legends)', fel 'aggregations of metaphorical and physical layers'.[8]

Yn yr achos hwn mae perfformiad yn fyrhoedlog, dros dro, yn atgofus. Mae'r cwestiynau sy'n codi'n ymwneud â'r cysylltiad rhwng cof a lle; ysbrydolwyd hyn gan eiriau D. J. Williams:

> Pa bryd y digwyddodd y llu mawr o bethau a gofiaf yn ddigon clir – yn gynnar neu'n ddiweddar yn ystod y chwe blynedd hyn – nid oes gennyf fawr o syniad. Ond gallaf eu lleoli, heddiw, yn lled sicr, y rhan fwyaf ohonynt, a nodi ymhle y digwyddodd y peth a'r peth; a'r fan yr own i'n sefyll arno, weithiau, pan glywais i hyn a hyn.[9]

Ac yn yr unfed ganrif ar hugain? Dychwelyd i bensaernïaeth ond mewn math gwahanol iawn o safle. Yn Awst 2010 crewyd gennym fersiwn safle-benodol o *Y Persiaid* (*The Persians*), gan Aescylws (525/524 CC–456/455 CC), y ddrama hynaf yn niwylliant dramataidd y Gorllewin, ar gyfer National Theatre Wales (NTW).[10] Mae cynyrchiadau cyntaf y cwmni yn ystod tymor 2010–11 (ddeuddeg gwaith mewn deuddeg mis mewn lleoliadau gwahanol), gan ddyfynnu John McGrath, cyfarwyddwr y cwmni, yn canolbwyntio ar 'fapio theatraidd' y wlad.[11]

> We will explore the land through theatre, and theatre through the land. Each piece will be developed out of, and in response to, its location; . . . Location isn't just about site, it's about how our memories live in geography and space.[12]

SENTA – Ardal Hyfforddi Pont Senni – yw trydedd ystad danio byw fwyaf y Fyddin Brydeinig, yn ymestyn dros 24,000 hectar o ucheldir; ni chaniateir mynediad i'r cyhoedd. Meddiannwyd y safle'n orfodol yn 1940, a symudwyd poblogaeth o ddau gant ac un deg naw o unigolion o bum deg pedwar o aelwydydd; ni ddychwelodd neb erioed. Mae pentyrrau o gerrig a oedd unwaith yn ffermydd gwasgaredig nodweddiadol yr ardal yn dal i fritho'r tir; ynghyd ag adfeilion y capel. Maent yn olion sy'n atgoffa pobl o gymuned ac economi a oedd yn anweledig, i raddau helaeth, i'r awdurdodau hynny a oedd yn ystyried nad oedd neb yn byw yn yr ardal. Meddiannwyd Mynydd Epynt yn gyflym.

Ar y pryd, roedd peth gwrthwynebiad gwleidyddol: anerchodd Saunders Lewis (1893–1985), a'r Gwynfor Evans ifanc (1912–2005), gyfarfodydd cyhoeddus. Ond roedd hyn yn rhan o waith cyfnod y rhyfel a oedd yn digwydd hefyd mewn mannau eraill yn y DU. Wrth edrych yn ôl yr ydym yn ystyried y meddiannu fel un o'r digwyddiadau yn hanes diweddar Cymru lle mae mannau – mannau Cymraeg eu hiaith – yn 'diflannu'. Enghraifft nodedig arall oedd boddi Tryweryn i gael cronfa i ddarparu dŵr ar gyfer Lerpwl yn y 1960au cynnar. Mae'n hyrwyddo gwerthfawrogiad o *gynefin* – cysyniad o'r amgylchedd sy'n cynnwys anheddau ac asiantaeth ddynol – a chanlyniad ei gyfaddawdu, neu ei golli, mewn achosion o'r fath. 'Mae tir ac iaith yn ddwy haen sy'n clymu'r siaradwr Cymraeg i'w *gynefin* neu i'w ardal.'[13] Ceir cysylltiadau eraill megis atgofion o bethau'r gorffennol.

> Wherever you look in the modern Welsh culture you find the word 'remember'. . . . Even the landscape takes on a different quality if you are one of those who remember. The scenery is then never separate from the history of the place, from the feeling for the lives that have been lived there.[14]

Mae'n dal i gorddi dan yr wyneb. Er bod golygfeydd y dirwedd heddiw yn ymddangos yn ddeniadol ac yn ddiniwed – mae arfau rhyfel yn cael eu hamsugno'n rhyfeddol o gyflym gan yr isbridd meddal, gan adael nemor ddim ôl ar yr wyneb – mae islais gwleidyddol yn atseinio yma. A phan fo perfformiad yn gofyn am ymweliad, i rai – 'y rhai sy'n cofio' – yn anochel, bydd digwyddiadau 1940 yn fater o ddehongliad; mae'r safle eisoes wedi'i lwytho. Dyma gam cyntaf rhoi ysbryd ar gerdded – ar y tir a ddygwyd, ac yn nychymyg y genedl.

Ar y meysydd tanio, safle efelychu rhyfel yw FIBUA – *Fighting in Built-Up Areas* – lle mae milwyr yn ymarfer rhyfel trefol, lle caiff sefyllfaoedd eu profi a lle caiff milwyr eu trwytho yng nghoreograffi corfforol ymosod. Clwstwr o dai syml sydd yno, gyda chloriau dur ar bob ffenestr, yn edrych yn debyg i dai'r Almaen neu'r Balcannau. Mae'r cynlluniau, a ddefnyddid mewn llawer o osodiadau eraill yn y DU, yn deillio o gyfnod pan ddychmygid y byddai Trydydd Rhyfel Byd, os nad yn rhyfel niwclear, yn frwydr fawr rhwng tanciau yn yr Almaen. Yma, mae gan ystafelloedd sydd wedi'u tywyllu geuddrysau a thwneli cudd; does dim gwaith plymio; does dim ôl llafur amaethyddol yn yr ysgubor; does dim enwau na phenillion cysegredig ar y cerrig beddau. Yma, efallai y dowch ar draws pentwr o getris gwag, yn awgrymu digwyddiad o'r gorffennol, neu bentwr o focsys ffrwydron a graffiti ar adeiladau yn ymgais fyrfyfyr i greu awyrgylch gartrefol, ond dim un twll bwled gan fod gormod o berygl iddi adlamu. Does dim arwyddion o anheddau domestig, dim paent, papur wal na chelfi: dyma'r amlinelliad mwyaf moel o bensaernïaeth, safle heb hanes. Gyda hen danciau llosg wedi'u lleoli i ychwanegu at realaeth y safle, mae'n debyg i gymuned anghyfannedd a diffaith yn Bosnia *ar ôl* y gwrthdaro; gyda'r ceir wedi'u llosgi a chloriau ar y ffenestri; stad o amddifadedd cymdeithasol ac economaidd yn aros i gael ei dymchwel.

Mae FIBUA yn lle *o* berfformiad neu o leiaf yn lle ar gyfer ymarfer perfformiad, wedi'i feddiannu'n achlysurol gan gast gwahanol, mae eu presenoldeb dros dro a'u symudiad i theatrau rhyfel mewn mannau eraill yn dal i drigo: ysbryd ingol arall. Yma, ceir sefyllfa wahanol eto – crewyd, lleolwyd a pherfformiwyd cynhyrchiad NTW o *The Persians* yn y lle cyntaf yn y man sy'n cael ei alw'n Dŷ Sgiliau (*Skills House*).

Mae'r Tŷ Sgiliau yn adeilad concrid tri llawr gyda tho ar ongl.[15] Mae'r holl ffenestri a'r agoriadau yn dyllau syml agored. A does yno ddim ffasâd. Gall y milwyr sy'n ymgynnull yn yr eisteddle gyferbyn weld i mewn i'r ystafelloedd – fesul dwy – ac i mewn i'r grisiau ac i'r islawr wrth iddynt wylio'u cyd-filwyr yn amddiffyn neu yn ymosod ar yr adeiladwaith. Mae pob cyrch a gwrth-gyrch wedi'u dinoethi er mwyn eu harchwilio i ddibenion hyfforddi: yn fan rheoledig ar gyfer gweithredu a goruchwylio – cwlwm o *orchestra* a *theatron*. Yr argraff a geir yw mai dyma dŷ dol maint llawn heb du blaen. Yn anghyson â hyn i gyd, ceir yn ogystal lwyfan estynedig ar y blaen.

Ar gyfer *The Persians* cafodd ei addasu; tynnwyd pob rheilen ddiogelwch oddi yno. Yn y prif ofod mewnol, gosodwyd waliau symudol, o fetel galfanedig ar un ochr, a phren ar yr ochr arall. Ynghrog, uwchben, ceir traciau o'r pen blaen i'r cefn, roedd yn bosibl eu symud yn ôl a blaen, ar ongl ac ar draws. Gellid defnyddio eu symudiad yn ystod y perfformiad i greu ffurfiau gofodol gwahanol – ystafelloedd a thramwyfeydd dros dro – i greu'r ymdeimlad o 'fod' a 'pheidio â bod', rhwng y cêl a'r cyhoeddus; yn dadlennu gwahanol arwynebau; a chreu cyferbyniad cinetig sylweddol i ddarnau dwys o'r testun – yn debyg mewn ffordd i'r *periaktos* Groegaidd. Goleuwyd y tŷ gan stribedi neon a lampau halogen wedi'u diogelu rhag tywydd garw, a oedd yn cael eu gweithredu'n bennaf gan y perfformwyr wrth iddynt ddod i mewn a gadael ystafelloedd. Wrth iddi dywyllu roedd y tŷ yn goleuo'n gynyddol. Ar wyth pwynt strategol ceid sgriniau fideo ar y parwydydd. Cysylltwyd camera darllediad allanol ag uwchdaflunydd a sgrîn maint ystafell ar y llawr uchaf.

Mae *The Persians* yn sôn am orchfygiad milwrol o safbwynt y rhai a orchfygwyd. Roedd y cynhyrchiad yn un cyfryngunol (*mediatized*): ailddychmygwyd y profiad o ryfel yn oes y newyddion pedair awr ar hugain – yn ddelweddau o boblogaethau a gwledydd pell y mae eu henwau'n anghyfarwydd – lle mae sylw ac ymyrraeth gyson mewn materion cyhoeddus a phreifat. Dim ond ar y monitorau fideo yr ymddangosodd y Negesydd, yn torri drwyddo fel petai'n dod o ardal y rhyfel. Rhoddwyd meic radio i bob perfformiwr: chwyddleisiwyd pob testun yn y cynhyrchiad. Roedd y gynulleidfa yn cael rhannu'r meddyliau cudd, y neillebau a sibrydwyd, yr amheuon preifat, a sgyrsiau breintiedig unigolion a grwpiau o berfformwyr mewn gwahanol leoliadau yn y tŷ heb fod angen taflu'r llais yn annaturiol – yma, y tu allan ac mewn tywydd ansefydlog. Lleolwyd y rhesi o seinyddion yn yr eisteddle, o'i gwmpas ac oddi tano: roedd y gynulleidfa yn eistedd o fewn amlen sonig lle'r oedd lleisiau yn gymysg â thrac sain parhaus yn chwarae cerddoriaeth a oedd wedi'i recordio.

Roedd y senograffi wedi'i adeiladu i mewn i'r bensaernïaeth mewn modd cydgordiol; popeth i'r un cyfeiriad – roedd y waliau symudol yn ffitio'r gofod; roedd y goleuadau yn crogi ar estyniadau pensaernïol cyfleus. Ond roedd yma, yn annodweddiadol, liaws o sgriniau – technoleg gymhleth yn y lleoliad mwyaf moel – er bod hyn oll yn cyfateb i'r camerâu gwyliadwriaeth sydd ym mhob congl o'r pentref ac wedi'u cysylltu ag offer canolog yn yr eglwys.

Doedd dim angen gwaith adeiladu mawr ar y cynhyrchiad. Ymestynnwyd y seddau ar ogwydd ond heb do uwchben, er mwyn cadw'r gydfodolaeth foel ond gynhenid ddramatig rhwng dau endid pensaernïol mor wahanol yn y dirwedd – yr eisteddle a'r tŷ.

Gwyliodd y gynulleidfa gymysgiad cymhleth o berfformiadau byw, cyfryngol a fideo wedi'u recordio ymlaen llaw a oedd yn cynnwys delweddau agos dros ben: gweithgareddau o wahanol ddwyster, gyda sain yn cydredeg yn berffaith. Darparodd y camera darlledu allanol ddarnau o ffilm wrthrychol (*candid footage*) yn ogystal ag anerchiadau ffurfiol a sylwadau uniongyrchol 'at y camera'; roedd y gynulleidfa bob amser yn ymwybodol o'r criw wrth eu gwaith. Ymddangosodd y Frenhines ei hun drwy'r perfformiad ar y sgrîn fawr, ei gwisg goch a'i gwallt golau yn drawiadol yn y golau sy'n pylu, pob ystum o'i hwyneb yn amlwg; dilynwyd hi gan y camerâu OB yn ddidrugaredd, yn null y *paparazzi*. Dechreuodd *The Persians* ymdebygu i 'ffilm fyw' yr oedd ffurf arbennig y Tŷ Sgiliau yn awgrymu, yn ei chroesawu a'i gwneud yn bosibl.

Yn safle milwrol a chyfyngedig, mae FIBUA y tu hwnt i gylch gorchwyl cyrff rheoli sy'n trwyddedu digwyddiadau cyhoeddus. Yn wir, gallai unrhyw beth ddigwydd yma: y defnydd o gerbydau, symud cynulleidfaoedd cyfan. Yn sicr roedd ei gynllun llawr yn cynnig llwybrau gorymdeithiol, mynedfeydd ac allanfeydd a gosodiad golygfeydd. Ond roedd eisoes mewn cywair theatraidd, yn darparu'r sefyllfa ddyddiol ar gyfer gêmau rhyfel; mae synau cyrchoedd awyr yn cael eu darlledu drosodd a throsodd o dŵr yr eglwys yn gyfeiliant i'r ymarferiadau yn y pentref. Byddai unrhyw duedd i theatricaleiddio rhagor ar FIBUA - drwy ei addurno neu ddefnyddio'i adeiladau domestig fel cartrefi neu nodi'r nodweddion penodol - fel nacâd dwbl. Er yn fud, mae'n siarad drosto'i hun mewn modd cymhleth a chyfnewidiol.

Mae'n gofyn i'r gynulleidfa, beth yw'r lle hwn? Cymuned heb ddynion, gyda'r merched a'r plant wedi'u rhoi yn ddiogel o'r neilltu, o olwg ymwelwyr? Gwlad foel wedi'i thorri'n ariannol gan yr ymdrech ryfel? 'Amgueddfa fuddugoliaeth' ddigalon yn dangos malurion rhyfeloedd y gorffennol a gipiwyd, fel yng Ngogledd Corea? Cymuned amddifad mewn parth milwrol cyfyngedig? Adfail o set ffilm? Athen wedi'i hanrheithio gan ryfel? Syndod yw sylwi bod enwau Cymraeg ar y strydoedd gwag.

A phwy ydyn ni, ni, y gynulleidfa, yn gwisgo ponchos *khaki* yn amddiffynfa rhag y tywydd garw ond drwy hynny'n cynrychioli math o hunaniaeth dorfol? Ai gorymdaith ydyn ni; ai gwrthdystiad; ai twristiaid, archwilwyr arfau, goroeswyr gwrthdaro ar chwâl? Ai Persiaid? Groegwyr? Gyda chyn lleied o wybodaeth gennym, gallai unrhyw beth ddigwydd yma.

Ni wnaethpwyd unrhyw gyfeiriad uniongyrchol yn *The Persians* at naill ai hanes cythryblus Mynydd Epynt na'i ddefnydd cyfredol dadleuol; does fawr i'w ennill o gynhyrfu'r dyfroedd na fydd byth yn arwain at gymunedau Cymraeg yn ailfeddiannu'r lle, na chwaith dim i'w ennill o feirniadu byddin broffesiynol o dan bwysau sylweddol yn ei dyletswyddau rhyngwladol. Ac eto, roedd cynnal perfformiad yno yn gwneud y ddau beth yn amlwg.

Yn *The Persians* yn FIBUA, yn hytrach na chael *llety* ac *ysbryd*, ceir, efallai, *ysbryd* ac *ysbryd*, dau bresenoldeb rhithiol: safle dros dro, a pherfformiad byrhoedlog a gafodd ei gludo oddi yno o fewn diwrnod, gan adael dim ond olion tyllau lle driliwyd i osod bollt neu sgriw . . . ac atgofion niwlog y cynulleidfaoedd. Roedd ysbryd ar gerdded rhwng y ddau: gyda'r naill yn galw'r llall i fodolaeth, ill dau yn goleuo ac yn dibynnu'n amodol ar ei gilydd. Cyflawnwyd yr amrantiad crynedig rhwng safle a pherfformiad drwy barchu annibyniaeth a chyfanrwydd y ddau: heb orfodi'r perfformiad i fod yn alegori am ddigwyddiadau diweddar yn y Dwyrain Canol, nac yn symbol o ymdrechion militaraidd.

Ac yn achos *The Persians*, cydnabyddir perfformiadau safle-benodol fel ffurf hyfyw o theatr genedlaethol yng Nghymru.

NODIADAU

[1] Er mwyn cael diffiniadau estynedig gweler Mike Pearson, *Site-Specific Performance* (Basingstoke: Palgrave Macmillan, 2010), tt. 1–46.

[2] Cwmni theatr a greodd berfformiadau wedi'u dyfeisio a gwaith safle-benodol yng Nghymru a thu hwnt, 1981–2002.

[3] Gweler Mike Pearson a Michael Shanks, *Theatre/Archaeology* (Llundain: Routledge, 2001), tt. 102–8.

[4] Gweler Clifford McLucas a Mike Pearson yn Nick Kaye, *Art into Theatre: Performance Interviews and Documents* (Amsterdam: Harwood Academic Publishers, 1996), tt. 209–34.

[5] Gweler Clifford McLucas, yn Nick Kaye, *Site-Specific Art* (Llundain: Routledge, 2000), tt. 124–37.

[6] Gweler Mike Pearson, *In Comes I: Performance, Memory and Landscape* (Exeter: Gwasg Prifysgol Exeter, 2006) tt. 21–9. Hefyd M. Pearson 'D.J. a fi', *Gwerddon*, 1, 1 (2007), 13–26.

[7] Fiona Wilkie, 'Archaeologies of memory: Mike Pearson's *Bubbling Tom*' (papur heb ei gyhoeddi, 2002), t. 4.

[8] Fiona Wilkie, 'Archaeologies of memory: Mike Pearson's *Bubbling Tom*' (Amsterdam: FIRT conference, 2001) (papur i gynhadledd), t. 2.

[9] D. J. Williams, *Hen Dŷ Ffarm* (Llandysul: Gomer, 2001), t. 6.

[10] Gweler *http://nationaltheatrewales.org/whatson/performance/ntw06*, cyrchwyd 25 Tachwedd 2010.

[11] John McGrath, 'Rapid Response', *New Welsh Review*, 85 (autumn 2009), 10.

[12] Ibid.

[13] Bedwyr Lewis Jones, 'Cynefin – The word and the concept', *Nature in Wales* (1985), 121–2 (122).

[14] Ned Thomas, *The Welsh Extremist* (Talybont: Y Lolfa, 1973), t. 72.

[15] Gweler Pearson, *Site-Specific Performance*, tt. 135–9.

LLYFRYDDIAETH

Kaye, N., *Art into Theatre: Performance Interviews and Documents* (Amsterdam: Harwood Academic Publishers, 1996).

Kaye, N., *Site-Specific Art* (Llundain: Routledge, 2000).

Lewis Jones, B., 'Cynefin – The word and the concept', *Nature in Wales* (1985), 121–2.

McGrath, J., 'Rapid Response', *New Welsh Review*, 85 (2009), 10–14.

Pearson, M., 'D.J. a fi', *Gwerddon*, 1, 1 (2007), 13–26.

Pearson, M., *In Comes I: Performance, Memory and Landscape* (Exeter: Gwasg Prifysgol Exeter, 2006).

Pearson, M., *Site-Specific Performance* (Basingstoke: Palgrave Macmillan, 2010).

Pearson, M. ac M. Shanks, *Theatre/Archaeology* (Llundain: Routledge, 2001).

Thomas, N., *The Welsh Extremist* (Talybont: Y Lolfa, 1973).

Wilkie, F., 'Archaeologies of memory: Mike Pearson's *Bubbling Tom*' (Amsterdam: FIRT conference) (papur i gynhadledd, 2001).

Wilkie, F., 'Archaeologies of memory: Mike Pearson's *Bubbling Tom*' (papur heb ei gyhoeddi, 2002).

Williams, D. J., *Hen Dŷ Ffarm* (Llandysul: Gomer, 2001).

8

DIOGELWCH YR ARCHIF: CYMYSGRYWIAETH, DILYSRWYDD A HUNANIAETH YN ACHOS CASGLIAD CLIFFORD McLUCAS

Rowan O'Neill

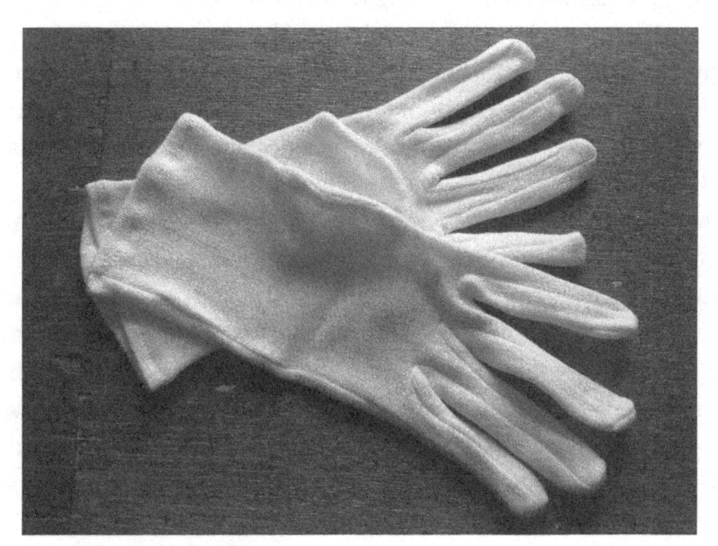

Ffigwr 12: Menyg Gwynion.

Yn ddiweddar, rhoddwyd llawer o sylw i bwysigrwydd yr archif yng nghyd-destun Astudiaethau Theatr a Pherfformio. Yng Nghymru, dylid ystyried prosiect Dr Heike Roms, 'Beth yw perfformio yn Gymraeg?', yn rhan o'r datblygiad hwn am iddo greu archif o artistiaid ym maes perfformio, a'u gweithiau, o'r chwe degau hyd at heddiw. Ar ben hynny, yn ei gwaith *The Archive and the Repertoire* trafoda Diana Taylor sut mae gallu'r cof i ymgorffori'r weithred berfformiadol yn cynnig persbectif amgen ar yr archif ysgrifenedig sydd o ddefnydd mawr wrth ailystyried prosesau hanesyddol a'r cyswllt rhwng diwylliannau. Mae'r ddwy astudiaeth o arwyddocâd i'm gwaith hewristig sy'n ymateb i archif benodol mewn safle penodol. Yn y bennod hon, byddaf yn cyflwyno prosiect sydd yn seiliedig ar archif yr artist a'r cyfarwyddwr theatr Clifford McLucas; archif a leolir yn Llyfrgell Genedlaethol Cymru. Byddaf yn canolbwyntio, yn y lle cyntaf, ar rai o'r amgylchiadau a arweiniodd at sefydlu'r archif yn ei ffurf bresennol, megis ei pherthynas ag archif cwmni theatr Brith Gof a'i dosbarthiad o safbwynt technegol fel archif gymysg neu *hybrid*. Byddaf yn mynd ymlaen i gynnig ymdriniaeth hewristig o'r archif gan ddefnyddio methodoleg sydd wedi ei seilio ar rai o'r ffactorau sy'n effeithio arni yng nghyd-destun polisi a strategaeth cadwedigaeth ddigidol y Llyfrgell Genedlaethol. Wrth wneud hynny, byddaf yn ceisio dangos y berthynas rhwng perfformio a gweithrediad strategaeth dechnegol ymarferol sefydliad diwylliannol fel y Llyfrgell Genedlaethol; perthynas sydd yn ei thro yn taflu goleuni ar gwestiynau gwleidyddol a hanesyddol sy'n ymwneud â hunaniaeth a lleoliad.

Rhaid cydnabod o'r cychwyn y berthynas agos rhwng archif bersonol Clifford McLucas ac archif cwmni theatr arbrofol Brith Gof, y cwmni a fu'n cydweithio ag ef am gyfnod o dros ddeng mlynedd. Ar ôl marwolaeth annisgwyl McLucas o diwmor yr ymennydd yn haf 2002, sefydlwyd ymddiriedolaeth er mwyn diogelu safle ei archif yng Nghymru. Tra roedd yn fyw sicrhaodd drosglwyddiad archif cwmni Brith Gof i'r Llyfrgell Genedlaethol ond nid oedd yr un cytundeb wedi ei sefydlu ar gyfer ei waith ei hun. Serch hynny, cytunodd y Llyfrgell i gymryd yr archif yn fenthyciad hir-dymor yn 2006. Efallai bod yr anhawster o rannu'r ddau gasgliad wedi dylanwadu ar y penderfyniad. Yn wir, mae'r ddau gasgliad yn awr yn cael eu cadw ochr wrth ochr, yn yr un gell yn Llyfrgell Genedlaethol Cymru.

Daeth McLucas yn gysylltiedig â Brith Gof yng nghanol yr wyth degau pan oedd yn gweithio fel cydlynydd i ganolfan yr Ysgubor, canolfan gelfyddyd gymunedol yn Aberystwyth. Roedd Brith Gof yn gweithio o'r un swyddfeydd o'r cyfnod 1981 hyd at 1988, pan symudodd y cwmni i Gaerdydd. Cychwynodd perthynas waith rhyngddo â'r cwmni yn 1985 pan gynlluniodd faneri ar gyfer prosiect yn Llanrhaeadr-ym-Mochnant er mwyn dathlu cyfieithiad William Morgan o'r Beibl bedwar can mlynedd ynghynt. Yn fuan iawn, daeth yn ffigwr adnabyddus o fewn i'r cwmni o ganlyniad i'w waith senograffig a'r cynhyrchiad safle-benodol *Gododdin* (1988/89). Cymerodd rôl cyfarwyddwr artistig ar y cyd â Mike Pearson yn gynnar yn y naw degau a pharhaodd yn y rôl nes i Gyngor Celfyddydau Cymru atal cyllid y cwmni yn 1998.

Ym mis Mai 1999 cyfeiriodd McLucas at fodolaeth archif Brith Gof mewn cynnig llyfr roedd yn gweithio arno ar gyfer y cyhoeddwr Routledge. Dywedodd:

> Within a world that has not been careful to document what is, after all, an ephemeral, time-based art practice Brith Gof, perhaps uniquely, has been careful to document its practice, and now receives regular requests for information about its work. The company believes that the time is right to make its extensive archive of materials available – images, designs, texts, working drawings and so on – available as inspirational source material to both a general readership and more specialised ones working within other cultural arenas.[1]

Ar 20 Hydref 1999 anfonodd Llyfrgellydd y Llyfrgell Genedlaethol, Andrew Green, lythyr at Janek Alexander, Cyfarwyddwr Canolfan Chapter yng Nghaerdydd. Mae'r llythyr yn ymddangos yn archif Brith Gof mewn ffeil *foolscap* gyda'r gair 'Archif' wedi ei ysgrifennu arno. Yn y llythyr hwn mae'r Llyfrgellydd yn codi pryderon ynglŷn â diogelwch archifau cwmnïau theatr yng Nghymru. Mae'r llythyr yn amlinellu pwysigrwydd cadw etifeddiaeth ddogfennol y theatr yng Nghymru ar gyfer haneswyr y dyfodol. Mae'n cynnig y Llyfrgell fel man priodol ar gyfer casgliadau sydd o arwyddocâd cenedlaethol ac yn cyfeirio at gyfrifoldebau'r cwmnïau i asesu gofynion eu casgliadau yn nhermau gofal, cadwedigaeth a mynediad. Flwyddyn ar ôl derbyn y llythyr hwn mae McLucas yn ysgrifennu yn ôl at y Llyfrgell er mwyn cadarnhau trafodaethau paratoadol gyda Gwyn Jenkins, pennaeth yr adran gasgliadau, ynglŷn â sefydlu archif Brith Gof a throsglwyddo'r deunydd i'r Llyfrgell. Mae'r llythyr yn nodi'r mathau o ddeunyddiau a geir yn y casgliad, sef amrywiaeth o fformatau a chyfryngau yn adlewyrchu pob agwedd ar greu'r gwaith, megis nodiadau ymchwil, sgriptiau, ffotograffau, tapiau ffilm (o'r broses a'r cynhyrchiad), tapiau sain, posteri a deunydd marchnata a rhaglenni. Mae McLucas hefyd yn cyfeirio at ddeunydd arbennig sy'n cynnwys paneli a baneri sylweddol iawn.

Nid dyma'r ddogfennaeth ddiweddaraf ynglŷn â sefydlu'r archif. Ar 1 Chwefror 1999, anfonodd McLucas nodiadau ynglŷn â'r archif at Mike Pearson ar ôl i Pearson ofyn am fynediad i'r archif er mwyn defnyddio deunydd y cwmni ar gyfer dysgu.[2] Yn y ddogfen hon mae McLucas yn trafod syniadau sydd wedi codi o blith aelodau bwrdd cwmni Brith Gof ynglŷn â galluogi defnydd o gasgliad y cwmni gan amrywiaeth o bobl yn cynnwys myfyrwyr ymchwil, awduron ac academyddion. Fan hyn mae McLucas yn dangos ei fod yn eithaf gofalus ynglŷn â'i syniad o'r archif gan ddweud, 'In view of our extremely limited resources I can see no way in which we can set up an archive as a resource for "the world"'.[3] Yn ôl y ddogfen hon, deillia ei ofid ynghylch gwerth yr archif o bryderon ynghylch gallu unrhyw un i drefnu a chatalogio'r deunydd, yr anhawster o ddarparu mynediad derbyniol i'r casgliad ac amheuon ynglŷn â chyfleu ystyr y ddogfennaeth. Yn yr un llythyr mae McLucas yn cwestiynu hefyd beth sy'n cyfansoddi archif o ran cyfieithu ystyr:

> There would have to be a decision made about what constitutes an archive – photographs, videos, reviews – yes – but what about every scrap of paper, every working document we have produced over the years – can we seriously imagine collating and cataloguing that? And for it to be meaningful to anybody without me and Mike standing next to them explaining everything?
>
> I think not.[4]

Mae'n ddiddorol cymharu'r ffordd y newidiodd ei syniadau ynglŷn â dyfodol y casgliad i'r hyn yr awgrymodd i Gwyn Jenkins yn ddiweddarach: 'Certainly, if the work is done well, the archive will be an extremely impressive one, that will be important both within a Welsh context but also an international one.'[5]

Hoffwn gofnodi bodolaeth llythyr arall yn y casgliad a dderbyniodd cwmni Brith Gof y mis cyn i McLucas ysgrifennu at Gwyn Jenkins i sicrhau derbyn casgliad Brith Gof i goffrau'r Llyfrgell Genedlaethol. Llythyr oddi wrth Jeni Williams oedd hwn, yn hysbysebu sefydlu archif benodol i theatr Gymreig yr ugeinfed ganrif ym Mhrifysgol Morgannwg ac yn gofyn a oedd y cwmni yn fodlon rhoi copïau o ddogfennaeth o'r archif i'r sefydliad a mynediad llawn i gatalog y casgliad trwy gatalog yr archif ym Morgannwg. Mae'r llythyr yn datgan:

> I know that you are donating your complete archive to the CPR[6] but wondered if you would be willing a) to allow us to keep copies of select material and b) to allow us to promote your archive through our catalogue.[7]

Mae'r llythyr yn ddiddorol am ei fod yn dangos nad y Llyfrgell Genedlaethol oedd yr unig sefydliad â diddordeb yn archif Brith Gof. Roedd gan sefydliadau eraill eu golygon ar y casgliad hefyd. Cyfeirir at y bwriad i leoli casgliad Brith Gof yn y CPR fel ffaith ond mae'n amlwg os mai dyna oedd y cynllun gwreiddiol, roedd wedi newid cyn i Jeni anfon ei llythyr.

Mewn cyfarfod o'r bwrdd a gynhaliwyd yn Llyfrgell Genedlaethol Cymru, ddydd Gwener, 17 Gorffennaf 2009, nodwyd, 'Un o'r casgliadau mwyaf cymhleth a chyffrous yn y Llyfrgell yw casgliad amlgyfrwng Cliff McLucas, un o sylfaenwyr cwmni perfformio Brith Gof'.[8] Mae'n wir fod McLucas yn fwyaf enwog am ei waith fel cyd-gyfarwyddwr cwmni theatr Brith Gof, ond mewn gwirionedd nid oedd yn un o sylfaenwyr y cwmni. Fel mae'n cyflwyno ei hun yn y llythyr at Gwyn Jenkins, 'Brith Gof was established in 1982 and I joined the company in 1988/89. I have kept an archive of materials since that date, covering almost all of the works created and performed during that time fairly thoroughly.'[9] Mae cam-enwi McLucas fel un o sylfaenwyr cwmni Brith Gof yn codi rhai cwestiynau ynglŷn â'r berthynas rhwng y ddwy archif sydd yn eu tro yn codi cwestiynau ynglŷn â chyfreithlondeb, dilysrwydd diwylliannol, hunaniaeth, cynrychiolaeth a thystiolaeth. Er nad oedd yn un o sylfaenwyr y cwmni, mae'n amlwg mai ef oedd sylfaenydd yr archif. Mae'r agwedd hon ar berthynas McLucas a'r ddau gasgliad yn cael ei hadlewyrchu yn y llythyr cynharach at Pearson lle mae McLucas yn gofyn cwestiwn ynglŷn â sut y bydd y casgliad yn cael ei ddefnyddio gan y rhai sydd wedi ei greu ac sy'n dod i'r casgliad, 'what I need from any archival system is easy and permanent access to my own work'.[10]

Rhwng y ddau lythyr a ysgrifennwyd gan McLucas ynglŷn â'r archif, y llythyr at Gwyn Jenkins, a'r llythyr at Mike Pearson, mae'r tensiwn ynglŷn â bodolaeth a phwrpas yr archif yn dod i'r amlwg. Mae'n bosibl gweld y tensiwn hwn fel adlewyrchiad o'r union densiwn sydd wrth galon y cysyniad o archif yn ôl yr athronydd Jacques Derrida (1930–2004). Yn ei lyfr *Archive Fever: A Freudian Impression*, mae Derrida yn trafod gwaith Sigmund Freud (1856–1939), ei archif a llyfr ynglŷn â'i archif gan yr awdur Yerushalmi. Haera Yerushalmi bod y cysyniad o *archif* yn un llawn tensiwn rhwng pethau sydd o arwyddocâd i'r cyhoedd a materion preifat a dirgel. Mae'r tensiwn hwn yn cael ei amlygu gan Derrida wrth iddo gyfeirio at eirdarddiad y gair archif:

> . . . the meaning of 'archive', its only meaning comes to it from the Greek *arkheion*: initially a house, a domicile, an address, the residence of the superior magistrates, the *archons*, those who commanded . . . On account of their publicly recognized authority, it is their home, in that *place* which is their house (private house, family house, or employee's house), that official documents are filed.[11]

Yn hytrach na chanfod yr achif fel man sy'n ymgorffori tensiwn rhwng elfennau gwrthgyferbyniol, mae Harriet Bradley yn ei ystyried fel rhywbeth sy'n pontio rhwng y cyhoeddus a'r preifat. Yn ei thraethawd, 'The Seductions of the Archive', mae'n ysgrifennu, 'the institution of the archive from its initiation bridges the gap between public and private: public records in a private space'.[12] Yn achos archif McLucas cyn i'r archif gael ei throsglwyddo i sefydliad cyhoeddus y Llyfrgell Genedlaethol mae'n wir ei bod hi'n bodoli mewn tŷ preifat, cartref McLucas. Mae'r trosglwyddiad, fel mae Bradley yn ei gydnabod, yn newid y sefyllfa'n llwyr, gan mai cofnodion personol yn aml sy'n creu archif mewn sefydliad cyhoeddus. Gellir cyfeirio'r sylw hwn at archif McLucas yn ei chyflwr presennol gan sylwi ymysg ei waith artistig neu draethodau ac adroddiadau ynglŷn â phrosiectau penodol, fod papurau gweinyddol, mwy personol ynglŷn â chymorth ariannol sydd yn ddisgwyliedig ganddo i'w blant a llythyron wedi eu hysgrifennu at wasanaeth cymdeithasol yn Swydd Efrog yn amlinellu sefyllfa ei dad ar ôl marwolaeth ei fam.[13]

Rhaid i mi gydnabod hefyd mai archif heb ei chatalogio yw archif McLucas yn ei ffurf bresennol. Archif, felly, heb ei hymostwng yn hollol i systemau a strategaethau sefydliadol Llyfrgell Genedlaethol Cymru.[14] Ac o ganlyniad, nid yw bodolaeth sefydliadol yr archif yn sicrhau ei bod ar gael i'r cyhoedd gan fod defnydd o gasgliad sydd heb ei gatalogio yn amharu ar fynediad o ddifrif – mae'r cynnwys yn dal i fod yn ddirgel mewn ffordd. Yn yr erthygl 'The Making of Memory: the politics of archives, libraries and museums in the construction of national consciousness' gan Richard Harvey Brown a Beth Davis-Brown, mae'r awduron yn trafod arwyddocâd y prosesu technegol sy'n hanfodol i greadigaeth a bodolaeth archifau, llyfrgelloedd ac amgueddfeydd. Mae'r erthygl yn dangos bod bodolaeth archif yn gaeth i drefniant y deunydd a'i ddosbarthiadau er mwyn darparu mynediad. Wrth sôn am y broses o ddosbarthu, maent yn cyfeirio at y tensiwn rhwng cadwedigaeth a mynediad, gan sylwi ar y gwahaniaeth rhwng agwedd ddemocrataidd tuag at gasglu (sef casglu popeth) neu agwedd ddemocrataidd at archifo, sef trefnu'r casgliad ar gyfer mynediad cyflawn. Mae'r tensiwn yn codi am fod yr opsiwn cyntaf yn rhwystro gweithrediad yr ail am ei bod yn debygol y bydd trefniant ar gyfer mynediad yn fwy anodd a drud. Mae'n werth i ni gofio pryderon McLucas fan hyn, ynglŷn â dyfodol y casgliad a'r modd y mae'n darparu ystyr. O dan y pennawd 'Organising and Cataloguing the Materials' yn y llythyr at Gwyn Jenkins mae'n myfyrio, '[t]he detail and nature of the materials means that this can probably only be coordinated by me (I defy anybody to tell the difference between a slide of *Gododdin* in Hamburg and one of *Gododdin* in Frisland!)'.[15]

Wrth archwilio'r broses o ddosbarthu casgliadau mae Brown a Davis-Brown yn cydnabod bod archifydd proffesiynol yn dueddol o hawlio bod ei ddosbarthiadau ef yn deillio o drefn gynhenid y deunydd y mae'n ei gatalogio. Serch hynny, mae'r awduron yn cwestiynu'r syniad o benderfyniadau rhesymol, gwrthrychol archifyddion gan sylwi, 'our ways of defining the material itself are shaped by the dominant intellectual or political paradigms through which we view it'.[16] Er nad yw casgliad McLucas wedi ei gatalogio eto, mae archifyddion proffesiynol yn cyfeirio ato fel casgliad cymysg neu gasgliad *hybrid*. Mae'r term *hybrid* yn cyfeirio at y ffaith mai archif aml-gyfryngol yw, sy'n cynnwys fformatau traddodiadol megis papur, brethyn ac estyll ochr yn ochr â deunydd *cyfryngau newydd* yn cynnwys ffilm, sain, delweddau a dogfennaeth ddigidol. Mae'r cyfryngau amrywiol yn adlewyrchu diddordeb McLucas trwy gydol ei oes mewn defnyddio cyfryngau newydd i greu gwaith perfformio gosodiadol aml-gyfryngol a chymhleth. Gellid cyfeirio at McLucas fel mabwysiadwr cynnar amrywiaeth o dechnolegau newydd ac un a oedd bob amser yn gweld potensial cyfryngau newydd i fwydo ei waith creadigol boed yn fideo neu dechnegau gwyliadwriaeth, neu yn ei waith hwyrach, cyfrifiaduron i greu delweddau graffig, amlhaenog. Mae'n debyg fod yr agwedd hon ar gasgliad McLucas o bwys i'r archifyddion proffesiynol yn y Llyfrgell Genedlaethol gan fod y casgliad yn cael ei enwi yn aml yng nghyd-destun cyflwyniadau sefydliadol ynglŷn â chadwedigaeth ddigidol.[17] Mae'r tueddiad i enwi'r casgliad mewn cyd-destun felly yn awgrymu ymwybyddiaeth o ddosbarthiad cynhenid sy'n nodwedd ohoni.

Mae'r cysyniad o gadwedigaeth ddigidol wedi cryfhau ers y 1990au gyda'r ymwybyddiaeth o golled data pwysig trwy fethiannau dulliau o ddiogelu data digidol.[18] Mae hyn eisoes yn cael ei adlewyrchu yn archif McLucas lle mae'r CDau o'r casgliad wedi colli ugain y cant o'r data tra roeddent yn cael eu trosglwyddo o ffurf gorfforol i'r system weinydd gogyfer â storio.[19] Mewn geiriau eraill,

> [d]igital preservation does not end with the careful storage of digital objects. In order to keep these objects accessible, a continuous effort towards the development of strategies for permanent access is required . . . This is becoming a problem in everyday life, but is specifically visible in the cultural heritage sector because its main focus is long-term preservation.[20]

Cyhoeddodd Llyfrgell Genedlaethol Cymru ei *Pholisi a Strategaeth Cadwedigaeth Ddigidol* gyntaf yn 2003. Mae'r rhagair i'r fersiwn cyfredol yn nodi:

> [m]ae'r holl amcanion a amlinellir yn *Cymru'n Un*[21] yn ddibynnol ar gadwedigaeth data digidol . . . O'r lefel fwyaf personol i'r mwyaf cyffredinol, mae diogelwch tymor hir ein data yn hollbwysig i'n dyfodol fel cenedl, fel y gallwn gyflawni ein hamcanion yn effeithlon a hyderus.[22]

Fel y gwelwn, mae dosbarthu'r archif fel archif *hybrid* yn mynd law yn llaw â'r cysyniad o gadwedigaeth ddigidol. Gellir gweld felly fod casgliad McLucas yn rhoi i'r Llyfrgell bwnc prawf amserol ar gyfer gweithrediad ei *Pholisi a Strategaeth Cadwedigaeth Ddigidol* ddiweddaraf.

Yn ôl y ddogfen *Polisi a Strategaeth*, mae tair elfen hanfodol i weithrediad ymarferol cadwedigaeth ddigidol. Y tair elfen yw adnewyddu data, mudo ac efelychu.[23] Mae adnewyddu yn broses sy'n trin data i wneud yn siŵr ei bod yn gywir. Yn yr elfen adnewyddu nid oes unrhyw newid yn digwydd i'r data gwreiddiol. Gyda'r elfennau o fudo ac efelychu mae'r data yn cael ei newid i ryw raddau. Mae mudo yn cyfeirio at ffordd o drawsnewid gwrthrychau digidol o un fformat i fformat newydd i ganiatáu mynediad i'r gwrthrych pan fo'r feddalwedd gysylltiedig wedi darfod. Mae efelychu yn galluogi i blatfform cyfredol gael mynediad i neu redeg data gwreiddiol trwy gyfrwng meddalwedd ar y platfform cyfredol sy'n efelychu'r platfform gwreiddiol.[24] Cyhoeddwyd papur ar gadwedigaeth ddigidol gan Archifau Cenedlaethol Awstralia yn 2003 sy'n cynnig disgrifiad llai damcaniaethol a mwy ymarferol o'r cysyniadau ac o bwrpas mudo ac efelychu.

> For emulation the aim is to ensure that as much of the look and feel is preserved as possible. The migration method is generally based on the premise that content is more important than look and feel.[25]

Yn ôl polisi a strategaeth gadwedigaeth ddigidol Llyfrgell Genedlaethol Cymru mae'r defnydd o'r elfennau uchod yn dibynnu ar amgylchiadau'r deunydd a'r 'gwerth a roddir ar eu prif briodweddau', hynny yw y nodweddion mae'n rhaid eu sicrhau dros amser. Mae papur Archifau Cenedlaethol Awstralia yn cynnig beirniadaeth o fudo ac efelychu trwy gyfeirio at yr hyn maent yn ei alw'n fodel *performance* o gadwedigaeth. Mae'r model *performance* yn rhannu'r cysyniad o gofnod digidol yn elfennau sy'n esbonio ei natur sylfaenol ac yn darparu ffordd o benderfynu ar nodweddion mae'n rhaid eu sicrhau dros amser. Mae'r darnau, a enwir yn *source*/tarddle a'r *process*/proses yn cael eu disgrifio fel hyn:

> The *source* of a record is a fixed message that interacts with technology. This message provides the record's unique meaning, but by itself is meaningless to researchers since it needs to be combined with technology in order to be rendered as its creator intended. The *process* is the technology required to render meaning from the source. When a source is combined with a process, a *performance* is created and it is this performance that provides meaning to a researcher.[26]

Mae'r papur yn mynd ymlaen i gynnig budd model perfformio o gadwedigaeth yn y termau a ganlyn, 'The performance model shows that neither the source nor the process need be retained in their original state for a future performance to be considered authentic'.[27]

Yn 2010 cyhoeddodd Beryl Graham a Sarah Cook lyfr o'r enw *Rethinking Curating: Art after New Media* sydd yn rhoi gorolwg fanwl ar ymarferion cyfoes a ddisgrifir yn aml fel *celf cyfryngau newydd.*[28] Maent yn cyfeirio at ddadleuon o gwmpas cadwedigaeth ddigidol fel rhai sydd yn hanfodol i ddatblygiad y math hwn o gelf oherwydd os yw'r gwaith celf yn mynd i ffurfio rhan o gasgliad mae'n ofynnol hefyd ei gadw a'i ddosbarthu a nodi ei brif nodweddion.[29] Fel y gwyddom, mae archif Clifford McLucas, archif sydd wedi ei dosbarthu fel archif *gymysg* yng nghasgliad Llyfrgell Genedlaethol Cymru yn cynnwys gweithiau celf sydd ar ffurf ddigidol yn hytrach na gweithiau printiedig traddodiadol a dogfennaeth arall. Mae Christiane Paul yn trafod cyflwyno a chadw *cyfryngau newydd* yn ei thraethawd 'The Myth of Immateriality' gan sylwi:

> The standards for presenting, collecting and preserving art have been tailored to objects for the longest time and few of them are applicable to new media works, which constitute a shift from object to process and differ substantially from previous process-oriented or dematerialised art forms.[30]

Wrth gyfeirio at ganologrwydd y broses mewn gweithiau celf cyfryngau newydd, mae Paul yn cytuno â Graham a Cook sydd yn gweld ffurfiau confensiynol o fesur celf ac estheteg i gyd yn ymwneud â sut mae rhywbeth yn edrych tra bod gwir arwyddocâd celf cyfryngau newydd i'w ddarganfod trwy'r hyn mae'r gwaith yn ei wneud mewn cyd-destun diwylliannol ehangach.[31] Mae'r ddealltwriaeth hon o arwydd-ocâd celf cyfryngau newydd yn ein harwain felly i ofyn y cwestiwn canlynol wrth gasglu gwaith celf cyfryngau newydd: Ydyn ni'n cadw gwrthrych neu yn dogfennu cyd-destun?

Mae'r erthygl gan Brown a Davis-Brown rwyf eisoes wedi cyfeirio ati yn ystyried swyddogaeth archifau, llyfrgelloedd ac amgueddfeydd fel safleoedd sy'n diogelu gorffennol cyfrannol fel rhan o broses sy'n sefydlogi cymdeithas mewn cyfnod o newidiadau cymdeithasol cyflym. Maent yn cyfeirio atynt fel sefydliadau sy'n storio a hefyd yn creu cymunedau dychmygol,[32] sefydliadau sy'n cynnwys naratifau cenedlaethol: 'A modern national archive is a place for the maintaining and, in some ways, the creating of the collective memory of that nation as a people.'[33] Mae'r awduron yn mynd ymlaen i gyfeirio at y dilysrwydd neu'r cyfreithlondeb mae safle sefydliadol yn gallu ei roi i gasgliad penodol, oherwydd 'the inclusion or exclusion of exhibits or displays in libraries and archives can seem to signal official approval to the public'.[34] Mae Vanda Zajko yn awgrymu mai arwyddocâd archifau yw'r cwestiynau maen nhw'n eu codi ynglŷn â mynediad a phwy sydd biau'r hawl i siarad.[35] Mae'n galw, felly, ar ymchwilwyr i feddwl am eu cyfrifoldebau mewn perthynas â'r cysyniad o'r archif wrth sôn am 'The demand that we think about the part we play in shoring up the archive and securing its preservation for the future is bound up with a requirement that we consider where we are standing when we consult it.'[36]

Wrth ymateb i hysbyseb ysgoloriaeth[37] ar gyfer ymchwil Ph.D. ar theatr gyfoes Gymraeg yr ugeinfed ganrif yng nghyd-destun cyfraniad Clifford McLucas i ffurf a dylunio perfformiad, ysgrifennais gais a oedd yn dechrau gofyn ym mha ffordd y gall strategaethau cadwedig-aeth y Llyfrgell Genedlaethol fod yn ddefnyddiol i'm gwaith ymchwil fel ymarfer yn yr archif. Efallai bod awgrym o'r ateb i'r cwestiwn hwn gan waith Derrida sy'n trafod yn fyr y cyffro sydd yn amlwg ym maes archifau heddiw oherwydd datblygiadau cyflym technoleg, ac sy'n datgan '. . . what is no longer archived in the same way is no longer lived in the same way'.[38]

Yn ei draethawd 'The Self that Follows the Discipline' sydd yn rhan o gynnyrch prosiect *Tate Encounters*, mae'r damcaniaethwr dylunio David Dibosa yn codi'r syniad o gyfrifoldebau'r sawl sy'n cynhyrchu gwybodaeth trwy ymchwil gan ganolbwyntio ar ffurfio a siarad am yr 'hunan'. Mae'n cwestiynu unrhyw syniad gwrthrychol syml o'r broses ymchwilio i sefydliad diwylliannol a'r canlyniadau gan ddweud:

> To question an institution and its practices is seen as a means of placing the viewer's cultural agency in the service of the development of his/her subjectivity rather than in conformity with the institution's objectifying strategies. The status attributed to such questioning is not without difficulty, however. For, to constitute the conditions of a museum encounter in terms of a question what is it that I am doing here? What do I want from this situation? Where I am? leads, as one can see, to a questioning of the self: What is being asked of me in this situation? Who is asking? Who am I?[39]

Mae awgrym Dibosa o gadw cyfansoddiad y cwestiwn fel ffordd o ffurfio'r goddrych wrth wynebu'r sefydliad yn dod â'r syniad o'r ymchwilydd hewristig i'r cof, syniad a luniwyd gan Clark Moustakas yn ei waith, *Heuristic Research: Design, methodology and applications.* Yng ngwaith Moustakas mae'r syniad o gyfarfod/*encounter* trwy ymarferiadau ymchwil yn cynnig y pwyslais personol eto, 'In heuristic research the investigator must have had a direct, personal encounter with the phenomenon being investigated. There must have been actual biographical connections'.[40]

Yn ffodus i mi, wrth i mi ddechrau'r ymchwil ar archif McLucas rwy'n gallu hawlio'r math hwn o gysylltiad â'i fywyd a'i waith. Yn haf 1997, tra fy mod ar fy ngwyliau coleg, fe'm gwirfoddolwyd gan fy mam ar gyfer swydd gyda chwmni theatr a oedd yn gwneud perfformiad awyr agored aml-gyfryngol ar fferm lawr y lôn o hen fferm fy rhieni. Enw'r cynhyrchiad oedd *Once Upon a Time in the West*,[41] cyfuniad o'r ffilm *Shane* a hanes fferm leol arall oedd wedi cael ei heffeithio'n wael gan dirlithriad difrifol. Rhan o'm gwaith ar gyfer y perfformiad hwn oedd palu ffos hir ar hyd y cae lle'r oedd y perfformiad yn digwydd. Wedyn cafodd y ffos ei llenwi â blawd llif a wlychwyd gyda phetrol er mwyn iddo gynnau yn ystod y perfformiad a chreu ffagl dân ar draws y cae. Yn anffodus nid oedd y ffos yn ddigon dwfn a methodd y gwellt â chynnau'r noson honno. Cyfarwyddwr y cynhyrchiad hwn (er nad oeddwn yn gwybod hynny ar y pryd) oedd Clifford McLucas.

Ganwyd McLucas yng ngogledd Lloegr yn 1945. Ar ôl hyfforddiant mewn pensaernïaeth ym mhrifysgol Manceinion yn y chwe degau symudodd i orllewin Cymru, lle dechreuodd ganolbwyntio ar greu gwaith artistig. Yn ystod y cyfnod hwn gwnaeth ymrwymiad i ddysgu Cymraeg, iaith y mwyafrif yn yr ardal yr oedd wedi symud iddi. Yn ystod yr wyth degau gweithiodd yn gydlynydd canolfan yr Ysgubor, canolfan gymunedol annibynnol cyfryngau a chelfyddydau yn Aberystwyth lle'r oedd ef hefyd yn weithredol yn sefydlu Grŵp Cyfryngau Aberystwyth, grŵp a oedd yn rhoi fforwm ar gyfer trafod syniadau o gwmpas datblygiadau yn y cyfryngau fel gwaith y damcaniaethwr ffilm Paul Willeman a'r drydedd sinema. Ar ôl penderfyniad dadleuol Cyngor Celfyddydau Cymru i atal cyllid cwmni theatr Brith Gof, gadawodd McLucas Gymru er mwyn cymryd cymrodoriaeth gyda Phrifysgol Stanford yn California am flwyddyn i weithio ar *The Three Landscapes Project*. Yn Stanford datblygodd y syniad o 'deep mapping' fel ffordd o gyflwyno 'multidimensional complexities'[42] ar ffurf raffig. Daeth yn ôl i Gymru yn 2001 a cheisiodd barhau i greu gwaith tebyg. Wythnosau cyn iddo farw cafodd gwaith cyhoeddus olaf McLucas ei arddangos ym mhabell gelf Eisteddfod Genedlaethol Cymru yn Nhyddewi. Mynychais arddangosfa olaf McLucas, cynrychiolaeth o daith gerdded ddiweddar roedd wedi ei gwneud ar hyd llwybr arfordir sir Benfro o Poppit i Lanrhath. Enw'r gwaith oedd *Prosiect Ogam: Bro*. Roedd yn cynnwys lluniau, ffotograffau a darnau o ffilm wedi eu gosod mewn math o dwnnel roedd gwylwyr yn cerdded trwyddo.

Gwelais y darn hwn oherwydd roeddwn i'n cystadlu yn Eisteddfod Tyddewi y flwyddyn honno yn llefaru'r gerdd 'Pa beth yw dyn?' gan yr heddychwr a'r Crynwr Waldo Williams (1904–71). Enw'r gystadleuaeth oedd 'Llefaru i Ddysgwyr' ac enillais y categori. Er hynny, lliwiwyd y fuddugoliaeth hon gan ymdeimlad o gywilydd, gan fy mod i wedi dysgu Cymraeg ers mynychu'r ysgol gynradd ac roedd gennyf lefel A yn y Gymraeg (ail iaith). A oedd gennyf yr hawl i'm cynrychioli fy hun fel y gwneuthum yn nhermau'r gystadleuaeth hon?

Yn ôl Peter Lord, prif thema gwaith McLucas oedd 'the representation of identities, *mediated*[43] through his commitment to the evolution, and hence survival, of a rural, Welsh-speaking culture'.[44] Wrth feddwl am amgylchiadau personol McLucas fel rhywun a oedd wedi mewnfudo i ardal gydag amodau diwylliannol penodol a'i ymateb i'r cyfryw amgylchiadau, mae'n werth mynd yn ôl at waith Dibosa a'r prosiect *Tate Encounters*. Prosiect ymchwil cyfoes sy'n cael ei gynnal yn Tate Britain yw *Tate Encounters: Britishness and Visual Cultures*[45] sy'n archwilio'r ffordd y mae'r sawl sy'n ffurfio diwylliannau mudo yn llywio un o brif sefydliadau diwylliannol Prydain, Tate Britain. Fel rhan o'r prosiect mae Dibosa wedi ysgrifennu papur ynglŷn ag ymfudo fel rhywbeth i'w ystyried wrth ymchwilio i arferion gweledol pobl sydd wedi byw trwy'r profiad o ymfudo. Yn y papur hwn mae Dibosa yn rhoi diffiniad penodol ar gyfer beth sy'n cynrychioli ymfudwr sydd yn ddiddorol i'w ystyried yng nghyd-destun bywyd McLucas. Mae'n diffinio ymfudwr fel 'an individual who moves from one national-territory to another with the aim of setting-up sustainable life-practices within the national territories with which they engage'.[46]

Mae'r diffiniad yn gwahaniaethu rhwng ymwelydd neu dwrist gan fod yn rhaid i'r ymfudwr sefydlu ymarferion byw cynaliadwy.[47] Mae Dibosa yn canolbwyntio ar 'transnational migrations' yn hytrach na'r mudo rhanbarthol sydd yn digwydd tu mewn i'r genedl-wladwriaeth. Mae'n mynd ymlaen i gynnig diffiniad o ddiwylliannau mudo fel 'social bonds, links and affinities created and/or maintained by migrants as a means of supporting their life-practices within the national-territories with which they engage'.[48] Mae Dibosa yn sôn am y ffordd mae *visualities* neu ddulliau gweld yn cael eu haddasu wrth groesi ffiniau cenedlaethol neu symud trwy grwpiau ieithyddol gwahanol. Mae'r syniad yn berthnasol i brofiad McLucas oherwydd, fel mae Peter Lord yn ysgrifennu, 'Finding himself in a Welsh speaking community he learned the language and with it gained access to the culture it carried, both in an historical sense and in terms of its contemporary issues.'[49] Yn achos McLucas trwy geisio creu bywoliaeth gynaliadwy fel artist roedd yn ceisio cynhyrchu gwrthrychau gweledol y tu mewn i'w diriogaeth genedlaethol/ieithyddol fabwysiedig.

Mae Dibosa yn mynd ymlaen i gynnig bod y broses o ymfudo a'r datblygiad o ymarferion byw cynaliadwy yn gallu datblygu diwylliant gweledol penodol oherwydd mynediad yr ymfudwr i ddewis eang o ddiwylliannau gweledol. Mae Homi K. Bhabha yn gwneud pwynt tebyg yn ei waith *The Location of Culture* wrth sôn am 'the migrant's double vision'[50] sy'n rhoi pwyslais nid ar y diwylliant newydd na'r diwylliant blaenorol ond ar rywbeth arall heblaw hynny. Mae'r hunaniaeth hon yn cael ei dynodi gan Bhabha fel hunaniaeth *hybrid* sy'n bodoli rhwng y cysyniadau o gyfieithu a chyd-drafod.[51] Mae Dibosa yn trafod gwaith Bhabha ac yn dehongli ei safbwynt ynglŷn â *hybridity* neu gymysgrywiaeth gan awgrymu mai budd gwaith Bhabha yw'r flaenoriaeth mae'n rhoi i'r profiad o 'ambivalence and uncertainty within migration cultures rather than disavowing such features in pursuit of cultural authority'.[52] Mae'r syniad o ddilysrwydd ac awdurdod diwylliannol yn cael ei drafod gan yr anthropolegydd James Clifford yn ei waith *The Predicament of Culture* wrth iddo gyfeirio at y cysyniad o'r *hybrid* mewn trafodaeth o gasgliadau amgueddfeydd hanes celf. Mae Clifford yn sylwi, 'What is hybrid or "historical" in an emergent sense has been less commonly collected and presented as a system of authenticity.'[53]

Yn 1998 cyflwynodd McLucas, gydag aelodau eraill o'r cwmni Brith Gof, ddarlith ym Mhrifysgol Llanbedr Pont Steffan o dan y teitl 'I am here on false pretences: some approaches to technology in the works of Brith Gof'. Yn y ddarlith hon mae McLucas yn datgan:

> . . . Welsh speaking women, as far as I can see, hold the key to a more intelligent and advanced cultural practice.
>
> I remind you that I am here on false pretences. I am neither Welsh nor am I a woman.[54]

Mae teitl y ddarlith a'r geiriau uchod yn ymddangos fel petai'n bradychu ansicrwydd y siaradwr (McLucas) ynghylch cyfreithlondeb ei awdurdod i siarad. Mae'n fath o hunan-ddifodiad rhethregol sy'n arwain at hunanddilysrwydd trwy ddarluniad. Gan, 'as far as *I* can see', menyw sy'n siarad Cymraeg sy'n dal yr allwedd i ymarfer diwylliannol uwchraddol. Gan gyfuno'r grŵp penodol hwn gydag ymarferion diwylliannol a ddiffinnir fel rhai uwchraddol a deallus, mae McLucas yn mynd yn erbyn y synnwyr o *hybridity* fel y'i diffinnir gan Bhabha. Er bod McLucas yn dangos ansicrwydd ac amwysedd tuag at ei sefyllfa ei hun mae'n ymddangos fel bod posibilrwydd o awdurdod diwylliannol. Wrth gyflwyno fy hun yn nhermau'r ymchwil hwn, fel menyw sy'n siarad Cymraeg[55] ac sy'n ymwneud ag ymarferiadau diwylliannol, oes posibilrwydd fy mod i'n efelychu ymarferiad archif McLucas?

Yn fy ngwaith amlgyfrwng *Cerdded Adre* (2007), cyflwynais ddarlith a pherfformiad a ddatblygodd tra'r oeddwn yn astudio ar gyfer fy MA Perfformio yn Llundain. Yn dilyn camau'r ysgolhaig a'r hynafiaethydd Iolo Morganwg roedd y ddarlith yn ymchwiliad i ddelweddau hunaniaeth Brydeinig, Cymreictod a di-gymreictod, gwledigrwydd, diwylliant, rhywioldeb, cyfalaf, *performance* a ffugio. Ymateb creadigol i'm hastudiaethau academaidd a phrofiadau bywgraffyddol oedd y darn. Fel mae Moustakas yn awgrymu:

> In the creative synthesis, there is a free reign of thought and feeling that supports the researcher's knowledge, passion and presence; this infuses the work with a personal, professional and literary value that can be expressed through a narrative, story, poem, work of art, metaphor, analogy, or tale.[56]

Y cwestiwn yr oeddwn yn ceisio ei ateb wrth greu'r gwaith hwn oedd sut oedd fy hunaniaeth fel menyw iaith gyntaf Saesneg, wedi ei geni yng ngorllewin Cymru ond wedi ei haddysgu'n uwch tan hynny y tu allan i Gymru a thrwy'r iaith Saesneg yn gallu mynegi a chydnabod fy Nghymreictod mewn ffordd ddilys? Mae'r cwestiwn hwn, un o negodi hunaniaeth, yn ymgymhwyso i fod yn gwestiwn hewristig fel mae Moustakas yn disgrifio, 'The question is one that has been a personal challenge and puzzlement in the search to understand one's self and the world in which one lives.'[57]

Yn ôl Irving Velody, 'the problem of the archive is bound up – not so much with the method of its accumulation – but rather its legitimacy'.[58] Ar ddiwedd y darn *Cerdded Adre* rwy'n datgelu'r ffaith na cherddais o Lundain i Felinwynt er mwyn cyflwyno fy hun fel artist yn fy nghymuned leol,[59] fel roedd fy neunydd masnachol ar gyfer y prosiect yn ei awgrymu. Wrth gyfaddef rwy'n gofyn cwestiwn rhethregol i'r gynulleidfa, 'A ddylwn deimlo cywilydd ynglŷn â'm methiant?'. Yn ei draethawd hir, 'Reclaiming Remembrance: art, shame and commemoration', mae David Dibosa yn diffinio cywilydd fel argyfwng o gyfreithlondeb. Mae'n amlwg fod elfen o gyfreithlondeb casgliad McLucas yn deillio o'i berthynas gyda chasgliad Brith Gof ond hoffwn gynnig bod cyfreithlondeb yr archif hefyd yn deillio o'i dosbarthiad fel archif gymysg neu *hybrid*. Yn ei herthygl 'The Seductions of the Archive: voices lost and found', mae Harriet Bradley yn trafod ei gwaith mewn pedair archif wahanol o safbwynt ffenomenolegol ac yn dod i'r casgliad yn aml mai'r hyn a ddarganfyddwn o'r diwedd wrth weithio ar yr archif neu ynddo yw ni ein hunain.[60] Mae'n cyfeirio at ddatganiad Derrida o ystyr llythrennol y gair archif gan gysylltu'r geirdarddiad o'r Roeg am gartref – yr *archons* – gan sylwi, 'in some broader sense, the archive remains a "home". Adopting an occupational identity, one claims the archival space as one's own.'[61]

Ffigwr 13: Eitemau amrywiol, Bocs 41, Casgliad Brith Gof, LlGC.

Yn dilyn ymdriniaeth eirdarddiol Derrida o'r cysyniad o archif mae Michael Lynch yn cynnig ymdriniaeth ethnograffig fel atodiad i'r geirdarddiad, 'By ethnographies, I simply mean descriptions of historical and contemporary cases that focus closely and thematically on the work of assembling, disrupting and reconfiguring particular archival collections.'[62] Yn y bennod hon rwyf wedi trafod bodolaeth a lleoliad archif Clifford McLucas yng ngolau ei pherthynas ag archif Brith Gof a'i dosbarthiad cyfredol, sefydliadol fel archif gymysg neu *hybrid*. Rwyf hefyd wedi trafod gwybodaeth fywgraffiadol ynglŷn â'r artist, gan gyfeirio at ymfudo a chysyniad Dibosa o ddiwylliannau gweledol ymfudo. Wrth i'r drafodaeth ddatblygu mae'r ystyriaethau o gyfreithlondeb a dilysrwydd wedi dod i'r brig naill ai mewn termau archifol neu mewn termau diwylliannol ehangach. Gan ddefnyddio elfennau strategaeth sefydliadol Llyfrgell Genedlaethol Cymru yn sail i fethodoleg hewristig byddaf yn parhau i archwilio'r ystyriaethau hynny. Ymhellach, yn sgil bodolaeth model *performance* ar gyfer cadwedigaeth byddaf yn ystyried unrhyw waith rwy'n ei gynhyrchu o ganlyniad i'm hymchwil fel strategaeth gadwedigaeth. Wrth fabwysiadu dull gweithredu felly rwy'n cymryd bydd y gwaith yn ei dro yn taflu goleuni ar rai o brif briodweddau casgliad *cymysg* McLucas.

NODIADAU

1 Cynnig llyfr 'The Host and the Ghost', Llyfrgell Genedlaethol Cymru [LlGC], Bocs 35, Casgliad Brith Gof.

2 Gadawodd Mike Pearson gwmni Brith Gof yn 1997 i ddarlithio yn yr Adran Theatr, Ffilm a Theledu ym Mhrifysgol Aberystwyth.

3 Llythyr a anfonwyd gan Clifford McLucas at Mike Pearson, 1 Chwefror 1999, LlGC, Bocs 54, Casgliad Brith Gof.

4 Ibid.

5 Llythyr at Gwyn Jenkins, Pennaeth Casgliadau, 7 Awst 2000, LlGC, Bocs 54, Casgliad Brith Gof.

6 Centre for Performance Research yn Aberystwyth, canolfan ymchwil ar gyfer perfformio rhyngwladol sydd yn cynnal cynadleddau ac yn cadw archif o berfformiadau rhyngwladol.

7 Llythyr oddi wrth Jeni Williams, Prifysgol Morgannwg i gwmni theatr Brith Gof, 12 Gorffenaf 2000, LlGC, Bocs 54, Casgliad Brith Gof.

[8] Cofnodion cyfarfod y bwrdd a gynhaliwyd yn y Llyfrgell Genedlaethol ddydd Gwener 17 Gorffennaf 2009 am 10.30 o'r gloch. *http://www.llgc.org.uk/fileadmin/documents/pdf/BWRDD_170709FC.pdf*. Dyddiad cyrchu 20 Mawrth 2010.

[9] Llythyr at Gwyn Jenkins, 7 Awst 2000, LlGC, Bocs 54, Casgliad Brith Gof.

[10] Llythyr Clifford McLucas at Mike Pearson, 1 Chwefror 1999, LlGC, Bocs 54, Casgliad Brith Gof.

[11] Jacques Derrida, *Archive Fever: A Freudian Impression* (Chicago: Gwasg Prifysgol Chicago, 1996), tt. 1–2.

[12] Harriet Bradley, 'The seductions of the archive: voices lost and found', *History of the Human Sciences*, 12 (1999), 107–22 (110).

[13] LlGC, Bocs 5, Ymchwil, Archif Clifford McLucas.

[14] Nid yw'n meddwl nad oes rheolaeth ar yr archif o gwbl. Mae ffurf gyfredol archif McLucas, yn dilyn, i ryw raddau, patrwm mae awdur yr archif (McLucas) wedi ei awgrymu wrth iddi gael ei throsglwyddo o'i chartref i'r sefydliad cyhoeddus. Gwybodaeth o sgwrs gyda Margaret Ames, aelod o ymddiriedolaeth Clifford McLucas ac un o'i gyd-weithwyr, 10 Mawrth 2010.

[15] Llythyr Clifford McLucas at Mike Pearson, 1 Chwefror 1999, LlGC, Bocs 54, Casgliad Brith Gof. Perfformiad mewn lleoliadau penodol oedd *Gododdin* a aeth ar daith yn Ewrop yn 1988/9.

[16] Richard Harvey Brown a Beth Davis-Brown, 'The Making of Memory: the politics of archives, libraries and museums in the construction of national consciousness', *History of the Human Sciences*, 11 (1998), 17–32 (25).

[17] Mewn sioe deithiol cadwedigaeth ddigidol a gynhaliwyd yn Llyfrgell Genedlaethol Cymru ar 22 Ionawr cyfeiriodd y Rheolwr System Rheoli Asedau Digidol, Glen Hodson, at y casgliad yn ei gyflwyniad ynglŷn â storio asedau digidol. Mae'r llyfrgellydd Robert Lacey yn cyfeiro at y casgliad hefyd mewn papur sydd wedi ei gyhoeddi ar-lein.

[18] Enghraifft y cyfeirir ati yn aml gan archifyddion proffesiynol yw astudiaeth o ddyfyniadau gwe yn Hansard sy'n cofnodi trafodaethau seneddol yn Westminster. Cynhaliwyd yr astudiaeth rhwng 1997 a 2006 a darganfuwyd bod chwe deg y cant o ddolenni a oedd yn cael eu dyfynnu wedi eu torri ac felly heb fod o ddefnydd fel tystiolaeth.

[19] Robert Lacey, 'Poets, Performance Arts and Government Publications', *http://digital.casalini.it/retreat/2009_docs/lacey.pdf*. Dyddiad cyrchu 6 Chwefror 2010.

[20] Jeffrey van der Hoeven & Hilde van Wijngaarden, 'Modular emulation as a long-term preservation strategy for digital objects', t. 1. *http://iwaw.europarchive.org/05/papers/iwaw05-hoeven.pdf*. Dyddiad cyrchu 6 Chwefror 2010.

[21] Rhaglen ar gyfer llywodraethu a gytunwyd yng Ngorffennaf 2007, rhwng Grŵp Llafur a Grŵp Plaid Cymru yn y Cynulliad Cenedlaethol yw Cymru'n Un.

[22] Llyfrgell Genedlaethol Cymru, *Polisi a Strategaeth Cadwedigaeth Ddigidol* (2008).

[23] Ibid.

[24] Stewart Granger, 'Emulation as a Digital Preservation Strategy', *D-Lib Magazine* (October 2000), 1.

[25] National Archives of Australia, 'An approach to the preservation of digital records', *www.naa.gov.au/Images/An-approach-Green-Paper_tcm16-47161.pdf*, t. 12.

[26] Ibid., tt. 8–9.

[27] Ibid., t. 11.

[28] Fy nghyfieithiad o 'new media art'.

[29] Beryl Graham a Sarah Cook, *Rethinking Curating: Art after New Media* (Cambridge Mass.: Gwasg MIT, 2010), t. 38.

[30] Christiane Paul, 'The Myth of Immateriality: Presenting and Preserving New Media', yn O. Grau (gol.), *MediaArtHistories* (Cambridge, Mass.: Gwasg MIT, 2006), tt. 103–36 (t. 251).

[31] Graham a Cook, *Rethinking Curating: Art after New Media*, t. 295.

[32] Syniad Benedict Anderson o'i waith *Imagined Communities: Reflections on the Origins and Spread of Nationalism* (Llundain: Verso, 1991), sy'n datgan mai cenedl yw cymuned sydd wedi ei dychmygu gan grŵp o bobl sy'n ystyried eu hunain yn rhan o'r gymuned.

[33] Davis-Brown a Brown, 'The Making of Memory', 17–32 (30).

[34] Ibid., t. 28.

[35] Vanda Zajko, 'Myth as archive', *History of the Human Sciences*, 11 (1998), 103–20 (110).

[36] Ibid., 109.

[37] Cyllidwyd yr ysgoloriaeth hon gan Lywodraeth Cynulliad Cymru trwy'r Ganolfan ar gyfer Addysg Uwch Gyfrwng Cymraeg/Y Coleg Cymraeg Cenedlaethol.

[38] Derrida, *Archive Fever*, t. 18.

[39] David Dibosa, 'The Self that Follows the Discipline: Visual Cultures and the Tate Encounters Research Project', *Tate Encounters*, 4 (2008), t. 9.

[40] Clark Moustakas, *Heuristic Research: Design, Methodology and Applications* (Llundain: Sage Publications, 1990), t. 14.

[41] Cydweithrediad rhwng Eddie Ladd a Clifford McLucas oedd y cynhyrchiad hwn sy'n cael ei ddisgrifio yn y cyhoeddusrwydd fel 'A Brith Gof Small Work'. Perfformiwyd y sioe mewn caeau o gwmpas Cymru rhwng mis Awst a mis Medi 1997.

[42] Peter Lord, 'Freedom of information', *New Welsh Review*, 81 (2008), 8–16, 13.

[43] Myfi biau'r italeiddio.

[44] Lord, 'Freedom of information', 12.

[45] *http://www.tate.org.uk/research/tateresearch/majorprojects/tate-encounters/*. Dyddiad Cyrchu 4 Chwefror 2011.

[46] David Dibosa, 'Migrations', *Tate Encounters*, 1 (2007), t. 4.

[47] Ibid.

[48] Ibid.

[49] Lord, 'Freedom of information', 11.

[50] Homi K. Bhabha, *The Location of Culture* (Llundain: Routledge, 1994), t. 5.

[51] Ibid., t. 38.

[52] Dibosa, 'Migrations', tt. 7–8.

[53] James Clifford, *The Predicament of Culture* (Cambridge, MA: Gwasg Prifysgol Harvard, 1988), t. 231.

[54] Dyfyniad o'r cyflwyniad amlgyfryngol, 'I am here on false pretences' a roddodd McLucas i seminar ym Mhrifysgol Llanbedr Pont Steffan yn 1998. LlGC, Bocs 7, Ysgrifau, Archif Clifford McLucas.

[55] Yn ôl datganiad Cymru'n Un, 'Mae'r Gymraeg yn eiddo i bawb yng Nghymru, ac yn rhan o'n treftadaeth, ein hunaniaeth a'r lles cyhoeddus sy'n eiddo i ni gyd.' Llywodraeth Cynulliad Cymru, *Cymru'n Un: Rhaglen flaengar ar gyfer llywodraethu Cymru* (2007), t. 35.

[56] Moustakas, *Heuristic Research*, t. 52.

[57] Ibid., t. 15.

[58] Irving Velody, 'The archive and the human sciences: Notes towards a theory of the archive', *History of the Human Sciences*, 11 (1998), 1–16 (12).

[59] Mewn gwirionedd teithiais ar fws o dref i dref. Gadewais Lundain ar 24 Medi a chyrhaeddais dŷ fy nheulu yn Felinwynt ar 5 Tachwedd 2007.

[60] Bradley, 'The seductions of the archive: voices lost and found', *History of the Human Sciences*, 12 (1999), 107–22 (t. 118).

[61] Ibid., t. 110.

[62] Michael Lynch, 'Archives in formation: privileged spaces, popular archives and paper trails', *History of the Human Sciences*, 12 (1999), 65–88 (83).

LLYFRYDDIAETH

Bhabha, Homi K., *The Location of Culture* (Llundain: Routledge, 1994).

Biggs, Iain, 'Art as research, doctoral education and the politics of knowledge', *Engage*, 1 (2006), 29–37.

Bohata, K., *Postcolonialism Revisited* (Caerdydd: Gwasg Prifysgol Cymru, 2005).

Bradley, Harriet, 'The seductions of the archive: voices lost and found', *History of the Human Sciences*, 12 (1999), tt. 107–22.

Brown, Richard Harvey a Davis-Brown, Beth, 'The Making of Memory: the politics of archives, libraries and museums in the construction of national consciousness', *History of the Human Sciences*, 11 (1998).

Clifford, James, *The Predicament of Culture: Twentieth Century Ethnography, Literature and Art* (Cambridge, MA: Gwasg Prifysgol Harvard, 1988), tt. 17–32.

Derrida, Jacques, *Archive Fever: A Freudian Impression* (Chicago: Gwasg Prifysgol Chicago, 1995).

Dibosa, David, 'Reclaiming remembrance: art, shame and commemoration' (traethawd Ph.D. heb ei gyhoeddi, Goldsmiths College, Prifysgol Llundain, 2003).

Dibosa, David, 'Besides Looking: Patrimony, Performativity and Visual Cultures in National Art Museums', *Tate Encounters*, 3 (2008), *http://www.tate.org.uk/research/tateresearch/majorprojects/tate-encounters/edition-3/david_dibosa.pdf*, cyrchwyd 23 Ionawr 2010.

Dibosa, David, 'Migrations', *Tate Encounters*, 1 (2007), *http://www.tate.org.uk/research/tateresearch/majorprojects/tate-encounters/edition-1/migrations.pdf*, cyrchwyd 23 Ionawr 2010.

Dibosa, David, 'The Self that Follows the Discipline: Visual Cultures and the Tate Encounters Research Project', *Tate Encounters*, 4 (2008), *http://www.tate.org.uk/research/tateresearch/majorprojects/tate-encounters/edition-4/david-dibosa.pdf*, cyrchwyd 23 Ionawr 2010.

Graham, Beryl a Cook, Sarah, *Rethinking Curating: Art after New Media* (Cambridge Mass.: Gwasg MIT, 2010).

Granger, Stewart, 'Emulation as a Digital Preservation Strategy', *D-Lib Magazine*, 6 (2000), *http://www.dlib.org/dlib/october00/granger/10granger.html*, cyrchwyd 13 Mawrth 2010.

Grau, Oliver (gol.), *MediaArtHistories* (Cambridge, MA: Gwasg MIT, 2007).

Hoeven, Jeffrey van der & Wijngaarden, Hilde van, 'Modular emulation as a long-term preservation strategy for digital objects', *http://iwaw.europarchive.org/05/papers/iwaw05-hoeven.pdf*. Cyrchwyd 6 Chwefror 2010.

Jones, T. Llew, *Dirgelwch yr Ogof* (Llandysyl: Gomer, 1977).

Kotre, John, *White Gloves: How we Create Ourselves through Memory* (Efrog Newydd: The Free Press, 1996).

Lacey, Robert, 'Poets, performance arts and government publications', *http://digital.casalini.it/retreat/2009_docs/lacey.pdf*. Cyrchwyd 6 Chwefror 2010.

Lord, Peter, 'Freedom of information', *New Welsh Review*, 81 (2008), 8–16.

Llywodraeth Cynulliad Cymru, *Cymru'n Un: Rhaglen flaengar ar gyfer llywodraethu Cymru* (2007), *pL1gphqbnNrDjHnoGsv6VPVp36yMb7HlYDLqp7RdpgSv5zpJX!-1614394458?lang=cy*, cyrchwyd 23 Ionawr 2010.

Llyfrgell Genedlaethol Cymru, *Polisi a Strategaeth Cadwedigaeth Ddigidol* (2008), *http://www.llgc.org.uk/fileadmin/documents/pdf/2008_cadwddigidol.pdf*, cyrchwyd 23 Ionawr 2010.

Lynch, Michael, 'Archives in formation: privileged spaces, popular archives and paper trails', *History of the Human Sciences*, 12 (1999), 65–88.

Moustakas, Clark, *Heuristic Research: Design and Methodology* (Llundain: Sage Publications, 1990).

Munt, Sally, *Queer Attachments: The Cultural Politics of Shame* (Aldershot: Ashgate, 2008).

National Archives Australia, *An approach to the preservation of digital records*, 2003, *Paper_tcm16-47161.pdf*.

Owen, Roger, *Ar Wasgar: Theatr a Chenedligrwydd yn y Gymru Gymraeg* (Caerdydd: Gwasg Prifysgol Cymru, 2003).

Paul, Christiane, 'The myth of immateriality: presenting and preserving new media', yn O. Grau (gol.), *MediaArtHistories* (Cambridge, MA: Gwasg MIT, 2006), tt. 17–49.

Sedgwick, Eve Kosofsky, *Epistemology of the Closet* (London: University of California Press, 1990).

Velody, Irving, 'The archive and the human sciences: Notes towards a theory of the archive', *History of the Human Sciences*, 11 (1998), 1–16.

Zajko, Vanda, 'Myth as archive', *History of the Human Sciences*, 11 (1998), 103-20.

9

CORFF A CHYMUNED

Margaret Ames

CORFF O WAITH

Yn y bennod hon byddaf yn benthyg fy methodoleg gan yr anthropolegydd Kathleen Stewart. Yn ei llyfr *A Place on the Side of the Road* mae hi'n disgrifio bywyd ymhlith pobl cymdogaethau Appalchia yn West Virginia. Mae ei gwaith yn agor byd y bobl y tu hwnt i'r ystrydeb o'r *hillbilly*, sef cynrychiolaeth fwyaf adnabyddus cymunedau a broydd yr ardal. Trwy wahodd y darllenydd i ddychmygu'r sefyllfaoedd, y cymeriadau, y digwyddiadau a'r amgylchiadau sydd yn cael eu disgrifio'n fanwl, mae hi'n cyfathrebu teimlad ac ysbryd y lleoedd a'u pobl ac yn cyflwyno ffordd o fyw sydd yn diflannu, sydd yn cael ei boddi gan ffordd o fyw prif ffrwd yr Unol Daleithiau. Mae hi'n creu teimlad o blethen a gwead cymhleth y gymdeithas roedd hi'n byw ynddi hi, wrth geisio dod i ddeall y ffordd benodol o brofi'r byd yno a chyd-greu trwy ei ddiwylliant. Byddaf yn benthyg ei gwahoddiad: 'imagine this' ac yn ei ddefnyddio i'm diben fy hun wrth ffurfio perthynas gyda darllenwyr y bennod hon. Fy ngwahoddiad i yw dychmygu a cheisio creu ffordd i'r darllenydd gyffwrdd â'r profiadau y byddaf i'n eu disgrifio wrth i mi dynnu ysbrydoliaeth o waith Stewart. Yn y modd hwn, rwy'n gobeithio datguddio gwaith a pherthynas, diwylliant a phobl trwy waith corfforol a chorff o waith.

Dychmygwch hyn:

Mae plant blwyddyn chwech yn neuadd hen Ysgol Gymraeg Aberystwyth yn llonydd, wedi'u rhewi yn y fan gyda'u coesau ar led a'u breichiau ar wahanol onglau yng nghanol dawns *Transformers*. Roedd *Transformers* yn gyfres cartŵn ac yn deganau poblogaidd yn ystod yr 1980au. Ar ôl eiliadau rwy'n galw 'ewch!' a neidia a throella'r plant yn yr awyr, gan weiddi 'edrychwch, *miss*!' Roedd yr egni'n gorlifo oddi wrthyn nhw. Ond wrth iddyn nhw lonyddu, rhythmau anghyson, gwahanol yr anadl oedd eu ffocws a'u bwriad. Dyma'r wers gyntaf a ddysgais mewn addysg ffurfiol. Ugain mlynedd yn ddiweddarach roeddwn i'n teithio ledled sir Benfro yn dysgu yn yr ysgolion cynradd, o Stackpole a Llandyfái, Treletert ac Abergwaun i Gas-mael ac Arberth.

Mae yna ddisgwrs academaidd sy'n dadansoddi 'y corff'. Ymhlith nifer o ddamcaniaethau, mae'r corff yn gyfrwng mynegiannol sy'n arddangos cyflyrau mewnol emosiynol a ffisegol yr unigolyn. Mae'n arddangos cyflwr y cyfnod yn hanesyddol ac yn ddiwylliannol. Mae'n drosiad o obeithion, ofnau, cyflyrau a digwyddiadau. Y corff yw safle moesau: cariad, casineb, haelioni, a chwant. Mae'r corff yn ddiog, yn egnïol, yn blino ac yn arwrol. Mae'r corff yn dioddef, mae'n goroesi ac mae'n ffaeledig. Mae'r corff yn broblem i'w datrys, ei rheoli a'i newid ac mae'n hardd, yn rhodd, yn naturiol ac yn llawn dirgelwch. Mae'n dirywio, mae'n siomi, mae'n plesio ac mae'n peri gofid.

Trwy'r corff rydym yn canfod y byd. Trwy'r corff rydym yn gweithredu yn y byd ac yn creu'r byd. Trwy'r corff rydym yn profi'r byd ac mae'r profiad o'r byd yn ein newid yn raddol drwy gydol ein bywydau. Mae'r corff yn newid o enedigaeth i henaint a thrwy bob oedran. Mae'r celloedd yn eu hadnewyddu eu hunain tua phob saith mlynedd, nes bod ein hamser yn dod i ben ac mae marwolaeth yn dibennu bron pob proses o adnewyddu. Mae'r corff yn dirywio a thros amser yn troi yn gemegau ac yn elfennau. Mae Andrea Olsen yn dysgu gwaith corfforol a dawns trwy ddeall ein natur fiolegol a ffisegol ac yn ysgrifennu:

> Underlying human complexity is the unity of the single cell. The unique pattern for the whole body is contained in two strands of DNA housed in the nucleus. The fluid cytoplasm of each cell, like the body as a whole, is approximately 70 to 80 percent water. The selectively permeable cell membrane, like our outer skin, both separates and connects internal contents and the external environment.[1]

Nid oes un corff sylfaenol. Yn ein byd ôl-fodern rydym yn canfod y corff fel gwrthrych amlochrog, ac nid oes hunaniaeth unedig yn y gymdeithas. Mae amrywiaeth o gymdogaethau'r un mor niferus â'r cyrff sy'n eu creu. Gwahanol bobl fel gwahanol gyrff yw cyfansoddiad unrhyw gymdogaeth, neu unrhyw gymuned. Tu mewn i'r gymdogaeth cewch wahanol agweddau corfforol wedi'u ffurfio trwy waith, iechyd a salwch, yn ogystal â genynnau, arferion wedi'u dysgu, a meddyliau dwfn cudd.

Dychmygwch y corff amaethyddol, y corff gweinyddol, y corff anabl, y corff athletaidd, y corff athletaidd anabl, y corff mewn oed, y corff newydd ei eni. Nid oes terfyn i'r amrywiaeth sy'n chwarae ar y thema sylfaenol, sef *homo sapiens*.

Rwyf am feddwl am gyrff y bobl rwyf wedi eu hadnabod yng Nghymru trwy waith creadigol, yn eu cymdogaethau, a'u cymdeithasau gwahanol dros ardal fawr y gorllewin.

Yn ei lyfr am theatr a'r corff, *Theatre, Body and Pleasure*, mae Simon Shepherd yn datgan hyn:

> Body is defined in relation to what it makes and the circumstances in which it finds itself. Relationship with found circumstances, the setting, may threaten or support the body's life; use and corruption of things made, objects may transform or reinforce these circumstances. Body work, the function of the body, how it works, is also deeply to do with the work the body does, and has to do.[2]

Mae Shepherd yn trafod theatr fel safle a digwyddiad lle mae'r corff yn ymdopi ag amgylchfydoedd, gwrthrychau a chyflyrau gwahanol. Mae'n egluro bod symudiadau ac ystumiau perfformwyr, yn cynnwys y ffordd roedd actorion yn ymddangos yn eu cyrff, wedi newid dros amser ac yn hanesyddol roedd perfformwyr yn wahanol wrth ymateb i gyflyrau'r cyfnod ond hefyd wrth ymateb i ganfyddiadau'r cynulleidfaoedd. Tra bod Shepherd yn cyfyngu ei ddadl i fyd y theatr rwyf am estyn ei syniad o'r corff mewn perthynas â'r hyn mae'n ei wneud, y gwaith mae'n ei gyflawni, i'r byd tu hwnt i'r theatr. Dychmygwch y ffordd mae gweithwyr swyddfeydd, ffermwyr, adeiladwyr, gweinidogion capel, rhieni, a phlant yn byw yn eu cyrff. Dychmygwch y ffordd rydym yn byw yn ein cyrff. Mae'r tywydd yn newid ein symudiadau. Dychmygwch gerdded yng nghefn gwlad Cymru, yn y glaw a'r gwynt. Darllenwch y gerdd 'Preseli' gan Waldo Williams (1904–71). Y tro nesaf y byddwch yn gyrru yn y ddinas, sylwch ar eich corff, ei siâp, ei anadl, osgo'r ysgwyddau a'r coesau. Cofiwch deimlad tes yr haul a'ch cyhyrau yn ymestyn a chofiwch y tensiwn rhag yr oerfel allan ar fynydd. Darllenwch gerddi R. S. Thomas (1913–2000).

Dychmygwch gyrff plant ysgol gynradd; pelennau o egni, coesau coch, pengliniau mawr, gwallt yn disgleirio. Plant eraill; wynebau a dwylo brwnt, traed oer, a dafadennau. Roedd un wedi anghofio'i dillad Addysg Gorfforol ac roedd hi'n sefyll yn lletchwith wrth ymyl y grŵp. Roedd un arall yn eistedd o dan fwrdd yn cuddio ei ben rhwng ei goesau, yn gwrthod siarad. Wedyn, pan oedd y gerddoriaeth yn uchel, llithrodd allan a safodd yn stond yng nghanol y grŵp a oedd yn ymestyn ac yn gwneud camau mawr o gwmpas yr ystafell; eto yn hwyrach penderfynodd ymuno yn y ddawns er nad oedd e'n fodlon siarad.

Dychmygwch blant hŷn, mewn clwb ieuenctid yn Aberystwyth. Roedden nhw'n fawr, eu breichiau a'u coesau yn cyrlio ac yn plethu ac yn cicio ac yn hongian o amgylch ei gilydd, o amgylch cadeiriau, o amgylch drysau ac ar silffoedd ffenestri. Roedden nhw'n ddiegni; yn cnoi gym, roedden nhw'n gwrando ar gerddoriaeth *rap* uchel iawn ac yn fy anwybyddu. Yn sydyn, cododd un yn ffrwydro gyda naid mewn i ganol yr ystafell a dilynodd rhai eraill, yn chwerthin ac yn ceisio gwneud symudiadau o'm blaen. Roedd rhai eraill yn taflu dartiau ar y wal tu ôl i mi. Roedd fy nghorff i yn llawn tyndra, wrth i mi ddal fy nhir y erbyn y wal. 'Pushing their luck' fyddai'r ymadrodd Saesneg. Roedden nhw'n anghwrtais, yn hy, yn gas ac yn ddoniol iawn. Roedd y cryts a'r crotesau'n ymgodymu â'i gilydd, yn gwthio, yn bwrw, yn pwyso ar ei gilydd yn drwm a heb gydbwysedd. Wrth faglu a chlatsio yn drwm ac yn wirion dychwelon nhw i bwyso dros fyrddau, cadeiriau a waliau. Roedd y gerddoriaeth *rap* yn uchel o hyd.

Dychmygwch blant yr un oed mewn clwb dawns ar ôl ysgol; merched i gyd ond dros yr awr a hanner rydym yn gweithio yn neuadd yr eglwys, mae casgliad bach o fechgyn yn casglu wrth y drws ac yn llusgo'u traed i mewn i weld. Mae'r merched yn hapus, yn agored, yn ffyrnig wrth amddiffyn eu gwaith dawns, yn swil o flaen y bechgyn, yn fflyrtian ac yn gweithio'n galed iawn i ddysgu coreograffi cymhleth. Rydym yn chwerthin yn uchel. Maent yn estyn ac maen nhw'n troelli'n chwim a chwympo i'r llawr lle maent yn rholio i sefyll eto, yn neidio ymlaen, i'r ochr, yn estyn eto, yn chwipio braich o'u hamgylch ac yn dechrau eto. Egni ifanc benywaidd, camau hy a meddal; rhywun yn rhegi nawr ac yn y man. Mae'r bechgyn yn dawel. Rydym yn gymuned o ddawnswyr ifainc yn neuadd Eglwys Llanbadarn. Bob wythnos. Yr un amser a'r un lle. Mae'r dawnswyr yn dod o ddwy ysgol wahanol, yr un Saesneg ei hiaith a'r un Gymraeg ei hiaith.

Dychmygwch blant ar y llwyfan mawr yn perfformio yn Eisteddfod yr Urdd. Tri chant o blant, o leiaf, i gyd yn canu ac yn dawnsio. Breichiau yn estyn yn uchel, maent yn neidio i'r ochr, eu cyrff yn troi i'r chwith, eu breichiau allan; maent yn esgus syrffio. Coesau wedi'u plygu, cyrff yn symud o amgylch i ddangos cydbwysedd ar donnau'r môr. Maent yn symud gyda'i gilydd mewn cytgord perffaith, rhythm eglur, eu galluoedd cerddorol yn amlwg yn eu cyrff sy'n symud yn ogystal â'u lleisiau cryf. Rhywsut, ar ôl oriau o waith, rydym wedi cyrraedd y perfformiad hwn ac nid oes amheuon rhagor. Casgliad o blant o gylchoedd gwahanol y fro, yn cydsymud ac yn cydganu o flaen eu rhieni ac mae'r sŵn yn anferth. Sŵn cyrff ar waith o'r ddwy ochr, o'r llwyfan ac o'r gynulleidfa sydd yno i ddathlu. Rwy'n ailystyried y profiad anodd poenus o gyrraedd penllanw'r digwyddiad wrth i mi sylweddoli, a theimlo yn fy nghorff, eu balchder.

Dyma enghraifft o berfformiad arall. Unwaith eto mae nifer o blant o ysgolion cynradd sir Benfro ar lwyfan ysgol uwchradd yng nghanol y sir. Yn sefyll ymhlith cant a hanner o blant sy'n eistedd ar y llawr, rwy'n teimlo'r gofid yn dod fel tonnau trwy fy nghorff. Dyma benllanw tymor o waith yn yr ysgolion, perfformiad i rieni ac athrawon. Nid oes symud. Nid oes cyffro arferol cyn cyflwyno ffrwyth tymor o waith. Tawelwch. Rwy'n gofyn pam, beth sy'n bod ar y plant? Yr ateb yn dod o un llais yn unig. Bachgen a oedd yn dweud nad oeddent yn gwybod beth oeddent i fod i'w wneud. Teimlent ofn a chywilydd. Roedd creu perfformiad yng nghanol y dydd yn ystod amser ysgol yn ddieithr iddynt ac yn torri'r rheolau. Yn y pen draw roedd perfformiad dawns gwyllt ar y llwyfan, yn llawn camgymeriadau a hwyl, yn llawn gofal ac aeddfedrwydd; plant ifainc yn gyfrifol am eu gwaith a'r gynulleidfa'n synnu.

Dychmygwch fenyw ganol oed yn rholio ar y llawr gyda rhyw bymtheg o blant bach a babanod yn ei dilyn, yn cropian, yn rhedeg ac yn eu tynnu eu hunain dros ei chorff mawr ac o gwmpas y stiwdio ddawns broffesiynol. Maent yn cadw sŵn. Dychmygwch y sŵn. Chwerthin. Dychmygwch y gwaith darganfod, ceisio, profi, synhwyro, trwy gyrff sy'n agored i bob peth, yn fodlon neu'n anfodlon mewn amrantiad, maent yn eu mynegi eu hunain. Nid oes rheolau awdurdod, nid oes cynllun dysgu. Yr hyn a geir yno yw perthynas, a pherthynas sy'n rhagweithiol, yn digwydd fesul eiliad. Ymddiried a derbyn yw cyflwr y sesiwn symud creadigol ar gyfer plant rhwng dim a thair oed, gyda rhieni. Chwys a phoer, sawr babanod a chewynnau a sudd ffrwyth, aroglau melys a sur. Plant yn neidio i fyny ac i lawr ac yn rhedeg o gwmpas, yn sydyn yn eistedd, yn cwympo, yn aros i feddwl.

Roeddwn i'n sefyll mewn cornel sied yn llawn peiriannau amaethyddol. Roedd y llawr concrit wedi'i glirio o wrthrychau mawr ac wedi'i 'sgubo, ond roedd staenau diesel yn dal i fod yn amlwg ac yn ddrewllyd. O un gornel roedd grŵp o ddynion, i gyd yn sylweddol fawr eu cyrff, yn aros. Chwaraeais dâp casét o gerddoriaeth gyfoes Gymraeg ac wedyn, heb oedi, dechreuodd y bachgen yn y blaen redeg ar hyd y lletraws tuag at y gornel gyferbyn. Hanner ffordd ar draws y llawr, neidiodd yn uchel gyda'i freichiau allan a'i goesau mawr wedi'u plygu o dan ei gorff, am eiliad yn hongian yn yr awyr cyn glanio, mas o reolaeth, a bwrw drws y sied, yn chwerthin ac yn chwysu. Un ar ôl y llall daeth gweddill y grŵp o ffermwyr ifainc, am ryw reswm dynion yn unig, ar draws y 'stafell a chyflawnwyd yr un gamp o hedfan am eiliad. Dyma oedd dosbarth dawns gyda chlwb ffermwyr ifainc Felin-fach. Roedd eu cyrff yn rhy fawr ar gyfer y 'stafell, a'u hegni yn rhy fawr i'r gwaith.

Dychmygwch nifer o gyrff, rhai'n wydn, rhai yn feddal ac yn fawr, pob un yn ystwyth ac yn gyflym. Maent mor gyflym. Maent yn perfformio 'y cwrso' ym mhantomeim blynyddol Theatr Felin-fach. Mae'r lleisiau'n un ac yn hyderus, yn dod o gyrff hollbresennol, cyrff byw sy'n tanio cyrff y gynulleidfa gyda'r un egni. Mae'r egni'n wyllt ac yn tasgu o gwmpas yr awditoriwm: mae'r egni yn gadarn, y ddwy elfen yn llenwi'r theatr ar yr un pryd. Mae adeilad y theatr yn symud dan effaith y chwerthin, y carlamu, y neidio a'r gweiddi, fel daeargryn bach. Noson arall i'w chofio.

Wrth fentora athrawon i ddysgu dawns ar y Cwricwlwm Cenedlaethol yn ystod Cyfnodau Allweddol un a dau, brwydrais gyda'r system addysg sydd yn mynnu cael y drefn greadigol ar bapur, i'w ffurfioli ac er mwyn i athrawon ei dilyn. Mae angen ffurfioldeb yn hytrach na darganfod eu creadigrwydd personol mewn perthynas ag egni a gweledigaethau'r plant. Roedd athrawes yn dysgu dawns yn gwisgo sodlau uchel a sgert dynn. Roedd ei llais yn llawn gobaith, roedd ei geirfa yn hyfryd wrth iddi hi awgrymu symudiadau yn seiliedig ar thema 'dathlu', ond roedd ei chorff yn llawn tyndra, ei chefn yn anhyblyg ac nid oedd hi'n symud o gwmpas yr ystafell, ond yn dewis cadw at y gornel. Dychmygwch yr athrawes. Dychmygwch y plant. Mae'r berthynas rhyngddynt yn agos ac yn gryf, maent yn ymddiried yn ei gilydd. Maent yn cydweithio. Yn ystod oriau ysgol maent yn cydymdeithio, ond nid yw hon yn gallu ildio awdurdod yn y wers ddawns, ei dillad ac osgo fertigol yn pwysleisio ei swydd a'i rôl ffurfiol. Dyma wrthbwynt anghysurus: y byd addysg ffurfiol yn cwrdd â gweithred greadigol addysg anffurfiol.

Sawl blwyddyn yn ddiweddarach, rwy'n gweithio gyda ffermwyr llaeth, darlithydd prifysgol a swyddog ieuenctid yng Nghwmni Cyd-weithredol Troed-y-Rhiw i greu fersiwn o *Blodeuwedd* gan Saunders Lewis (1893–1985).[3] Mae cyrff y perfformwyr yn dynn gan densiwn cyhyrol ar ôl blynyddoedd o lafur corfforol amaethyddol. Ond hefyd, mae cyrff y perfformwyr yn llawn nerth; nerth sy'n gaeth yn eu cyrff yn disgwyl am reswm a chaniatâd am fynegiant. Mae'u cryfder yn adnodd ac yn faich. Maent yn dod i ymarfer ar ôl diwrnod hir o waith corfforol. Mae'r ffermwyr yn godro ac yn hwyrach yn y tymor yn torri'r gwair cyn ymarfer hen glasur llenyddol am bedair awr nes bod tywyllwch hwyr yr haf yn mynnu bod eu cyhyrau yn llacio a rhaid gorffwys. Crewyd fersiwn o'r ddrama o gwmpas straeon o brofiad cyrff y perfformwyr, am eu hymrwymiad a'u nerth. Roedd 'annibyniaeth barn' yn eu gweithred.[4]

Gwaith Brith Gof o 1998 yw'r olygfa nesaf.[5] *Llais Cynan* (*On Forgetting/On Remembering*) yw enw'r sioe. Yn hen neuadd goffa Felin-fach roedd Côr Canu Pwnc Cwm Gwaun yn canu'n uchel, i gyd yn gwisgo cotiau, sgarffiau a rhai yn gwisgo hetiau rhag yr oerfel. Roeddent yn ymarfer gyda phump o wŷr y pentref. Yn eu plith mae cyn-athrawon, rheolydd cwmni sgaffaldiau ac adeiladwr, ffermwyr, mam-guod a thad-cuod, gwragedd tŷ, a gweinidogion capel. Mae eu symudiadau yn araf, yn bwrpasol, er bod rhai yn chwilio am sicrwydd a'u llygaid yn sganio'r lleill i weld a ydynt wedi cyrraedd y lle iawn, a dyfalu'r symudiadau nesaf. Roedd perfformwyr corfforol, dynion i gyd, yn gweithio i grafu a thorri tatws ac roedd camera yn ffilmio eu dwylo wrth y gwaith. Wrth iddo ef, yr un olaf, gerdded o'r drws ar draws y man chwarae, yn araf iawn, gydag ymbarél, cwympodd ei gâs dillad. Agorodd y caead a rholiodd llwyth o datws ar y llawr. Plygodd i'w codi, fesul un, yn araf, cyn ymuno â'r lleill, heb edrych i fyny na chydnabod unrhyw un, ei gorff yn plygu wrth ei waith a'r bwriad i'w gyflawni. Gwaith tragwyddol, urddas a dioddefaint oedd yn crogi dros yr olygfa a phresenoldeb perfformiad cyrff mewn oed. Roedd y perfformiad yn ymdrin â themâu iaith a ffordd o fyw'r pedwar degau sydd wedi diflannu, a thair enghraifft erchyll o effeithiau a gweithredoedd trefedigaethol gan lywodraeth Brydeinig y Frenhines Fictoria. Ysgrifennodd y cyfarwyddwr Clifford McLucas (1945–2002), yn ei nodiadau i gyflwyno'r prosiect i'r criw o berfformwyr a thechnegwyr:

> (W)ithin a culture that is so defined and nurtured by its language, what the loss of a 'way of talking' might mean – does it mean the loss of a 'way of thinking' and can we sense the gaps left by their absence? Within a culture that is not generally defined by material things – buildings, museums, economic and political power, and so on – what might the significance of a loss of a 'vocabulary' or a 'syntax' mean? And does this crucial part of such a nation's identity need to be reinvented and regenerated every generation?[6]

Ar ddechrau'r mileniwm newydd roedd grŵp o bobl o wahanol oedrannau rhwng 11 a 80 yn dyfeisio perfformiad i arddangos manylion bach eu bywydau, y cyd-destunau personol a oedd yn amrywio, a'r cyd-destun diwylliannol roeddent yn ei rannu. Corff, iaith, cerddoriaeth, a ffilm oedd y cyfryngau a ddewiswyd i greu *Gwêl*.[7] Roedd rhai o'r cwmni â phrofiad perfformio mewn eisteddfodau, cyngherddau a chystadlaethau ac roedd rhai heb brofiad blaenorol. Daeth aelodau'r cwmni o Geredigion, o deuluoedd lleol, o wlad arall mewn un achos, o wahanol amgylchiadau bywyd ac roedd ganddynt ddisgwyliadau gwahanol o'r dyfodol. Hanner ffordd trwy'r sioe roedd pedwarawd yn dawnsio'n araf. Cyn-brifathro ysgol oedd arweinydd y grŵp, rhywun oedd hefyd wedi perfformio yn sioe Brith Gof *Llais Cynan*. Roedd ei ymateb i gerddoriaeth mewn iaith leiafrifol o ardal Fanano ym mynyddoedd yr Appenine yn dyner ac yn ofalus. Wrth iddo bwyso ar ei ffon a symud ei gorff uchod a chodi'r ffon i greu llinell hir iawn o'i ysgwydd yn tynnu'r llygad allan, tu hwnt i waliau'r adeilad, dilynodd tair menyw y tu ôl iddo. Nid oeddent yn tynnu eu llygaid oddi arno. Roedd geiriau'r gân wedi'u hysbrydoli gan gerdd Seamus Heaney (1939–) 'Rescue', o'i gyfrol *Seeing Things*. Roedd y cerddor wedi ysgrifennu ei eiriau yn seiliedig ar y gerdd hon.[8]

Roedd *Gwêl* yn ymgais i achub presenoldeb gweladwy oddi mewn i gyd-destun lleiafrifol iaith a diwylliant yn y Gymru wledig. Wrth droi medrau bywyd i'r grefft o ddyfeisio gwaith ar gyfer y llwyfan roedd y gymdogaeth yn haeru gwahaniaeth ac undod yn erbyn y grymoedd byd-eang a chyda hwy. Ar y llwyfan roedd pobl yr ardal yn arddangos 'y pethau', eu hanfod a'u hamgylchfyd. Gwelwyd lluniau o'r ardal ac o'r cartrefi: clywyd lleisiau, acenion a chaneuon: gwelwyd dawnsfeydd, golygfeydd o fywyd, a chyrff: mynegwyd teimladau am brofiadau personol. Trwy'r personol daeth cynrychiolaeth amgen o ddiwylliant gwledig Cymru. Yn hytrach na'r cyffredinol cawsom y penodol a'r manwl er mwyn dod â phrofiadau i'r amlwg sydd wedi eu troi'n anweledig gan rymoedd gwleidyddol a chymdeithasol sydd yn rhoi bri ar syniadau am y byd-eang dros y lleol.

Wrth feddwl am y lleol penodol o'i wrthgyferbynnu â'r byd-eang, rwyf am gyfeirio yn ôl at sioe *Llais Cynan* gan Brith Gof. Delwedd holl-bwysig i'r senograffi oedd strwythur uchel sgaffaldiau. Roedd y dynion yn eistedd ar y rhesi uchel hyn o flaen camerâu, y tu ôl sgrîn daflunio. Roedd yr amgylchfyd theatrig yn cyfleu syniad o ystafell lys, neu ystafell ddarlithio. Y Llyfrau Gleision oedd un o'r cysyniadau a'r testunau canolog. Adroddiadau wedi'u comisiynu gan lywodraeth y Frenhines Fictoria oedd y 'Llyfrau Gleision'. Arolwg i gyflwr addysg yng Nghymru oedd y Llyfrau a hyd heddiw maent yn cael eu hystyried yn sarhad ar gymeriad a ffordd o fyw'r Cymry. Mae Harri Garrod Roberts yn ysgrifennu am effaith y Llyfrau Gleision ac yn dadlau dros effaith negyddol yr adroddiadau ar seice a hunanganfyddiad y Cymry am ganrif ar ôl eu cyhoeddi. Mae Roberts yn dadansoddi'r corff fel ffocws penodol yn y gwahanol destunau sydd yn cyfansoddi'r adroddiadau, wedi'u rhwymo mewn cloriau glas. Mae'n gosod eu heffeithiau fel un o'r ffactorau hollbwysig a oedd wedi creu'r uchelgais i fod yn ddosbarth canol a chreu'r Cymry *bourgeois*, trwy fudiadau ffydd Anghydffurfiaeth yn ail ran y bedwaredd ganrif ar bymtheg a dechrau'r ugeinfed ganrif:

> I will argue that it was the internalization of the 1847 Report's ideological values and assumptions – its particular investment in the body as morally, nationally and socially significant – that, to a large degree, enabled Welsh Nonconformity to construct its own bourgeois nation in the years that followed.[9]

Mae'r llwybr nawr yn troi at berfformiad arall yn Theatr Felinfach, yn 2001, sef *Pererin*.[10] Dychmygwch.

Mae dawnswraig ifanc yn cerdded ar draws cefn y llwyfan. Tawelwch a llonyddwch sydd yn y theatr. Mae'i cherddediad mor araf mae'n cymryd dros bum munud iddi gerdded ar draws i'r ochr arall ac yn agos at ddeng munud i gyrraedd y fenyw sydd yn eistedd ar gadair o flaen y gynulleidfa ar waelod y llwyfan. Dyma'r cyfan a oedd yn digwydd i ddechrau'r perfformiad. Pan fydd y ddawnswraig yn cyrraedd y fenyw mae'r emyn dôn Aberystwyth yn dechrau. Mae hi'n plygu dros y fenyw hŷn i'w chofleidio. Mae deuawd araf yn cychwyn, eu breichiau yn plethu, eu llygaid ar gau, maent yn symud gyda llif yr emyn, yn estyn ac yn plygu, y ddwy fel un. Crewyd delwedd o fenywod hen ac ifanc, yn cynrychioli cenedlaethau a phrofiadau, hanes a chof, cariad a cholled, diwylliant yr oes a fu, a bwriad ar gyfer y dyfodol.

CYMUNED

Gair cymharol newydd yw 'cymuned' yn yr iaith Gymraeg, a deall mwy am gyd-destun a tharddiad y gair yw ffocws darn olaf y bennod hon. Crewyd y gair 'cymuned' mor ddiweddar â'r 1950au mewn ymateb i system wleidyddol Prydain, oedd, ar ôl yr Ail Ryfel Byd, yn ceisio ailadeiladu trefn, hyder a hunaniaeth newydd. Mae'r gair yn gyfieithiad llythrennol o'r Saesneg, sef wrth gwrs *community*. Mae'r academydd Cymreig Raymond Williams yn esbonio tarddiad *community* yn ei gyfrol hanfodol *Keywords: A Vocabulary of Culture and Society*, a gyhoeddwyd gyntaf yn 1976. Fan hyn rydym yn darllen bod y gair Saesneg *community* wedi ei ddefnyddio ers y bedwaredd ganrif ar ddeg ac yn dod o wreiddiau Ffrangeg a Lladin. Mae Williams yn trafod y gair yn ei gyd-destun hanesyddol, a'r ystyron a'r pwyslais gwahanol a berthyn iddo. Yn ei gyflwyniad i'r llyfr, wrth drafod datblygiad ei waith dywed:

> When we come to say 'we just don't speak the same language' we mean something more general: that we have different immediate values or different kinds of valuation, or that we are aware, often intangibly, of different formations and distributions of energy and interest. In such cases each group is speaking its native language, but its uses are significantly different, and especially when strong feelings or important ideas are in question.[11]

Yn y testun uchod mae Williams yn gosod cysyniad pwysig i ni yn y Gymru gyfoes. Er ei fod yn trafod yr iaith Saesneg mae'i eiriau yn gallu bod o gymorth i ddeall deinameg rhwng Cymraeg a Saesneg, a deall nad yw cyd-destun ystyr Saesneg, o anghenraid, yn cyfateb i brofiadau a chanfyddiadau ystyrlon ein bywydau cymdeithasol Cymreig a Chymraeg. Wrth gwrs gall profiadau ac ystyron fod yr un peth, ble bynnag rydym yn byw ym Mhrydain, ond mae'n ddilys honni eu bod nhw'n gallu bod yn wahanol hefyd, ac yn y ffordd mae Williams yn ei awgrymu, yn aml iawn mae'r gwahaniaethau'n anodd eu hamgyffred. Yn Saesneg mae ystyr y gair *community* yn eglur. Yn ôl Williams, mae *community* yn dynodi 'a sense of common identity and characteristics'.[12] Mae'r defnydd o *community* gan y llywodraeth, ar y llaw arall, yn cymhlethu'r syniad o 'common identity and characteristics'. Mae biwrocratiaeth yn disgrifio ardaloedd daearyddol mawr fel cymunedau, er gwaethaf eu holl wahaniaethau; yn ychwanegol at hyn mae defnydd y gair yn newid eto wrth osod y fannod o'i flaen. Rydym yn derbyn ac yn credu ein bod yn deall ei ystyr. Dadleuaf yn hytrach fod 'cymuned' ac 'y gymuned' yn gweithio yn erbyn gallu'r bobl i gynrychioli gwir natur a pherthynas rhyngddynt a'u cymdogaethau gwahanol. Dyma ddefnydd o iaith fiwrocratig sy'n pellhau'r profiad dyddiol cyffredin ac ymarferol ac yn blaenoriaethu gwerthoedd o'r canol gweinyddol a gwleidyddol. Tra bod 'cymuned' yn ceisio disgrifio perthynas a chysylltiadau rhwng pobl, mae'r defnydd biwrocrataidd o'r gair yn ddiffiniad daearyddol, moel. Felly, mae'n weithred werthfawr i ddefnyddio'r eirfa Gymraeg sydd yn llai ffasiynol ar hyn o bryd ond yn fwy effeithiol wrth ddisgrifio'r gwead dwys sy'n sail i hunaniaeth neu brofiad Cymraeg.

Mae Cynog Dafis yn egluro mwy ac yn mentro i ymhelaethu trwy ystyried y cyd-destun Cymraeg a'r iaith Gymraeg. Yn ei ddarlith 'The Raymond Williams Memorial Lecture 1999', mae Dafis yn honni'r canlynol: 'Had Raymond Williams been writing in the Welsh language, I do not believe he would have tarried long over the word cymuned [for community].'[13] Mae Dafis yn ymhelaethu:

> I mentioned earlier that which may have fascinated Raymond Williams had he been writing in Welsh. In my view, certainly the Welsh word which would have entranced him is *cymdeithas*. Unlike *cymuned*, here we have a word rich in meaning, a word whose history is ancient, a word which the dictionary of the Welsh language tells us was first noted in the thirteenth century. In terms of its etymology, it is a condensed form of *cydymdeithas* or *cydymddeithas*, its exact meaning being to travel together, and to me it conveys precisely the unity of purpose and direction I am aiming for in describing Wales as a 'community of languages'.[14]

Ystyrir rhywun arall nawr, sef rhywun sydd wedi tynnu sylw at yr iaith Gymraeg a'i chydblethiad â phrofiad byw beunyddiol, cymdeithasol ac at ganfyddiad ein byd trwy iaith. Mae Euros Lewis wedi gweithio â'r syniadau mae Dafis yn eu harchwilio uchod trwy gyfrwng ei waith dyfeisio, ei gyfarwyddo a'i yrfa yn ysgogi gwaith creadigol a pherfformio yn y cymdogaethau Cymraeg eu hiaith. Ysgrifennodd Lewis am broblemau sy'n wynebu Cymru a'i hiaith yn Narlith Goffa Marie James 2005:

> Gan gofio mai bodau cymhleth ac amlforffig yw'r cylchoedd hyn o berthyn, o adnabod ac o rannu cyfrifoldeb, dyw hi'n fawr o syndod nad un gair oedd ar gael i'w disgrifio yn y Gymraeg cyn dyfodiad 'cymuned' ond clwstwr ohonynt, gan gynnwys cymundeb, cymdeithas, a chymdogaeth. Mae'r ffaith honno yn tanlinellu amrywiaeth, coethder a dyfnder y profiad cymdeithasol-ddiwylliannol Cymraeg.[15]

Mae Lewis yn dadlau o blaid defnydd y gair 'cymdogaeth', yn hytrach na 'chymuned' gan fod y gair yn un o nifer o eiriau i ddisgrifio natur a phrofiad bywyd a chymdeithas Gymraeg. Mae'r geiriau gwahanol i gyd yn gynhenid i'r iaith ac yn fynegiannau penodol o wahanol gyflyrau, yn ganfyddiadau daearyddol, gofodol ac amserol rhwng yr unigolyn a'r grŵp mae hi/ef yn rhan ohono. Mae'r geiriau eraill wrth gwrs yn ddigon cyfarwydd ac mae pob un ag ystyr a naws penodol iddo. Cymdeithas, cymdogaeth, bro, milltir sgwâr, a chylch; maent i gyd yn cynnig ystyr a blas gwahanol. Mae'r gair 'cymuned', felly, yn cymryd ei le ymhlith y cyfryw eirfa gan gynnig diffiniad o sut beth yw hi i fyw ymhlith pobl eraill. Gwyddom bod byw yng Nghymru yn cynnig nifer o ffyrdd i ddisgrifio a deall bywyd yn y cyd-destun diwylliannol hwn; llawer mwy nag un profiad, un amlygiad ac un diffiniad sy'n cuddio yn y gair 'cymuned/*community*'. Ond yn yr iaith a'r profiad Cymraeg, mae'r posibiliadau i fod yn benodol ynglŷn ag ystyr, lle a pherthynas, yn eang ac yn adlewyrchu cymhlethdodau bywyd a gwaith yng Nghymru ac ymhlith ei phobl. Fel y dadleua Lewis wrth iddo ddatblygu ei ddadl am natur cymdogaeth:

> Beth sydd yn ein drysu efallai yw bod natur cymdogaeth yn gymhleth – yn llythrennol felly: nad un rhwydwaith sydd yma ond ymblethiad o rwydweithiau – yn deuluol, yn gyfeillgarol, yn weithiol, yn ddiwydiannol, yn gyfredol, yn ddiwylliannol a duw-a-ŵyr sawl 'ôl' arall. A gan nad un ffurf sydd iddi dyw hi ddim yn ffitio'n dwt i ffiniau map neu ddogfen chwaith. Un o nodweddion cymdogaeth fyw yw mai hi

> ei hunan – yn ei haml ffurfiau, yn ei haml wisgoedd – sy'n adnabod ac yn diffinio ei therfynau.[16]

Mae'r cymdeithasegydd Bryan Turner wedi dadansoddi ystyron a swyddogaethau gwahanol y corff mewn perthynas â chymdogaeth o bersbectif cymdeithaseg. Gan ystyried agweddau gwahanol dros gyfnodau hanesyddol, mae'n dangos nad yw disgrifiad syml o gorff dynol sydd yn aros yr un yn oes oesol yn bosibl. Mae'n dangos bod triniaeth, disgwyliadau a rheolau, arwyddocâd a phresenoldeb y corff yn gyfnewidiol, ac yn gymhleth dros amser ac mewn cyd-destunau gwahanol. Mae'n ystyried y corff yn ganolbwynt a chyfrwng ar gyfer mynegiant sy'n adlewyrchu'r datblygiadau cymdeithasol yn y byd gorllewinol. Mae'r corff hwn yn ymateb i bleser, chwant ac angen ac yn safle ar eu cyfer. Mae'n gyfrwng economaidd, gwleidyddol a chrefyddol. Mae'n safle moesau: rhywbeth i'w reoli, i'w wobrwyo ac i'w gosbi. Mae'n cydymffurfio ac mae'n safle gwrthdystio ac anghyd-ffurfiaeth. Mae'r corff yn bwnc meddygol a thechnolegol. Mae'n safle gofidion a rhyfeddodau.

Mae Colette Conroy wedi ysgrifennu arolwg o ddamcaniaethau'r corff yn ei llyfr *Theatre and the Body*. Mae hi'n ystyried dylanwad damcaniaethwyr ac athronwyr megis Sigmund Freud, Michel Foucault, Elizabeth Grosz a Judith Butler. Trwy ddefnydd o'r awduron hyn mae hi'n dangos sut mae byd y theatr yn eu defnyddio, yn eu hamlygu ac yn arholi hunaniaethau ac amlygiadau diriaethol y corff. Mae Conroy yn trafod materion megis pa fath o gyrff sy'n cael bod ar y llwyfan, pa fath o gwestiynau am bŵer, a grym cymdeithasol, mae presenoldeb corfforol ar y llwyfan yn eu hagor, ac ym mha ffordd mae'r corff yn cynnig posibiliadau dadansoddol. Mae hi'n cynnig y canlynol:

> Bodies are elements of theatre. The shape, form, resonance and movement of the actor's body are used as creative elements within the art form. The body of the audience member is physically present in the same room as the acting body. Theatre is founded on the dynamic interplay between actor and audience, and between the two the entire set of communication strategies, mimetic games and temporal and spatial experiences that make up theatre are played out. But as well as being a part of the analytical corpus of theatre,

> bodies and their actions may appear within theatre as the object of analysis. That is to say, bodies may be thought of as texts.[17]

Wrth ystyried geiriau Conroy a'i hesboniad ein bod yn gallu canfod cyrff fel testunau rwyf am droi nôl at brif thema'r bennod hon sef y golygfeydd gwahanol y gwahoddwyd y darllenydd i'w dychmygu wrth ddechrau'r bennod. Rwyf am drafod y gwaith hwn a ddigwyddodd yng ngorllewin Cymru dros ugain mlynedd, rhwng 1987 a 2007, o dan asiantaeth a gofal Dawns Dyfed. Roedd Dawns Dyfed yn rhagweithiol yn y gymdeithas ar draws tair sir y gorllewin, sef Ceredigion, sir Benfro a sir Gâr. Darparu cyfleoedd i ddawnsio oedd pwrpas y cwmni ar bapur, ond roedd yn llawer mwy na hynny wrth i'r gwahanol unigolion a grwpiau gydweithio mewn perthnasau tymor hir â'r cwmni. Tarddiad y gwaith oedd y byd cyfoes ôl-fodern ar ddiwedd yr ugeinfed ganrif ac ar ddechrau'r ganrif nesaf. Ar yr un pryd â chydnabod y cyfnod trwy ei dylanwadau deallusol/strwythurol, roedd y gwaith wedi'i ysgogi gan gyflyrau cymdeithasol, gwleidyddol a chelfyddydol yn y cymdogaethau Cymraeg ac ymhlith y grwpiau niferus sydd wedi cyfrannu atynt. Heb gyfraniadau'r grwpiau ac unigolion, ni fyddai dim byd wedi'i gyflawni ac felly mae'n eglur ein bod yn trafod pobl pan fyddwn yn trafod cymunedau.

Mewn sawl lleoliad, gweithiodd y cwmni mewn partneriaethau agos gyda'r gwahanol froydd a chymunedau i ddatblygu gwaith dawns a pherfformiadau newydd, oedd yn berthnasol ac yn ystyrlon i'r profiad Cymraeg yn y gymdeithas honno, yn ei 'haml ffurfiau'. Wrth wneud y gwaith hwn ystyriwyd grwpiau, gwersi a pherfformiadau fel gwahanol destunau a oedd yn amlygu elfennau ac agweddau o'r bach i'r anferth y tu mewn i'r ardaloedd yng ngorllewin Cymru. Yn hytrach nag ysgrifennu, gwnaethpwyd testunau corfforol a oedd yn tystio i'r cyflyrau, y disgwyliadau, a'r profiadau diriaethol, haniaethol, o fywyd beunyddiol a'r dychymyg trosgynnol. Ystyriwyd y gwaith yn weithredoedd naill ai trwy ymrwymiad cnawdol, corfforol; hynny yw, cyrff yn dawnsio ac yn teimlo effaith gorfforol, ffisegol, neu trwy effaith fewnol, hynny yw, cyrff yn symud ac yn teimlo emosiynau ac yn profi'n ddeallusol.

Ym mhob cymuned mae'r unigolyn yn troedio llinell rhwng anghenion personol a bywyd y cymdogaethau maent yn perthyn iddynt. Mae unrhyw grŵp yn gasgliad o anghenion ac mae unrhyw brofiad yn geni ei hun i'r synhwyrau, hynny yw, trwy'r corff fel y'i darganfyddir yn weithredol yn y byd, a thrwyddo. Mae'r athronydd a'r ffenomenolegydd Maurice Merleau-Ponty (1908–61) yn datgan: 'Our own body is in the world as the heart is in the organism.'[18] Mae e hefyd yn sôn am y byd fel mae'n cael ei roi i ni, ein canfyddiad o'r byd, a'r ffaith fod pob profiad yn digwydd trwy'r corff, a chyda'r corff. Mae'r corff yn dadlennu'r byd i ni. Mae'r canfyddiad o'r byd felly yn fater goddrychol ac mae'n codi anhawster pan rydym eisiau hawlio tir cyffredin, i gytuno ar egwyddorion am natur y byd ac yn gwrth-ddweud athroniaeth glasurol a gwyddoniaeth. Yn sicr mae'r farn hon yn creu anawsterau os yw'n dadlau dros ddiwylliannau sydd yn eu hamlygu eu hunain trwy gytundeb rhwng pobl i fyw mewn ffyrdd sy'n amlygu eu gwahaniaethau; er enghraifft trwy ieithoedd a'r ymarferion a chanfyddiadau mae iaith yn eu mynegi, sy'n sail i hunaniaeth. Ond, mae Merleau-Ponty yn cydnabod yr anhawster ac yn cynnig gosodiad ynglŷn â'n profiadau a'n synhwyrau sy'n creu, yn cynnal ac yn cadw diwylliannau yn y byd. Mae'n ysgrifennu:

> *I am given*, that is I find myself already situated and involved in a physical and social world – *I am given to myself*, which means that this situation is never hidden from me, it is never round about me as an alien necessity, and I am never in effect enclosed in it like an object in a box. My freedom, the fundamental power which I enjoy of being the subject of all my experiences, is not distinct from my insertion into the world.[19]

Felly, yn ôl Merleau-Ponty, rydym yn y byd ac yn deall *a priori* ein bod ni mewn perthynas gyda bodau eraill, ac yn fwy penodol:

> There is one particular cultural object which is destined to play a crucial role in the perception of other people: language. In the experience of dialogue, there is constituted between the other person and myself a common ground; my thought and his are inter-woven into a single fabric, my words and those of the interlocutor

> are called forth by the state of the discussion, and they are inserted into a shared operation of which neither of us is the creator.[20]

Pwysleisio perthynas a wna geiriau Merleau-Ponty. Perthynas sy'n pontio rhwng canfyddiadau goddrychol ac sy'n creu'r drafodaeth greadigol yw hon. Mae creadigrwydd yn rhan annatod o fywyd. Yng nghymdeithas, cymunedau a chymdogaethau Cymru, boed yn Gymraeg, Saesneg neu unrhyw iaith arall, mae creadigrwydd pobl yn amlwg. Rydym mewn perthynas ac mae'r straeon ac atgofion yn amlygu'r perthnasau hyn o ganlyniad i fodolaeth greadigol gorfforol: dyma rodd.

Er mwyn cau'r drafodaeth fer hon ar gorff a chymuned rwy'n troi at eiriau Euros Lewis. Dyma ddarn o'i farddoniaeth a ysgrifennodd ar gyfer testun *Pererin* yn yr ail symudiad, 'Dihuno':

O'r ffynnon
y dŵr

i'r blawd
y lefain

dan y gwreichion
y fegin

at y tân
ocsijen

yn fy nghorff
siwgr

i'm cyhyrau
adrenalin

yn fy ngwaed
cyffroadau

i'm dychymyg
galwad

i'm llygaid
disgwyliadau

i'm clustiau
hen rythmau newydd

ym môn fy mraich
ymddiriedaeth

i'm llaw
deheulaw cymdeithas

i'm cam
hyder, a nwyf a naid

i'm bod
bywyd

i mi?

i mi?

NODIADAU

[1] Andrea Olsen, *Body and Earth: An Experiential Guide* (Lebanon, New Hampshire: Gwasg Coleg Middlebury, 2002), tt. 11–12.

[2] Simon Shepherd, *Theatre, Body and Pleasure* (Llundain ac Efrog Newydd: Routledge, 2006), t. 114.

[3] Sefydlwyd Cwmni Cydweithredol Troed-y-Rhiw ym mis Mehefin 2005, yn dilyn cyfres o sgyrsiau yn canolbwyntio ar botensial y ddrama Gymraeg. Cyfranodd dros 70 o bobl at y drafodaeth, y rhelyw ohonynt yn arweinwyr cymdogaethol a charedigion y ddrama yn nhair sir y gorllewin. Daw enw'r cwmni o leoliad y trafodaethau hyn – festri Troed-y-Rhiw, ym mherfedd cefn gwlad Ceredigion. *http://www.theatrtroedyrhiw.com/*

[4] Waldo Williams o'i gerdd 'Preseli' yn y gyfrol *Dail Pren* (Llandysul: Gwasg Gomer, 1991), t. 30.

[5] Sefydlwyd cwmni theatr Brith Gof yn Aberystwyth yn 1981 gan Michael Pearson a Lis Hughes Jones. Crewyd nifer helaeth o weithiau ar raddfa fach ac ar raddfa anferth, yng Nghymru ac yn rhyngwladol hyd at 2000 pan adawodd y cyfarwyddwr artistig olaf, Clifford McLucas.

[6] Clifford McLucas, '*Llais Cynan*: Introductory Notes for the Creative, Management and Production Team' (Archif Clifford McLucas, Llyfrgell Genedlaethol Cymru, 1999), t. 1.
[7] Perfformiad oedd *Gwêl* gan Dawns Dyfed, mewn cydweithrediad â Theatr Felin-fach ac Euros Lewis.
[8] Francesco Benozzo, *In'tla piola* (Llandwrog: Sain, 2000).
[9] Harri Garrod Roberts, *Embodying Identity: Representations of the Body in Welsh Literature* (Caerdydd: Gwasg Prifysgol Cymru, 2009), t. 2.
[10] Cynhyrchiad Dawns Dyfed oedd *Pererin*, mewn cydweithrediad â Theatr Felin-fach. Ysgrifennwyd barddoniaeth ar ei gyfer gan Euros Lewis.
[11] Raymond Williams, *Keywords: A Vocabulary of Culture and Society* (Llundain: Gwasg Fontana, 1988), t. 11.
[12] Williams, *Keywords: A Vocabulary of Culture and Society*, t. 75.
[13] Clifford McLucas, '*Llais Cynan*: Introductory Notes for the Creative, Management and Production Team', t. 1.
[14] Ibid., t. 2.
[15] Euros Lewis, 'Darlith Goffa Marie James' (Felin-fach, Ceredigion: Theatr Felin-fach, 2005), t. 3.
[16] Ibid., t. 4.
[17] Colette Conroy, *Theatre and the Body* (Llundain: Palgrave Macmillan, 2010), tt. 13–14. Ar gyfer trafodaeth bellach ynglŷn â'r corff a theatr gweler: J. Pitches ac S. Popat (gol.), *Performance Perspectives: A Critical Introduction* (Llundain: Palgrave Macmillan, 2011).
[18] Maurice Merleau-Ponty, *Phenomenology of Perception*, cyf. Colin Smith (Llundain: Routledge, 2000), t. 203. Ar gyfer mwy o wybodaeth am ffenomenoleg a'r corff gweler S. Reeves, *Nine Ways of Seeing a Body* (Axminster, Dyfnaint: Gwasg Triarchy, 2011).
[19] Merleau-Ponty, *Phenomenology of Perception*, t. 360.
[20] Ibid., t. 354.

LLYFRYDDIAETH

Conroy, C., *Theatre and the Body* (Llundain: Palgrave Macmillan, 2010).

Dafis, C., (1999) 'Raymond Williams Memorial Lecture'. *http://www.byig-wlb.org.uk/English/publications/Publications/88.pdf*, cyrchwyd 13 Ionawr 2010.

Heaney, S., *Seeing Things* (Llundain a Boston: Faber a Faber, 1991).

Lewis, E., 'Darlith Goffa Marie James' (Felin-fach, Ceredigion: Theatr Felinfach, 2005).

Lewis, S., *Blodeuwedd: drama mewn pedair act* (Dinbych: Gwasg Gee, 1965).

Llyfrgell Genedlaethol Cymru, Drych Digidol, 'Reports of the Commissioners of Enquiry into the State of Education in Wales'. (Llundain: Her Majesty's Stationery Office (1847). Ar gael ar *http://www.llgc.org.uk/index.php?id= thebluebooks*, cyrchwyd 13 Ionawr 2010

McLucas, C., '*Llais Cynan*: Introductory Notes for the Creative, Management and Production Team' (Archif Clifford McLucas, Llyfrgell Genedlaethol Cymru, 1999).

Merleau-Ponty, M., *Phenomenology of Perception*, cyf. Colin Smith (Llundain: Routledge, 2000).
Olsen, A., *Body and Earth: An Experiential Guide* (Lebanon, New Hampshire: Gwasg Middlebury College, 2002).
Roberts, H. G., *Embodying Identity: Representations of the Body in Welsh Literature* (Caerdydd: Gwasg Prifysgol Cymru, 2009).
Shepherd, S., *Theatre, Body and Pleasure* (Llundain ac Efrog Newydd: Routledge, 2006).
Stewart, K., *A Place on the Side of the Road: Cultural Poetics in an 'Other' America* (Princeton, New Jersey: Gwasg Prifysgol Princeton, 1996).
Thomas, R. S., *Collected Poems 1945–1990* (Llundain: Phoenix, 2000).
Turner, B., *The Body and Society* (Second edn; Llundain, California, Dehli, Singapore: Sage Publications Ltd, 2007).
Williams, R., *Keywords: A Vocabulary of Culture and Society* (Llundain: Gwasg Fontana, 1988).
Williams, W., *Dail Pren* (Llandysul: Gwasg Gomer, 1991).

10

SGWRS RHWNG DWY DDRAMODYDD: SIÂN SUMMERS A SÊRA MOORE WILLIAMS

BLE I DDECHRAU?

SIÂN: Falle nad 'lle' ydi'r cwestiwn, ond 'pam', pan fo 'na filoedd o awduron wedi adrodd pob stori a phortreadu pob emosiwn sydd yna yn barod. O 'mhrofiad i, mae'n rhaid bod ganddoch chi ysfa neu dân yn eich bol yn y lle cyntaf. Am na fedrwch chi beidio, mewn ffordd.

SÊRA: Dwi'n cytuno gyda Siân fod yr awydd cryf i gyfathrebu rhywbeth â rhywun (yn fwy na dim byd arall) yn angenrheidiol cyn bod modd 'sgrifennu drama fydd yn cyffwrdd â chynulleidfa, ac efallai mai'r angen yna, pan ei fod yn angerddol, yw'r peth annelwig 'dan ni'n ei alw yn awen. Mae'r angen i gyfathrebu â'n cyd-ddyn yn rhan o fywyd, ac mae pawb yn ei wneud o orau yn ei ffordd ei hun.

SIÂN: Falle, fodd bynnag, eich bod chi wedi cychwyn modiwl sgriptio yn y brifysgol neu eich bod chi'n un da am 'sgrifennu straeon ers talwm, ac yn meddwl – waeth imi roi tro ar hyn. Mae'r rheini yn rhesymau digon dilys hefyd. Mae hi'n beth peryg gosod 'sgrifennu drama ar bedestal uchel fel peth cyfrin. Mae'n ddigon i ddychryn unrhyw gyw-sgwennwr cyn dechrau. A dwi'n gwbl sicr fod rhai dramodwyr wedi cychwyn eu gyrfaoedd ar ddamwain, neu drwy orfodaeth – yn sicr dyna ddigwyddodd i mi. Does 'na ddim rhaid meddu ar syniadaeth fawr a themâu astrus i fod yn ddramodydd. A dweud y gwir, maen nhw'n fwy tebygol o fod yn faen tramgwydd nag yn fendith i chi yn y dechrau. Ond hyd yn oed ar lefel dechreuwr, dwi'n meddwl bod rhaid i chi gael angen gwaelodol i ddweud. Dydi o ddim yn broblem os ydach chi'n ansicr *be* s'ganddoch chi i'w ddweud – mi ddaw hwnnw. Ond yr *angen* yna i ddweud, mae hwnnw'n hollbwysig.

SÊRA: Tra o'n i'n eistedd, fel myfyrwraig oddeutu ugain oed mewn hen stiwdio ddrama gyfarwydd, wedi'i gweddnewid yn du mewn pabell sidan, egsotig, â minnau'r tu mewn i honno, hyd braich yn unig o'r perfformwyr, cafodd fy ffawd i, fel rhywun fyddai'n treulio ei gyrfa hyd yma yn gweithio yn y theatr yng Nghymru, ei selio! Doedd 'na fawr ddim iaith yn cael ei defnyddio ond fe roeddem fel cynulleidfa serch hynny yn gwenu a chwerthin a rhyfeddu a thristáu wrth wylio. Iaith theatraidd, gyda geirfa gyfoethog o symud a sŵn, o aroglau hyd yn oed, o wisgoedd a delweddau, o greu naratif trwy osod digwyddiadau un ar ôl y llall, o gynulleidfa wedi'i gosod mewn perthynas benodol, a'r hyn oedd yn digwydd oedd yn gwneud y gwaith i gyd. Er mor estron oedd y math yma o iaith theatraidd ar y pryd, yng Nghymru (a Lloegr), roedden ni i gyd, yn rhyfeddol iawn, yn gallu ymateb iddo!

Y demtasiwn i rai ohonom ni, fel myfyrwyr ifanc wedi ein llwyr ysbrydoli, oedd mynd ati i geisio ail-greu'r profiad anhygoel hwn, ac yn haerllug ddigon fe wnaeth tri ohonom ni greu cwmni. Roedd pob cynhyrchiad gan Gwmni Cyfri 3 yn arbrawf, ac ambell i arbrawf yn llai llwyddiannus na'r gobaith, ond dwi'n ymfalchïo 'mod i wedi mentro i'r cyfeiriad wnes i, a dysgu cymaint am theatr trwy wneud hynny. Nid ysgrifennu dramâu oedden ni, ond yn hytrach, dyfeisio cynyrchiadau. Rydw i, yn sicr yn parhau, fel dramodydd, i weithio gyda'r syniad o iaith theatraidd bob amser yn flaenllaw.

PAM DDECHREUAIS I 'SGRIFENNU?

SIÂN: Pan o'n i'n ifanc, o'n i'n un o'r plant hynny sydd wastad yn 'sgrifennu straeon, a chreu bydoedd dychmygol, fel aml i blentyn. Ond am wn i 'mod i'n dipyn o berfformiwr hefyd, ac yn blentyn 'steddfod. Ond doedd hi ddim tan imi fynd ar gyrsiau drama pan o'n i'n un deg saith oed y sylweddolais i fod 'na fodd asio'r diddordebau gwahanol yma. Ro'n i'n ffodus (ac yn anghyffredin) yn y cyfleoedd dderbyniais i'n ifanc: y cyfle i weithio gyda chwmni theatr proffesiynol, gan ddatblygu syniadau, 'sgrifennu pytiau, perfformio gwaith safle-benodol, teithio yng Nghymru a hyd yn oed i Ŵyl Ymylol Caeredin, a hyn oll cyn 'mod i'n ugain oed. Ro'n i'n ffodus iawn, ond ro'n i hefyd yn sicr, erbyn hynny, mai gweithio yn y theatr ro'n i am ei wneud.

SÊRA: Roedd fy nrama gyntaf i ar gyfer cwmni Y Gymraes, *Byth Rhy Hwyr* (1991), yn deillio o'r rhwystredigaeth o fyw trwy gyfnod Rhyfel y Gwlff.[1] Roedd o'n teimlo fel cyfnod gwrywaidd iawn. Roedd dynion yn mynd i ryfel, a dynion yn trafod rhyfel yn ddi-baid, a doeddwn i fel mam ddi-waith i blentyn blwydd oed ddim yn teimlo fod gen i fawr o lais. Mae'n ddrama ynglŷn â chyflwr y byd, trwy lygaid estroniaid o blaned arall sy'n esgus bod yn dair Cymraes er mwyn ein rhybuddio ynglŷn â'r llanast ry'n ni'n ei wneud o bethau, ond hefyd y peryglon o ddatgan barn nad yw'n cydymffurfio â barn llywodraeth. Mae fersiwn y tair estron o dair Cymraes yn ddoniol o ystrydebol, gan fod eu hymchwil ddim ond wedi mynd â nhw beth o'r ffordd i ddeall cymhlethdod bod yn Gymraes go-iawn! Ysgrifennais sawl drama ar gyfer cwmni Y Gymraes wedi hynny, dros gyfnod o ddeng mlynedd, a'r oll yn ymwneud i raddau â diffyg llais merched, wedi eu sbarduno gan ddatblygiadau yn fy mywyd i ac yn y gymdeithas o 'nghwmpas i – y frwydr am gydraddoldeb (o'r ddwy ochr) mewn perthynas, cymhlethdod bod yn Gymraes, bod yn fam, bod yn rhan o deulu, a llymder y profiad o golled. Credaf hefyd fy mod o'r dechrau wedi gosod her i mi fy hun i geisio, wrth 'sgrifennu pob drama newydd, darganfod ychydig mwy am theatr, ac rwy'n dal i geisio gwneud hynny.

SIÂN: Tra o'n i yn y coleg, daeth criw ohonom at ein gilydd i weithio ar brosiect. Fe lwyddon ni i sicrhau nawdd i lwyfannu sioe theatr-mewn-addysg, ac ar gefn hynny deithio dwy ddrama fer i ganolfannau ledled Cymru. Cyfieithiad o ddrama Howard Brenton (1942–), *Christie In Love* (1969),[2] oedd un, a 'nrama gyntaf i, *Siocled Cynnes* (1987), oedd y llall. Dwi'n falch iawn o'r hyn gyflawnon ni fel criw'r haf hwnnw, yn byw ar ddim ac yn teithio mewn cronc o fan. Doedd y gwaith ddim 'mo'r gorau, ond roeddan ni'n dysgu wrth inni fynd, ac yn bwysig iawn, yn dysgu wrth wneud.

Roedd *Siocled Cynnes* yn ddrama gyntaf nodweddiadol – ystrydebol hyd yn oed – ond dydw i ddim llai balch ohoni o'r herwydd. Mae'n ddrama fer ac eitha ych-a-fi am ferch sydd wedi cael ei threisio. Dydi hi ddim yn naturiolaidd ac mae 'na rannau ohoni sydd wedi eu gorsgwennu yn ofnadwy. Mae 'na ddylanwad dramâu Franca Rame (1928–), ac eraill yn drwm arni a does 'na ddim byd newydd yn cael ei fynegi. Ond dwi'n falch ohoni oherwydd mai dyma'r tro cyntaf imi roi tro arni – a hefyd oherwydd 'mod i'n trio 'sgrifennu i'r llwyfan yn hytrach nag i gyfrwng arall. Pa bynnag mor felodramataidd a naïf, *mae* hi, serch hynny, yn ddrama sy'n perthyn i'r theatr. Ac fe'i 'sgrifennwyd hi, nid oherwydd bod yr awen wedi disgyn, ond oherwydd bod *angen* drama arall arnon ni ar fyrder. A dydw i ddim yn meddwl ei bod hi ddim gwaeth o beth o'r herwydd.

SÊRA: Yn fy ail gyfnod o 'sgrifennu (dim ond wrth edrych yn ôl rwy'n gweld ble mae un cyfnod yn gorffen ac un newydd yn dechrau – wnes i ddim gwneud penderfyniad ymwybodol i newid trywydd) roeddwn yn gweithio i gwmni theatr i blant a phobl ifanc, ac yn gweithio ar adegau gyda phobl ifanc difreintiedig iawn. Yn sicr, mae diffyg llais unwaith eto wrth galon y dramâu, ond mae'r ffocws nawr ar gyflwr bywydau pobl ifanc difreintiedig, ac ar fywydau bechgyn ifanc yn fwyaf arbennig. Falle, oherwydd natur cynulleidfa arfaethedig y cwmni (plant a phobl ifanc, gwledig i raddau helaeth), fod y gwaith yma yn fwy traddodiadol o ran strwythur naratif na'r gwaith cynharach ar gyfer Y Gymraes. Mae ysgrifennu ar gyfer cynulleidfa benodol (o ran oedran) ac amgylchiadau perfformio penodol (neuaddau ysgol yng ngolau dydd, er enghraifft) yn her aruthrol, ond gellid dadlau fod dramodwyr sy'n gweithio trwy gyfrwng y Gymraeg wedi hen arfer â gweithio gyda'r her o greu ar gyfer cynulleidfa benodol. Erbyn hyn rwy'n fam i oedolyn ac i ferch ifanc yn ei harddegau, ac yn gweithio mewn adran ddrama prifysgol, ac rwy'n ymwybodol fy mod yn edrych ar fywyd o bersbectif gwahanol eto, a bod yr hyn sydd gen i awydd i'w gyfathrebu wedi newid unwaith eto hefyd.

PETHAU I'W DWEUD

SIÂN: 'Sgen ti rywbeth i'w ddweud?' Dyna un o'r cwestiynau cyntaf sy'n cael ei ofyn i gyw-sgriptiwr, neu y mae hwnnw/honno yn gofyn iddyn nhw eu hunain, wrth i'r gair 'twyllwr' ddiasbedain yn ei ben. Waeth i chi beidio â gwrando ar y llais yna – mae o ym mhen pob awdur – a'r unig beth fedrwch chi wneud ydi ei gydnabod a bwrw ati. Mae gan bawb rywbeth i'w ddweud achos bod pawb yn berson â phrofiadau bywyd.

SÊRA: Mae beth 'dach chi isio'i ddeud, ac wrth bwy, yn newid (i ddramodydd fel y mae o i bawb arall) wrth fynd trwy fywyd. Edrychwch ar waith unrhyw ddramodydd sydd wedi bod yn 'sgrifennu am gyfnod hir, ac fe welwch ei ddiddordeb mewn pethau yn newid.

SIÂN: Nid pawb sydd eisiau trawsnewid eu profiadau yn sgript, ond os ydych chi, yna mae gynnoch chi storfa o brofiadau yn barod yn eich pen i dynnu arnyn nhw.

SYSTEM?

SÊRA: Dwi'n 'sgrifennu llith ar ddechrau'r broses, ac yna'n araf chwynnu wrth ddod i wybod mwy am y sefyllfa a'm cymeriadau. Proses o ddarganfod yw 'sgrifennu drama, proses o roi trefn ar anhrefn, proses o ddod i adnabod ac i ddeall.

SIÂN: Yr un peth dwi wedi ei ddysgu sy'n ddiamheuol wir – paid â sensro dy hun pan wyt ti'n cychwyn dy ddrama. Dwi'n derbyn, bellach, y bydda i'n 'sgrifennu llawer o lol ar ddechrau proses ond bod rhaid gwneud hynny cyn cyrraedd rhywbeth gwerthfawr yng nghanol y sbwriel. Ac felly, yn aml iawn, mi fydda i'n dechrau 'sgrifennu a gweld be' ddaw. Dwi'm yn gwneud hynny heb feddwl am themâu dwi eisiau eu trafod, neu'r darluniau sydd wedi fy ysbrydoli neu'r cymeriad dwi wedi cymryd ffansi ato, ond fel arfer dwi *yn* dechrau heb strwythur neu syniad ble fydd y ddrama yn diweddu.

SÊRA: Pan fo cyfaill i mi, sy'n ddramodwraig, wedi gwneud ei hymchwil ac yn barod i 'sgrifennu, mae'n creu tirwedd y ddrama yn ei phen, meddai hi, ac yna'n gadael i'w chymeriadau stompio o gwmpas yna, yn cwrdd a siarad â'i gilydd. Os yw hi'n cyrraedd pwynt mewn drama lle mae'r ysbrydoliaeth yn diflannu yna mae hi'n newid ei hamgylchiadau gweithio fel eu bod yn debyg rhywsut o ran naws i'r olygfa mae hi'n ceisio ei 'sgrifennu. Mae'n gweithio wrth eistedd ar glogwyn uwchben y môr efallai, neu ar fainc mewn parc, neu mae'n cau'r llenni a gweithio wrth olau cannwyll, gan ddefnyddio inc a phapur yn hytrach na chyfrifiadur, neu drwy ysgrifennu tra bydd yn gwrando ar gerddoriaeth o naws benodol.

Fe fyddwn i'n dweud fod proses sydd wedi'i mapio allan yn drwyadl cyn dechrau 'sgrifennu (sicrwydd o beth yw'r dechrau, y canol a'r diwedd) o ran 'sgrifennu ar gyfer y theatr beth bynnag - yn broses sydd eisoes yn farwaidd.

SIÂN: Dewis personol ydi o: mae rhai yn cynllunio'r ddrama yn fras neu yn fanwl cyn dechrau neu yn mapio taith cymeriad drwy'r ddrama. Dwi'n meddwl ei bod hi'n fater o ddilyn be' sy'n gweithio i chi.

SÊRA: Rydw i'n aml yn darganfod 'mod i wedi ymchwilio drama newydd mewn modd hollol anymwybodol, dim ond oherwydd 'mod i'n naturiol dros gyfnod wedi bod yn ceisio darganfod mwy am rywbeth sy'n fy niddori ar y pryd.

SIÂN: Un dechreubwynt cyson mewn llyfrau ar sgriptio ydi ail-fyw a mynegi atgof cynnar. Mae hyn yn gwneud synnwyr perffaith oherwydd mai dyna ydi'ch gwraidd chi, ac mae tynnu ar y teimladau oedd yn fyw ar y pryd a'ch agwedd chi atyn nhw heddiw, yn hollbwysig. Mae gen i atgof o benlinio ar 'y 'ngwely a sbïo drwy'r ffenest ar ambiwlans yn diflannu lawr y lôn i fynd â 'nhaid i'r ysbyty. Dwi'n cofio'r teimlad fel un trist a phryderus. Mae gen i atgof wedyn o gwpl o wythnosau wedyn yn disgwyl i'r oedolion ddod yn ôl o g'nebrwng Taid. Chwarae gyda fy mrodyr a 'nghefndryd, ond pob un ohonom yn cadw llygad barcud ar y brechdanau dan y *clingfilm*. A'r teimlad yno ydi methu â disgwyl iddyn nhw ddod adre fel 'mod i'n cael sglaffio'r te. Mae cyfosod yr atgofion yna yn dweud tipyn amdana i fel plentyn – ond mae'n deg hefyd dweud ei fod o'n nodweddiadol o blentyndod.

Mi allwn i 'sgrifennu monolog wedi ei ysbrydoli gan y diwrnod hwnnw ac mi fyddai'n ymarfer gwerth chweil ar sawl lefel: mae gen i fantais amser a gwrthrychedd fel 'mod i'n gallu dewis a dethol atgofion gan greu rhywbeth arwyddocaol a dramatig ohonynt, tra byddwn i, ar yr un pryd, yn cofio'r emosiwn gwreiddiol pan brofais i'r sefyllfa yn y lle cyntaf.

Mae nodi atgof cynnar yn sicr yn ymarfer gwerth ei drio. Does dim rhaid iddo fod yn ddramatig nac yn arwyddocaol ('swn i'n dadlau ei fod o'n arwyddocaol oherwydd eich bod chi'n ei gofio beth bynnag). Wedyn nodwch gymaint â fedrwch chi am yr atgof – nid jest beth ddigwyddodd ond synau, arogleuon, pwy arall oedd yno a sut oeddech chi'n teimlo. Yna, ffeiriwch yr atgof yna ag atgof rhywun arall yn eich grŵp sydd yn gwneud ymarfer tebyg. Ac yna, meddyliwch am sefyllfa neu olygfa sy'n deillio o'u stori nhw. Betia i y bydd yn wahanol iawn i'r hyn maen nhw'n ei gofio. Y pwynt dwi'n trio'i wneud ydi mai ni sy'n creu arwyddocâd atgofion: ynddyn nhw eu hunain dydyn nhw ddim byd ond ffeithiau moel.

Mi glywch chi aml i awdur yn dweud – dechrau wrth dy draed. Cyngor cwbl synhwyrol. Am be ydach chi'n ei wybod, yn un ar hugain oed? Plentyndod? Cariad? Pwysau ysgol? 'Sgrifennwch am y pethau hynny sydd wedi eich llunio chi. Ond be' 'di'ch agwedd chi at yr hyn 'dach chi'n ei 'nabod? Trïwch feddwl am beth sy'n eich diddori *chi* am fwlio neu golli pwysau. Beth am ddweud stori'r bwli, er enghraifft, yn lle'r person sy'n cael ei biwsio? Os yw eich mam-gu mewn cartref hen bobl does dim rhaid i chi gyflwyno darlun o hen wraig yn driblo. Mi fedrwch chi droi hynny ar ei ben. Falle bod yr hen wraig yn esgus bod yn sâl. Falle eich bod chi'n creu cymeriad dychmygol sydd yn cynrychioli agwedd o bersonoliaeth yr hen wreigan sydd yn ddigri' a dilornus o'i sefyllfa. Mae 'na sawl agwedd ar yr un stori.

SÊRA: Rwy'n cytuno ynglŷn â dechrau wrth eich traed a dechrau trwy 'sgrifennu am yr hyn sy'n gyfarwydd. Mae llawer o fy nramâu i yn deillio neu'n defnyddio yn uniongyrchol, storïau teuluol, neu atgofion sydd, mae'n siŵr, eisoes wedi'u gweddnewid gan amser a dychymyg.

Sbardun yw'r storïau a'r atgofion fel arfer i ddramâu sy'n symud yn bell o'r gwreiddyn. Mae angylion, a morforynion a chreaduriaid o blanedau eraill, ysbrydion, newyddiadurwyr, cyfieithwyr, cantorion canu gwlad, Elvis a Marilyn Monroe *look-alikes* yn fy nramâu i – heb 'mod i wedi ymwneud â'r un ohonyn nhw yn fy mywyd go-iawn!

Fe fyddwn i hefyd yn dweud, yn ogystal â dechrau wrth eich traed – defnyddiwch eich traed! Ewch i weld popeth mae modd ei weld, er mwyn gweld sut mae dramodwyr eraill yn arfer eu crefft. Does dim byd sy'n fwy defnyddiol i ddramodydd na gweld dramâu yn llwyddo neu'n methu, a threulio rhyw awr neu ddwy, falle, yn pendroni am pam. Wrth gwrs, mae beth sy'n llwyddo i un aelod o'r gynulleidfa yn gallu methu i un arall – mae hynny'n anorfod – ond rydym ni, fel pobl theatr, yn meddu ar y gallu i edrych yn fwy gwrthrychol ar bethau, a barnu yn fwy gwrthrychol, nid dim ond ar lefel ein mwynhad neu ddiffyg mwynhad ein hunain.

SIÂN: O 'mhrofiad i, ac yn enwedig felly ymysg pobl ifainc, mae 'na duedd i fod yn drasig. Falle oherwydd eich bod chi'n meddwl fod hynny'n fwy gwerthfawr na chomedi, er enghraifft. Dydi o ddim. Yn amlach na pheidio, mae o'n bwydo agwedd sydd wedi ei dderbyn ganddon ni yn barod – dydi o'n ofnadwy pan mae hen berson yn eistedd yn ddiymadferth mewn cadair. Wel, yndi wrth gwrs ei fod o. Ond wela i ddim drama yna, o anghenraid, dim ond stori drist – ac ystrydebol, yn anffodus. Crefft 'sgwennwr ydi bod yn sicr o'r hyn maen nhw â diddordeb ynddo o fewn sefyllfa sydd, falle, yn gyfarwydd i bawb. Ac felly, ie, dechreuwch wrth eich traed – ond byddwch yn glir am yr hyn 'dach chi'n ei feddwl a'i deimlo, sydd yn unigryw. Mi fedrwch chi greu egin drama anhygoel o ffres o bynciau cwbl gyfarwydd, dim ond eich bod chi'n glir am yr hyn sydd yn eich diddori chi amdanyn nhw.

CYFARWYDDIADAU LLWYFAN

SÊRA: Mae gallu dychmygu'r ddrama'n digwydd yn hollbwysig, wrth 'sgrifennu, ac mae cyw-ddramodwyr yn aml yn gofyn a oes angen iddynt 'sgrifennu cyfarwyddiadau llwyfan. Os yw eich cyfarwyddiadau llwyfan yn allweddol i'r profiad yr ydych am i'r gynulleidfa ei gael (beth maen nhw'n feddwl ac yn ei deimlo), yna 'oes' yw'r ateb.

Os mai dynodi trwy ba ddrws ar ba ochr i'r llwyfan y mae cymeriad yn dod mewn neu'n gadael (os nad yw hyn yn hollol ganolog i'r digwydd, er enghraifft mewn ffars) yna fy ateb i yw 'na'. Gwaith cyfarwyddwr yw gwneud penderfyniadau ynglŷn â thrwy ba ddrws mae cymeriad yn gadael, cyn belled â bod y dramodydd yn dweud ei fod yn gadael.

Os mai gosod golygfa yn gyffredinol yw pwrpas y cyfarwyddiadau 'ar ochr chwith y llwyfan mae bwrdd a 4 cadair', yna eto fy ateb yw 'na'. Gall cynllunydd a chyfarwyddwr benderfynu ble mae angen i'r bwrdd fod i wasanaethu'r olygfa/ddrama. Os mai creu gofod neu fyd sy'n rhan hanfodol o ystyr ac effaith y ddrama yw'r bwriad, yna gweithiwch yn galed, a byddwch yn fanwl:

> Mae'r gofod yn wag oni bai am hen fwrdd cegin derw hir a phedair cadair dderw. Dim ond y bwrdd a'r cadeiriau sydd wedi eu goleuo. Mae gweddill y gofod yn hollol dywyll trwy'r amser. Clywir cloc yn ticio. Mae'r holl chwarae yn digwydd wrth y bwrdd, ar y bwrdd ac o dan y bwrdd.

Os mai 'blocio' yn unig yw'r bwriad, 'mae'r cymeriad yn symud i'r dde', yna gwaith cyfarwyddyd yw hynny, ond os yw'r digwydd yn hanfodol i'r chwarae yna unwaith eto byddwch yn fanwl:

> Mae'r cymeriad yn pwyso ar ymyl y bwrdd, ei phen yn ei dwylo. Mae'n oedi cyn estyn i'w phoced am lythyr. Mae'n oedi cyn agor y llythyr a'i ddarllen.

Mae creu gofod sy'n frith o bosibiliadau os oes gennych syniad am beth yr hoffech 'sgrifennu yn aml yn gallu bod yn fan cychwyn. Er enghraifft, mewn drama am derfysg:

> Mae'r gofod yn fyglyd. Mae carped mawr sy'n amlwg wedi bod mewn tân yn gorchuddio llawr y gofod. Mae pâr o *trainers* llachar gwyn, newydd iawn mewn un cornel, a *baseball bat* yn gorffwys ar wal gyferbyn. Clywir sŵn terfysg, a thaflunnir golygfeydd o'r newyddion am y terfysg yn Clapham (Awst 2011) ar un wal. Mae'r llun yn rhewi

ar *silhouette* o fenyw ar gefndir o fflamau yn neidio o ffenestr uchel. Daw dau ddyn i mewn i'r gofod. Dyn canol oed yw un, bachgen ifanc yw'r llall. Tawelwch. Syllant ar ei gilydd.

Os mai cyfarwyddo perfformiad actor yw'r bwriad, yna eto, byddwch yn fanwl. Mae:

CYMERIAD: Dwi'n mynd i ladd fy hun.

Yn wahanol (o bosibl) i

CYMERIAD: (yn gwenu) Dwi'n mynd i ladd fy hun.

Mae fy ngwaith i yn frith o guriadau a seibiannau, sydd hefyd yn fodd o gyfarwyddo ystyr.

Mae:

CYM. 1: Dwi'n dy garu di.
CYM. 2: Wyt ti?

yn wahanol i:

CYM. 1: Dwi'n (CURIAD) dy garu di.
CYM. 2: Wyt ti?

Neu:

CYM. 1: Dwi'n dy (CURIAD) garu di.
CYM. 2: Wyt ti?

Neu:

CYM. 1: Dwi'n dy garu di
SAIB
CYM. 2: Wyt ti?

Mae gwaith dramodydd yn waith manwl iawn, ond nid gwaith cyfarwyddwr ydi o. *Blueprint* manwl iawn yw sgript theatr ar gyfer digwyddiad byw.

BETH O'N I AM EI GYFLAWNI PAN O'N I'N CYCHWYN?

SIÂN: Dwi wastad wedi teimlo ei bod hi'n bwysig 'mod i'n cyflawni rhywbeth o bwys drwy 'ngwaith. Pan o'n i'n dechrau 'sgrifennu, bod yn rhan o hybu'r diwylliant a'r iaith Gymraeg oedd hynny. A dwi'n gwrido fymryn wrth gyfaddef hynny achos – pwy ydw i i achub unrhyw beth? Ta waeth, roedd hynny'n ffactor bwysig oedd yn gyrru fy meddwl creadigol pan o'n i'n fengach. Ro'n i isio i gymunedau weld gwaith herfeiddiol yn y Gymraeg, ac nid jest dramâu cegin. Am wn i 'mod i'n meddwl 'os yw celfyddyd cenedl yn llachar, yn arbrofol, yn chwilfrydig, wel mae hynny yn mynd i fod o fudd i'r genedl yna mewn rhyw ffordd'.

Y ddrama hir gyntaf 'sgrifennais i oedd *Un Funud Fach* (1993). Mi ro'n i wedi gweld a darllen llawer o ddramâu abswrd erbyn hynny, ac mi ro'n i hefyd yn hoff iawn o realaeth hudol (*magic realism*), sef math ar 'sgrifennu sy'n caniatáu digwyddiadau hudol, megis y meirw'n ymddangos wrth y bwrdd bwyd mewn cyd-destun cwbl normal. Dwi'n cofio gweld cwpl o ddramâu gan Ed Thomas (1961–), a dwi'n siŵr 'mod i wedi cael fy nylanwadu gan y don yna o 'sgrifennu oedd yn boblogaidd iawn yng Nghymru ar y pryd. Y ffactor arall ddylanwadodd arna i oedd 'mod i allan o waith am gryn gyfnod oherwydd mod i'n trio ffeindio gwaith fel actores, a ddim yn llwyddo, ac yn teimlo'n euog iawn am fod ar y dôl. Ac felly mi benderfynais i fod rhaid imi drio gwneud rhywbeth cadarnhaol gyda 'nyddiau. Ac felly mi ddechreuais i fynd i lyfrgell Treganna yng Nghaerdydd bob bore ac eistedd yno am ryw dair neu bedair awr i 'sgrifennu. A dyna sut daeth *Un Funud Fach* i fodolaeth. Mae 'na chwech o gymeriadau ynddi, pob un eisiau rhywbeth. Yn y canol mae Carol, merch ifanc sy'n gweithio mewn swyddfa dacsis, ac sydd wedi ei hamgylchynu gan y cartwnau yma o gymeriadau – bardd ifanc sydd wedi dod ar y trên i Fangor i chwilio am yr awen, gwraig hŷn yn morio mewn ffilmiau rhamantus yn ei swydd fel *usherette* yn y sinema gyferbyn, a phlismones sy'n argyhoeddedig mai'r rheswm ei bod hi'n sengl ydi ei sgidiau synhwyrol ac iwnifform dywyll. Nonsens oedd lot ohono. Ond dwi'n meddwl 'mod i'n trio 'sgrifennu am rywbeth oedd o bwys imi ar y pryd – sef bod ’na beryg iti fyw dy fywyd yn ôl rhyw ddelfryd amhosibl i’w chyrraedd, a dy fod ti yn bownd o gael dy siomi wrth wneud. Ac mi wnes i ddewis cyflwyno’r ‘neges’ yna drwy gyfrwng comedi abswrd yn hytrach na naturiolaeth.

BRWYDRO

SÊRA: ‘Deuparth gwaith ei ddechrau’, meddan nhw, ac er ei fod o’n beth amlwg i ddeud, does dim modd ’sgrifennu drama heb eistedd a chychwyn ar y gwaith. ‘Ni lwyddir heb lafur’, meddan nhw hefyd, ac mae hynny hefyd yn wir. Mae ysgrifennu drama yn waith caled. Mae pob dramodydd gwerth ei halen dwi’n nabod yn cyrraedd pwynt lle mae’n teimlo fel ei fod mewn brwydr gyda’r ddrama. *Writer’s block*, mae’n siwr, ydi’r term cyfarwydd, y pwynt hwnnw mewn proses (ac mae’n rhan hollol naturiol anorfod o’r broses dwi’n meddwl) pan fo popeth yn anodd, pan fo canfod ffordd ymlaen yn teimlo’n amhosibl, pan eich bod chi’n dechrau casáu eich drama eich hun, pan eich bod chi’n amau eich pwrpas wrth ’sgrifennu o gwbl. Mae’n rhaid brwydro trwy hyn, a pharhau i feddwl, cymryd amser, ac yna o rywle (gan amlaf), fe ddaw ’na oleuni ac fe fyddwch yn gallu ailgydio. Fe fyddwch wedi llwyddo i ddatrys y broblem, ac yn amlach na dim, fe fyddwch yn sylweddoli mai rhyw ddarn o’ch drama oedd wedi eich hudo, eich bod chi wedi osgoi cael gwared ag e oherwydd falle ei fod o’n teimlo fel darn da o ’sgrifennu, neu falle ei fod yna o’r dechrau (mae hynny’n aml yn wir). Mae’n rhaid bod yn ddewr, a datgymalu, a chwynnu, a chael gwared, ac yna, fe fydd y llwybr at y llinell olaf ’na o ddeialog, neu’r weithred olaf un ’na yn amlwg, a’r ddrama yna yn ei chyfanrwydd. Does neb byth yn ’sgrifennu dramâu mewn un drafft!

YSGRIFENNU ‘DA’

SIÂN: Mi grybwyllais i gynnau falle bod ambell i ’sgwennwr ifanc yn troi at y ddrama oherwydd ei fod wedi cael hwyl ar ’sgrifennu llenyddiaeth yn y gorffennol. Dydi hyn ddim wastad o fantais i chi. Yn fy ngwaith yn Sherman Cymru, a hefyd pan dwi wedi dysgu sgriptio yn y gorffennol ymysg myfyrwyr, un o'r problemau amlycaf yw gor-sgwennu, ac yn fwyaf arbennig eglurhad (*exposition*). Ystyriwch y talp o ddeialog isod:

GŴR: Beth sy'n bod, cariad? Rwyt ti mor welw.
GWRAIG: Mae ein priodas ni ar y dibyn ers tro byd. A rŵan bod Jim, ein mab, wedi cael ei arestio am ddelio cyffuriau wythnos diwethaf, dwi wedi cyrraedd pen fy nhennyn. Ac arnat ti mae'r bai.
GŴR: O, plîs paid â chodi yr affêr ges i llynedd eto.
GWRAIG: Ond gwyddost mai dyna ddywedodd Jim wrthat ti oedd y rheswm iddo fo suddo i bwll diwaelod heroin.
GŴR: Wel, falle taset ti wedi bod yn wraig fwy cariadus i mi ar hyd y blynyddoedd, yna fyddwn i ddim wedi chwilio am loches ym mreichiau gwraig arall.
GWRAIG: Mae dy galon fel y graig. Cer i bacio siwtces. Dwi am ysgariad!

Mae'r 'sgrifennu yma yn eithafol wrth gwrs, ond dwi'n gobeithio ei fod o'n profi peth. Bod llwytho cymeriadau efo deialog lle maen nhw'n dweud pethau wrth ei gilydd maen nhw'n ei wybod yn barod – ac yn gwneud hynny mewn iaith flodeuog – yn ein rhwystro rhag cael unrhyw gydymdeimlad â'r cymeriadau. Rhan o grefft dramodydd ydi atal ac awgrymu yn hytrach nac egluro. Dwi'n meddwl falle mai ofn neu ddiffyg ymddiriedaeth mewn gallu cynulleidfa i ddirnad beth sy'n mynd ymlaen sy'n gyfrifol am oregluro o'r fath. Ond gosodwch eich hun yn sefyllfa'r gynulleidfa am eiliad: faint o weithiau ydych chi wedi diffodd y teledu neu adael theatr wedi diflasu achos bod y ddrama wedi datguddio'i chyfrinachau o fewn y pum munud cyntaf? Pam ddylen ni drafferthu gwylio rhywbeth pan fedrwn ni weld ei diwedd yn ei dechrau? Mi rydan ni'n gwylio dramâu *er mwyn* ffeindio beth sy'n digwydd, a sut mae'r cymeriadau a'r stori yn mynd i'n synnu, nid er mwyn tystio i'r amlwg.

A'r ffactor arall wedyn ydi'r 'sgrifennu blodeuog. Dwi'n meddwl fod hyn yn arbennig o gyffredin yn Gymraeg, ac yn tybio ei fod o ganlyniad i'r pwys 'dan ni'n ei osod ar lenyddiaeth gain. Rhan o grefft bardd caeth, er enghraifft, ydi naddu dweud hardd allan o ychydig eiriau. Mae'n grefft brin, a gwerthfawr. Mae nofelydd yn gallu rhoi darlun cyflawn inni o *psyche* un cymeriad neu gymuned gyfan – ond, yn draddodiadol, mae'n gwneud hynny o safbwynt yr awdur, sydd yn hollwybodol. Gall y naratif ddweud pethau wrthym na ŵyr y cymeriad ei hun. Ond nid yw'r un peth yn wir am y ddrama. Portreadu cymeriadau mewn byd lle nad ydyn nhw'n hollwybodus o gwbl, ydi crefft dramodydd. Ac adeiladu cyfres o ddigwyddiadau sydd yn datblygu eu perthynas â'r stori fel nad ydi'r byd yr un fath ar ddiwedd y ddrama. Mae gofyn i ddramodydd 'ddiflannu' yn ei waith yn llawer mwy na nofelydd. Mi wnaiff 'sgrifennu blodeuog gyfaddawdu crediniaeth cymeriad ac amharu ar ein hymlyniad i'r stori. Eich swydd chi, ac eto dwi'n pwysleisio mai yn *gyffredinol* dwi'n meddwl, yw llunio byd cwbl gredadwy lle mae'r cymeriadau yn byw a bod, yn ddiarwybod i unrhyw fwriad gan ddramodydd. Nid 'sgrifennu 'da' yw hanfod drama dda bob tro.

Mi fedrwch chi ddechrau yn unrhyw le – stori bapur newydd, darlun, pwt o ddeialog – trïwch sawl ffordd wahanol i weld beth ddaw. Ceisiwch fod yn feddwl agored, a gadael i gymeriadau a sefyllfa *anadlu* yn hytrach na'u llwytho â stori gefndirol. Mi ddaw 'na egin drama o'r ffynonellau rhyfeddaf, ac o 'mhrofiad i mae 'na straeon ym mhob man – ond eich ymateb personol chi i symbyliad fydd yn ei chreu.

Mi roeddwn i a'r dramodydd Aled Jones Williams yn dysgu ar gwrs rai blynyddoedd yn ôl ac mi fyddai Aled yn paratoi cyfres o ddelweddau fel dechreubwynt i 'sgrifennu pob wythnos. Mi fyddai'r grŵp wedyn yn ymateb i'r delweddau ar y pryd. Roedd amrywiaeth y syniadau dderbynion ni i bob syniad yn anhygoel, ac yn profi, unwaith ac am byth, dwi'n meddwl, mai chi sy'n creu'r ddrama o'ch ymateb chi i'r ffeithiau.

Trïwch ymateb i'r ddelwedd isod fel ymarfer, a gweld sut aiff hi. Ceisiwch weld darlun yn eich pen ac efallai dychmygu'r darlun ar lwyfan. Mi fedrwch chi ymateb trwy 'sgrifennu golygfa, trwy ychwanegu cymeriadau eraill i'r cymysgedd, mapio senario neu 'sgrifennu cyfarwyddiadau llwyfan. Gwelwch be' ddaw . . .

Mae yna lethr o bridd coch-frown ar y llwyfan. Mae yna ferch fach yn dod dros dop y llethr yn cario pelen o wlân coch. Mae hi'n edrych tu ôl iddi cyn rowlio'r belen lawr y llethr gan ddal ar y pen. Yna mae hi'n cerdded i waelod y llethr ac yn edrych allan i'r pellter. Yna mae hi'n dweud:

MERCH: Dydd Mawrth oedd hi.

Beth sy'n digwydd nesaf?

Dwi'n credu fod yr hyn rydych chi eisiau 'sgrifennu amdano wastad yn eich ffeindio chi, waeth beth yw'r symbyliad. Cymerwch chi stori fel chwedl Branwen, er enghraifft. Llawer o ddigwyddiadau dramatig: gwledd fawreddog yn suro wrth i Efnisien dorri cynffonnau meirch oherwydd ei fod e'n methu â dygymod â cholli ei chwaer; gwraig ifanc yn cael ei phiwsio gan ei gŵr; cawr o frenin yn pontio'r môr er mwyn arwain ei ddynion i'r lan; brwydr waedlyd; pair hud yn ailgylchu milwyr marw; Efnisien yn torri ei galon ei hun wrth chwalu'r pair; pum gwraig feichiog mewn ogof yn ailboblogi Iwerddon; Branwen yn marw ar lan afon Alaw gan ei beio ei hun am yr holl beth. Dyma'r ffeithiau – ond tasech chi'n gorfod dewis un agwedd ar y stori neu'r digwyddiad mwyaf diddorol, beth fyddai? Sefyllfa ddomestig rhwng gŵr a gwraig? Dilema brawd yn gorfod peryglu ei fyddin i arbed ei chwaer? Pum gwraig feichiog mewn ogof mewn Iwerddon ôl-Apocalyptig? Brawd yn caru ei chwaer gymaint nes ei fod o'n dechrau rhyfel i'w chadw? I mi, stori Efnisien bob tro, gan mai fe ydi'r cymeriad cyfoethocaf – a dyna sydd yn apelio ata *i* fel dramodydd. Pam fyddai brawd yn cyflawni gweithred *mor* eithafol, fyddai'n bownd o ennyn canlyniadau erchyll? Beth oedd natur y berthynas rhwng brawd a chwaer? Dyma'r math o gwestiynau y byddwn i'n eu gofyn i'm hysbrydoli fy hun i ddechrau ar ddrama. Ond fyddwn i ddim yn diystyru darlun trawiadol y pum gwraig mewn ogof chwaith!

Y WEITHRED O 'SGRIFENNU/'SGRIFENNU GWEITHRED

SÊRA: Fe fues i'n gweithio yn y theatr am amser hir cyn dechrau 'sgrifennu dramâu, ac fel pawb sy'n gweithio yn y theatr (fel mae Siân wedi'i grybwyll) ro'n i'n cael cyfnodau o fod yn ddi-waith, ac yn ystod un o'r cyfnodau hynny, fe wnes i benderfynu trio gwneud rhywbeth mwy defnyddiol (neu ddiddorol o leiaf) gyda fy amser rhydd na disgwyl am y rhan nesaf. Roedd cyfle'r flwyddyn honno, fel rhan o gystadleuaeth drama fer yr Eisteddfod Genedlaethol, i'r tair drama orau gael eu cynhyrchu er mwyn cael eu beirniadu yn derfynol ar sail perfformiad. Fe wnes i gystadlu ac ennill, ond er mor braf oedd cael y mymryn lleia 'rioed 'na o sylw (mae beirdd a nofelwyr, cofiwch, angen llawer mwy o sylw na dramodwyr er mwyn ffynnu!) bwriad cystadlu, a'r wobr mewn gwirionedd i mi, oedd y cyfle i greu rhywbeth byw y byddai cynulleidfa yn rhan ohono. Doedd 'sgrifennu er mwyn i'r 'sgrifennu aros ar y dudalen ddim o ddiddordeb i mi hyd yn oed yr adeg honno.

BWRW IDDI A DAL ATI

SIÂN: Mae cynnig cyngor i awdur arall, pa bynnag mor ifanc neu ddibrofiad, yn beth od i'w wneud oherwydd bod pob egin-ddramodydd yn meddu ar brofiadau, dychymyg, a rhwystrau unigryw. Mae'n teimlo fel peth rhagrithiol imi ar hyn o bryd gan nad oes gen i fawr o amser i 'sgrifennu fy hun. Yntau ydw i'n twyllo fy hun?

Yn fy ngwaith bob dydd fel Rheolwr Llenyddol yn Sherman Cymru mi rydw i'n trin a thrafod gweledigaeth a chrefft dramodwyr. Rydw i'n ceisio deall yr hyn mae awduron am ei greu a'u helpu nhw i ddod yn agosach at eu nod. Yn aml dwi'n ffeindio mod i'n cynhyrfu'n lân wrth archwilio posibiliadau dirifedi syniad arbennig. A dwi'n cenfigennu wrth awduron wrth ffarwelio ar ddiwedd cyfarfod oherwydd yr antur sydd o'u blaenau wrth ddod â'r byd unigryw/cymeriadau cymhleth/arddull gyffrous yma yn fyw. Am nad oes gen i'r amser i wneud fy hun ar hyn o bryd.

Ond faint o amser sydd angen i gael ysbrydoliaeth? Eiliad, weithiau. Does ond rhaid i chi gael cip ar berson ar y stryd neu stori mewn papur i gael eich 'sbarduno. A chymer hi fawr mwy na munud i sgriblo'r syniad yna ar bapur, neu awr i agor crombil ei botensial. Sawl gwaith mewn wythnos, mi ddweda i 'W, dyna ddrama yn fan'no!'. Ond faint o'r syniadau yna ydw i wedi eu hela yn ystod y flwyddyn ddiwethaf? Un! A wnes i mo hynny'n llawn chwaith.

Ac ydw, dwi'n brysur. Tydi pawb? Ond tydi hynny ddim yn reswm nac yn esgus. A dyma ni'n dod at un o'r rhwystrau amlycaf – a symlaf – i unrhyw awdur. Unrhyw artist, mewn gwirionedd. Chi eich hun. Mi fedrwch chi fod â'r syniad mwyaf ffantastig am ddrama gyda themâu cryfion a chymeriadau cyfoethog, ond os na wnewch chi roi cychwyn arni, ddo'n nhw fyth i fodolaeth. Dychmygwch tasa Shakespeare (1564–1616), wedi penderfynu llnau ei dŷ neu orffen ei smwddio yn lle 'sgrifennu *King Lear* neu *Othello*? Ac felly, y gair pwysicaf o gyngor sydd gen i, i mi fy hun cyn gymaint ag i bob un ohonoch chi, ydi bwrwch iddi a daliwch ati. Achos falle, jyst falle, bydd ganddoch chi stori i'w hadrodd fyddai'n cyfoethogi ein bywydau ni i gyd. A dyna bechod fyddai colli'r cyfle i'w rhannu.

NODIADAU

[1] Ceir manylion llawn cwmni Y Gymraes ar wefan theatre-wales Keith Morris, *www.theatre-wales.co.uk/* (cyrchwyd 10 Hydref 2012).

[2] Cyfieithiad nas cyhoeddwyd yw *Christie mewn Cariad*. Cynhyrchwyd drama wreiddiol Brenton *Christie in Love* gyntaf gan Portable Theatre yn 1970 ac fe'i chyhoeddwyd fel rhan o gyfrol Howard Brenton, *Plays for the Poor Theatre* (Llundain: Methuen, 1986).

MYNEGAI